MaddAddão

MARGARET ATWOOD
MaddAddão

Tradução
MÁRCIA FRAZÃO

Roco

Título original
MaddAddam

Primeira publicação na Grã-Bretanha.

Copyright © 2013 by O. W. Toad Ltd.

O direito moral da autora foi assegurado.

Versões recentes de alguns capítulos deste livro apareceram em ARC Magazine e em uma edição muito limitada chamada Bearlift, produzida para fins de captação de recursos.

Nenhuma parte desta obra pode ser reproduzida no todo ou em parte sob qualquer forma sem a devida autorização.

PROIBIDA A VENDA EM PORTUGAL

Direitos para a língua portuguesa reservados
com exclusividade para o Brasil à
EDITORA ROCCO LTDA.
Av. Presidente Wilson, 231 – 8º andar
20030-021 – Rio de Janeiro – RJ
Tel.: (21) 3525-2000 – Fax: (21) 3525-2001
rocco@rocco.com.br
www.rocco.com.br

Printed in Brazil/Impresso no Brasil

Preparação de originais
MAIRA PARULA

CIP-Brasil. Catalogação na fonte.
Sindicato Nacional dos Editores de Livros, RJ.

A899m   Atwood, Margaret
MaddAddão / Margaret Atwood; tradução de Márcia Frazão. – 1ª ed. – Rio de Janeiro: Rocco, 2019.

Tradução de: MaddAddam
ISBN 978-85-325-3137-7
ISBN 978-85-8122-765-8 (e-book)

1. Ficção científica canadense. I. Frazão, Márcia. II. Título.

19-55437
CDD-819.13
CDU-82-3(71)

Leandra Felix da Cruz – Bibliotecária – CRB-7/6135

O texto deste livro obedece às normas do Acordo Ortográfico da Língua Portuguesa.

Para a minha família
e para Larry Gaynor (1939-2010)

Sumário

Trilogia MaddAddão:
História remota (11)

OVO

A história do Ovo, e a de Oryx e Crake, e de como eles criaram as pessoas e os animais; e do caos; e do Homem das Neves-Jimmy; e do osso fedorento e da chegada de dois homens maus (19)

CORDA

Corda (25) Procissão (31) Papoula (35)

CABANA

Manhã (43) Café da manhã (47) Rede (54) História (58) Volta ao lar (65)

BEARLIFT

A história de quando Zeb se perdeu nas montanhas e comeu um urso (71) O comércio de peles (74) Acidente (79) Suprimentos (86) *Bunkie* (91) Pé-Grande (97) A história de Zeb e muito obrigada e boa noite (105)

CICATRIZES

Cicatrizes (111) Bioleta-violeta (118) Brilho (123)

ZEB NA ESCURIDÃO

Zeb na escuridão (129) A história do nascimento de Zeb (132) Moleques da PetrOleum (135) As mãos de Schillizzi (142) Mudo e furto (150) Nos subterrâneos da plebelândia (157)

O PROGRESSO DO HOMEM DAS NEVES

Lençóis florais (165) Coisas de garotas (170) O progresso do Homem das Neves (177) Romance na drogaria (185) Erva daninha (192)

LUZ NEGRA

A história de Zeb e Foda (199) Mundo Flutuante (202) Hackeria (210) Prato frio (216) Lanterna de luz negra (223) Intestinal Parasites, o videogame (230)

CAVERNA DE OSSO

Cursivo (239) Enxame (243) Caverna de osso (251) Filhotes (257)

VETOR

A história do nascimento de Crake (267) O jovem Crake (272) Ataque Grob (280) Vetor (284) Scales & Tails (288) A história de Zeb e as mulheres-cobras (297)

LEITÃO

Guru (303) Leitão (309) Conferência (315) Retirada (320) Fortaleza AnooYoo (326)

O TREM PARA A CRYOJEENYUS

A história dos dois ovos e do pensamento (335) Sombras (339) Kicktail (346) Musse de framboesa (353) O trem para a CryoJeenyus (361) Lumirosas (367) Edencliff (376)

CASCA DE OVO
Comandante (387) Incursão (394) Casca de ovo (402)
A história da batalha (408)

HORA DA LUA
Julgamento (419) Rituais (424) Hora da Lua (428)

LIVRO
Livro (437) A história de Toby (440)

Agradecimentos (445)

Trilogia MaddAddão:
História remota

Os dois primeiros livros da trilogia MaddAddão são *Oryx e Crake* e *O ano do dilúvio*. *MaddAddão* é o terceiro livro.

1. Oryx e Crake

A história começa com o Homem das Neves vivendo numa árvore à beira-mar. Ele acredita que é o último ser humano genuíno ainda vivo após uma pandemia letal que varreu o planeta. Nos arredores, vivem os Filhos de Crake, uma gentil espécie humanoide bioengendrada pelo brilhantismo de Crake que um dia tinha sido o melhor amigo do Homem das Neves e seu rival na disputa da amada, bela e enigmática Oryx.

Os crakers eram imunes a ciúme sexual, ganância e vestuário e não precisavam nem de repelente de insetos nem de proteína animal – fatores que segundo Crake haviam causado a miséria da raça humana e a degradação do planeta. Os crakers se acasalavam sazonalmente, quando se tornavam azuis em algumas partes do corpo. Apesar das tentativas de Crake para livrá-los do pensamento simbólico e da música, o singular estilo sombrio dos crakers os levou a desenvolver uma religião, com Crake como seu criador, Oryx como senhora dos animais e o Homem das Neves como seu relutante profeta. Foi este último que os guiou para longe da cúpula de alta tecnologia do Projeto Paradice, onde ergueram casas próximas ao mar nas quais ainda residem.

Em sua outra vida que antecedeu a peste, o Homem das Neves era Jimmy. Seu mundo dividia-se entre os complexos – as corporações fortificadas que abrigavam os tecnocratas de elite que mantinham a sociedade sob controle, auxiliados por um exército de segurança coletivo e pela CorpSeCorps; à margem dos complexos encontrava-se a plebelândia, onde o resto da sociedade vivia, comprava e vendia em suas favelas, seus subúrbios e seus shoppings.

Jimmy passara a primeira infância nas Fazendas OrganInc, onde seu pai trabalhava com os porcões – porcos transgênicos desenvolvidos com material humano para transplantes, incluindo rins e tecido cerebral. Mais tarde, transferiram o pai de Jimmy para a HelthWyzer, uma corporação dedicada à saúde e bem-estar. Foi na escola da HelthWyzer que Jimmy ainda adolescente conheceu Crake, na ocasião conhecido como Glenn. Eles navegavam tanto nos sites pornôs da internet como nos complexos videogames on-line. Foi nestes últimos que encontraram o Extinctathon, um site administrado pela enigmática identidade MaddAddão: *Adão deu nome aos animais vivos, MaddAddão, o doido Adão, dá nome aos mortos.* Eles aprenderam a acessar MaddAddão por uma sala de chat só acessível aos confiáveis grãos-mestres do jogo.

Crake e Jimmy afastaram-se um do outro quando Crake foi admitido no conceituado instituto Watson-Crick enquanto Jimmy seguia para cursar a Martha Graham, uma academia de artes liberais. Estranhamente, a mãe e o padrasto de Crake morreram de uma misteriosa doença que acabou por dissolvê-los. Logo depois um grupo bioterrorista de codinome MaddAddão começou a utilizar micróbios e animais geneticamente modificados para atacar a CorpSeCorps e a infraestrutura dirigente.

Quando Jimmy e Crake se reencontraram alguns anos depois, Crake estava no comando da cúpula Paradice, onde se dedicava à combinação de genes dos crakers. Ao mesmo tempo, ele desenvolvia a pílula BlyssPluss, a qual prometia êxtase sexual, controle da natalidade e juventude prolongada. Jimmy ficou surpreso ao descobrir que os nomes dos cientistas do Paradice eram idênticos aos dos usuários do videogame Extinctathon. Na verdade, os bioterroristas maddadamitas – rastreados por Crake na sala de chat – é que lhe prometeram imunidade em troca da entrada deles no Paradice.

Acontece que a pílula BlyssPluss continha um ingrediente oculto, e seu lançamento coincidiu com o início da pandemia que dizimou a humanidade. Seguiu-se um caos que levou Oryx e Crake à morte e deixou Jimmy sozinho com os crakers.

Agora, assombrado com suas lembranças da finada Oryx e do traiçoeiro Crake, e desesperado com suas perspectivas de sobrevivência, o Homem das Neves caminha doente e culpado em direção à cúpula do Paradice para pegar as armas e os suprimentos que lá estão. Nesse trajeto, é perseguido por animais geneticamente modificados como os ferozes lobocães e os porcões gigantes que são astutos por conta do tecido cerebral humano que os constitui.

No final de *Oryx e Crake*, o Homem das Neves descobre três outros que sobreviveram à peste. Ele deve se juntar a esses sobreviventes e abandonar os crakers? Ou deve matá-los porque conhece as tendências destrutivas de sua própria espécie? *Oryx e Crake* termina com o Homem das Neves tendo de decidir.

2. O ANO DO DILÚVIO

O ano do dilúvio ocorre durante aqueles mesmos anos de *Oryx e Crake*, mas situa-se na plebelândia, fora dos muros dos complexos. A história gira em torno dos Jardineiros de Deus, uma religião verde fundada por Adão Um. Seus líderes, Adãos e Evas, pregam a convergência entre a Natureza e as Escrituras, o amor entre todas as criaturas, os perigos da tecnologia, a impiedade da Corps e a prevenção da violência, e zelam pelos legumes e abelhas nos telhados das favelas da plebelândia.

A história começa no presente, no ano 25 dos jardineiros – o ano do Dilúvio Seco, a forma pela qual os jardineiros se referem à peste. Armada com um rifle arcaico e escondida no AnooYoo Spa, Toby observa à procura de outros sobreviventes – especialmente Zeb, um ex-jardineiro malandro a quem ela ama secretamente. Violando os códigos dos jardineiros, ela faz um disparo sobre um dos porcões que têm atacado a sua horta. Certa vez ela avistou uma procissão de pessoas nuas ao longe, lideradas por um homem rude e barbudo.

E como desconhecia a existência do Homem das Neves e dos crakers, achou que era uma alucinação.

Enquanto isso a jovem Ren está trancada na sala de quarentena da Scales & Tails, a boate de stripers onde ela trabalhava que, pouco antes da chegada da peste, foi destruída pelos painballers – prisioneiros desumanos da Corps que eliminavam impiedosamente os outros combatentes na arena Painball. Ren sabe que acabará morrendo de fome, a menos que sua amiga de infância Amanda apareça para destrancar a porta.

Muito antes disso, os Jardineiros de Deus tinham resgatado Toby das mãos de Blanco, um painballer abusivo e chefe dela, num desagradável estande da SecretBurgers. Ela se tornara uma Eva especializada em cogumelos, abelhas e poções. Sua mestra, a velha Pilar – uma biocientista refugiada da Corps, como muitos outros jardineiros –, mantém contatos secretos com informantes da Corps, incluindo o adolescente Crake.

Ren recebeu aulas de jardinagem de Toby, junto com Amanda, uma rata da plebelândia difícil, porém carismática. Lucerne, mãe de Ren, fugiu com Zeb do condomínio no complexo da HelthWyzer, mas depois se irritou com a resistência de Zeb em se comprometer e fugiu dos jardineiros de volta ao condomínio da HelthWyzer quando Ren tinha treze anos. Ainda adolescente Jimmy seduziu Ren, mas logo a descartou. Passado algum tempo ela resolveu ganhar a vida dançando na Scales & Tails, a melhor opção disponível.

Por discordar das táticas, Zeb e seus seguidores se separaram de Adão Um e dos jardineiros pacifistas para se engajarem numa oposição bioterrorista ativa à Corps, utilizando a sala de chat MaddAddão como ponto de encontro. Forçados a se esconder nos arredores da CorpSeCorps, os jardineiros remanescentes continuaram se preparando para o Dilúvio Seco.

No presente – ano 25 –, Amanda chega à Scales e liberta Ren. Enquanto elas celebram, aparecem três dos seus amigos jardineiros – Shackleton, Crozier e Oates –, perseguidos por Blanco e outros dois painballers. Os cinco jovens saem em fuga, mas ao longo do percurso Ren e Amanda são estupradas, Amanda é sequestrada e Oates é assassinado.

Ren se esforça para chegar ao AnooYoo Spa, onde os seus problemas de saúde são curados por Toby. Em seguida as duas partem para resgatar Amanda. E depois de evitar os porcões selvagens e lidar com o tenebroso Blanco, elas encontram um grupo de sobreviventes que vivem numa cabana. Entre eles estão Zeb e seu grupo de maddadamitas, além de alguns poucos ex-jardineiros. Todos acreditam que Adão Um talvez tenha sobrevivido e por isso o procuram.

Toby e Ren partem em missão arriscada, a fim de resgatar Amanda dos painballers que a capturaram. E à beira-mar topam com um acampamento de pessoas estranhas parcialmente azuis que tinham avistado dois homens e uma mulher. Elas deduzem que eram Amanda e seus sequestradores da Painball e os encontram justamente quando o Homem das Neves – infectado e sofrendo de alucinações – está prestes a matá-los com uma pistola de spray do Paradice.

O ano do dilúvio termina com os painballers amarrados a uma árvore enquanto Ren cuida dos ferimentos de Amanda e do febril Homem das Neves. Enquanto Toby observa o banquete do perdão de santa Juliana, no qual os jardineiros serviam sopa para todos, os filhos azuis de Crake aproximam-se pela costa, cantando músicas sombrias.

OVO

A história do Ovo, e a de Oryx e Crake, e de como eles criaram as pessoas e os animais; e do caos; e do Homem das Neves-Jimmy; e do osso fedorento e da chegada de dois homens maus

No início, vocês viviam dentro do Ovo. Foi quando Crake criou vocês.

Sim, o bom, o gentil Crake. Por favor, parem de cantar ou não poderei continuar a história.

O Ovo era grande e redondo e branco, como a metade de uma bolha, e abrigava árvores com folhas e ervas e frutinhas silvestres. Todas as coisas que vocês gostam de comer.

Sim, chovia dentro do Ovo.

Não, sem trovoadas.

Isso porque Crake não queria trovões dentro do Ovo.

E o caos rodeava o Ovo, com muitas, muitas pessoas que não eram iguais a vocês.

Isso porque tinham uma pele extra. Essa pele se chamava *roupa*. Sim, como a minha.

E muitas eram pessoas más que praticavam crueldade e causavam dor umas nas outras, e também nos animais. Tal como... não precisamos conversar sobre essas coisas agora.

E Oryx ficava muito triste com isso porque os animais eram filhos dela. E Crake ficava triste porque Oryx estava triste.

E fora do Ovo o caos estava em toda parte. Mas dentro do Ovo não havia caos. Lá dentro era tranquilo.

E todo dia Oryx aparecia a fim de ensinar para vocês. Ensinou-lhes o que comer, ensinou-os a fazer fogo, ensinou-lhes sobre os animais, filhos dela. Ensinou-os a ronronar quando alguém estava machucado. E Crake vigiava vocês.

Sim, o bom, o gentil Crake. Por favor, parem de cantar. Vocês não precisam cantar o tempo todo. Claro que Crake gosta disso, mas ele também gosta dessa história e quer ouvir o resto.

Então, um dia Crake livrou-se do caos e das pessoas nocivas. Ele queria deixar Oryx feliz e arrumar um lugar seguro onde vocês pudessem viver.

Sim, isso complicou as coisas por um tempo.

E depois Crake seguiu para o seu próprio lugar, lá em cima no céu, e Oryx o seguiu.

Eu não sei por que eles se foram. Provavelmente por uma boa razão. E os dois deixaram o Homem das Neves-Jimmy para cuidar de vocês, e ele os trouxe para a beira do mar. E nos Dias do Peixe vocês pegam um peixe para ele, e ele o come.

Sei que vocês jamais comeriam um peixe, mas o Homem das Neves-Jimmy é diferente.

Se ele não comesse peixe acabaria muito doente.

Isso porque ele foi feito dessa maneira.

Então, um dia o Homem das Neves-Jimmy saiu ao encontro de Crake. E ele retornou com um pé machucado. E vocês ronronaram em cima dele, mas ele não melhorou.

E depois chegaram dois homens maus. Eles eram as sobras do caos.

Não sei por que Crake não os expulsou. Talvez eles tivessem se escondido debaixo de um arbusto para que Crake não os visse. Mas eles tinham capturado Amanda e estavam fazendo coisas cruéis e dolorosas com ela.

Não precisamos falar dessas coisas agora.

E o Homem das Neves-Jimmy tentou detê-los. E depois cheguei com Ren, e nós pegamos os dois homens maus e os amarramos a uma árvore com uma corda. Em seguida sentamos ao redor do fogo e tomamos uma sopa. O Homem das Neves-Jimmy também tomou sopa, e Ren e Amanda também. Até os dois homens maus tomaram sopa.

Sim, havia um osso na sopa. Sim, era um osso fedorento.

Sei que vocês não comem ossos fedorentos. Mas muitos Filhos de Oryx gostam de comer esses ossos. Os gatinhos os comem, as guaxitacas, os porcões e os leocarneiros. Todos comem ossos fedorentos. Os ursos os comem.

Mais tarde explicarei o que é um urso.

Por enquanto não precisamos falar mais nada sobre ossos fedorentos.

E enquanto tomávamos sopa vocês chegaram com tochas para ajudar o Homem das Neves-Jimmy que estava com o pé machucado. E também para contar que tinham encontrado mulheres azuis e que queriam acasalar com elas.

Vocês não sabiam nada sobre os homens maus e não entenderam por que eles estavam amarrados com uma corda. Não foi por culpa de vocês que eles fugiram para a floresta.

Não chorem.

Sim, Crake deve estar bastante irritado com os homens maus. Talvez ele mande algum trovão.

Sim, o bom, o gentil Crake.

Por favor, parem de cantar.

CORDA

Corda

Mais tarde, Toby inventou duas histórias sobre os acontecimentos daquela noite – os acontecimentos que reintroduziram a maldade humana no mundo. A primeira ela contou em voz alta para os Filhos de Crake, uma história com um final feliz ou tão feliz quanto possível. A segunda história contou para si mesma e não era tão feliz assim. Em parte tratava-se de sua própria estupidez e de sua falta de atenção, mas também era sobre a velocidade. Tudo acontecera muito rápido.

Ela estava exaurida, é claro, e talvez tivesse sido vítima de um fluxo de adrenalina. Afinal, aguentara firme por dois dias sob intenso estresse e sem quase nada para comer.

Um dia antes Toby e Ren haviam dispensado a segurança da cabana de MaddAddão que abrigava os poucos sobreviventes da pandemia global que dizimara a humanidade. As duas rastrearam Amanda, a melhor amiga de Ren, e a encontraram a tempo porque os dois painballers abusaram tanto dela que já tinham quase acabado com a garota. Toby conhecia a maneira de agir daqueles homens; ela mesma tinha sido quase morta por um deles antes de se juntar aos Jardineiros de Deus. Qualquer um que tivesse sobrevivido mais de uma vez à Painball acabava reduzido a um cérebro reptiliano. Sexo até o esgotamento e você virar um caroço, esse era o método; depois você era o jantar. Eles gostavam dos rins.

Naquela ocasião Toby e Ren se agacharam no matagal enquanto os painballers falavam sobre a guaxitaca que estavam comendo, o ataque aos crakers e o que fazer depois com Amanda. Ren se assustou; Toby esperou que ela não desmaiasse, mas não se preocupou com isso porque não sabia em quem atiraria primeiro, no barbudo ou no de cabelo curto? Será que o outro teria tempo para pegar a pistola? Amanda não poderia ajudar e nem mesmo correr porque tinha uma corda em volta do pescoço, cuja extremidade estava amarrada à perna do cara barbudo. Um movimento em falso de Toby e eles matariam Amanda.

Em seguida um tipo estranho e nojento de corpo desnudo e queimado de sol saíra cambaleando das moitas de pistola na mão e prestes a alvejar todos os que estivessem à vista, inclusive Amanda. Mas Ren soltou um grito e saiu correndo até a clareira, e isso acabou distraindo a atenção. Toby deu um passo à frente com o rifle em punho; Amanda acabou libertada, e os painballers, aprisionados, com a ajuda de um pedregulho e alguns chutes na virilha. E depois elas os amarraram com a mesma corda e algumas tiras arrancadas do roupão cor-de-rosa do AnooYoo Spa que Toby vestia.

Ren então se ocupara com Amanda, a essa altura possivelmente em estado de choque, e também com o homem nu sarnento a quem chamou de Jimmy. Ela o envolveu com o resto do roupão e conversou amigavelmente com ele, como se ele fosse um antigo namorado.

Só quando as coisas estavam sob controle é que Toby se permitiu relaxar. Ela aguentou firme graças a um exercício de respiração dos jardineiros, marcando o ritmo em sincronia com o movimento das ondas na praia – *wish-wash, wish-wash* –, até que seu coração retomou o batimento normal. E depois ela preparou uma sopa.

E a lua então despontou no céu.

O despontar da lua sinalizou o início da Festa de Santa Juliana e Todas as Almas dos Jardineiros de Deus: uma celebração da ternura e da compaixão de Deus por todas as criaturas. *O universo é amparado pela mão Dele, como nos ensinou santa Juliana de Norwich em sua mística visão de muito tempo atrás. O perdão deve ser oferecido, a bondade deve ser praticada, os círculos não devem ser rompidos. Todas as almas significam realmente todas, a despeito do que possam ter feito. Pelo menos do instante em que a lua nasce ao instante em que ela se vai.*

As lições ensinadas pelos Adãos e Evas jardineiros eram guardadas para sempre. Naquela noite em particular era quase impossível matar os bandidos da Painball – os dois estavam firmemente amarrados a uma árvore e não se podia exterminá-los a sangue-frio. Amanda e Ren é que trançaram a corda. Já tinham sido parceiras na escola dos jardineiros e dominavam o artesanato de materiais reciclados, de modo que eram exímias em laçadas. Aqueles sujeitos pareciam um macramé.

Naquela abençoada noite de santa Juliana, Toby deixara o armamento de lado – tanto o seu próprio rifle obsoleto como as armas de spray dos caras da Painball e de Jimmy. Fez isso e assumiu o papel de madrinha gentil, servindo a sopa e repartindo os nutrientes para todos.

Talvez ela tenha se hipnotizado com o espetáculo de sua própria nobreza e bondade. Colocou todos sentados em círculo em volta de uma acolhedora fogueira noturna para compartilhar a sopa – Amanda que estava muito traumatizada se mostrou quase catatônica; Jimmy que tremia de febre passou a conversar com uma mulher que estaria morta nas chamas. Isso sem falar nos dois painballers; será que Toby realmente achava que eles teriam uma experiência de conversão e sairiam abraçando coelhinhos? É de espantar que ela não tivesse pregado um sermão enquanto distribuía a sopa de osso. *Um pouco para você, outro para você, outro para você! Esqueçam o ódio e a maldade! Cheguem-se ao círculo de luz!*

Acontece que o ódio e a maldade viciam. Podem deixá-lo chapado. Depois de provar um pouco, você começa a tremer quando não consegue mais.

Enquanto eles tomavam a sopa, soaram vozes que se aproximavam por entre as árvores costeiras. Eram os Filhos de Crake, os crakers – estranhos quase humanos resultantes de mutações genéticas que viviam à beira-mar. Aproximavam-se enfileirados por entre as árvores, carregando tochas de resina de pinheiro e cantando canções cristalinas.

Toby avistara aquelas pessoas de relance durante o dia. Mas sob a luz da lua e das tochas eram ainda mais bonitas. Apareciam em todas as cores – marrom, amarelo, preto, branco – e em todos os tamanhos, mas todas eram perfeitas. As mulheres sorriam serenamente; os homens aparentemente enamorados estendiam ramos de flores e tinham os corpos desnudos, como se saídos de gibis juvenis, com cada curva e cada músculo definido e brilhante. Seus enormes pênis azuis e brilhantes balançavam de um lado para outro, como caudas de cães amigáveis.

Mais tarde, Toby não conseguiria mais se lembrar daquela sequência de eventos, se é que podia ser chamada de sequência. Aquilo mais parecia uma balbúrdia de rua da plebelândia: ação rápida, corpos engalfinhados, cacofonia de vozes.

Onde está a azul? Nós podemos sentir o cheiro da azul! Olhe lá o Homem das Neves! Está tão magro! Está muito doente!

Ren: *Oh, merda, são os crakers. Se eles quiserem... Olhe para os seus... Caramba!*

As mulheres crakers avistam Jimmy: *Vamos ajudar o Homem das Neves! Ele precisa do nosso ronronar!*

Os homens crakers farejam Amanda: *Ela é uma azul! Ela cheira a azul! Ela quer acasalar com a gente! Vamos dar flores para ela! Ela vai ficar feliz!*

Amanda assustada: *Afastem-se! Eu não... Ren, ajude-me!* Quatro homens nus grandes e bonitos a rodearam com flores nas mãos. *Toby! Tire-os de perto de mim! Atire neles!*

As mulheres crakers: *Ela está doente. Primeiro temos que ronronar em cima dela. Para ela melhorar. Damos um peixe a ela?*

Os homens crakers: *Ela é azul! Ela é azul! Estamos felizes! Cantemos para ela!*

A outra também é azul.

Esse peixe é para o Homem das Neves. Vamos guardar esse peixe.

Ren: *Talvez seja melhor aceitar as flores, Amanda, ou eles poderão se enraivecer ou sei lá o quê...*

Toby em tom agudo e ineficaz: *Por favor, escutem, afastem-se, vocês estão assustando...*

O que é isso? Um osso? Algumas mulheres espiaram a panela de sopa: *Vocês estão comendo esse osso? Isso cheira mal.*

Nós não comemos ossos. O Homem das Neves não come ossos, ele come peixe. Por que estão comendo esse osso fedorento?

É o pé do Homem das Neves que está cheirando a osso. Um osso deixado pelos abutres. Ó Homem das Neves, precisamos ronronar no seu pé!

Jimmy febril: *Quem é você? Oryx? Mas você está morta. Todo mundo está morto. Todos no mundo inteiro, todos estão mortos...* Ele começa a chorar.

Oh, não fique triste, Homem das Neves. Nós viemos para ajudar.

Toby: *Talvez seja melhor não tocar nisso... está infectado... ele precisa...*

Jimmy: *Aaai! Porra!*

Ó Homem das Neves, não chute. Assim seu pé vai piorar. As mulheres começam a ronronar, soando como um processador de cozinha.

Ren pede ajuda: *Toby! Toby! Ei! Largue-a!*

Toby olha por entre as chamas do fogo: Amanda desaparecida no emaranhado cintilante de costas e membros nus masculinos. Ren se precipita nesse emaranhado e é rapidamente engolida.

Toby: *Esperem! Não... Parem com isso!* O que ela podia fazer? Naquele baita mal-entendido cultural. Se ao menos ela tivesse um balde de água gelada!

Gritos abafados. Toby corre para ajudar, mas então...

Um dos painballers: *Ei, você! Por aqui!*

Esses cheiram muito mal. Cheiram a sangue sujo. Onde está o sangue?

O que é isso? Isso é uma corda. Por que eles estão amarrados com uma corda?

O Homem das Neves já nos mostrou uma corda, quando ele morava numa árvore. A corda é para fazer a casa dele. Ó Homem das Neves, por que esses homens estão amarrados nessa corda?

Essa corda está ferindo vocês. É melhor desamarrá-los.

Um painballer: *Sim, isso mesmo. Nós estamos na porra dessa agonia.* (Gemidos.)

Toby: *Não! Não os desamarrem, eles vão...*

O segundo painballer: *Rápido com essa merda, colhões azuis, antes que a puta velha...*

Toby: *Não! Não os desamarrem... Esses homens vão...*

Mas já era tarde demais. Quem imaginaria que os crakers seriam tão rápidos com os nós?

Procissão

Os dois homens sumiram na escuridão, deixando para trás um emaranhado de cordas e brasas dispersas. Idiota, pensou Toby. Você devia ter sido impiedosa; devia ter esmagado a cabeça daqueles caras com um pedregulho; devia ter cortado a garganta deles com a faca ou descarregado todas as balas neles. Que idiota, essa sua omissão em agir beira a negligência criminosa.

Embora sem conseguir enxergar – a fogueira se apagava –, ela fez uma rápida avaliação: pelo menos ainda estava com o rifle, uma pequena dádiva. Mas já não estava com a arma de spray do painballer. Cabeça de vento, disse para si mesma. E tudo isso por santa Juliana e a bondade do universo.

Amanda e Ren choravam abraçadas, sendo acariciadas por algumas mulheres crakers curiosas. Jimmy conversava com as brasas no chão. Quanto mais cedo retornassem à cabana de MaddAddão, melhor. Elas eram alvos fáceis naquela escuridão. Ficou claro para Toby que, se os painballers pegassem as armas restantes, aqueles crakers não seriam de grande ajuda. *Por que você me bateu? Crake vai ficar com raiva! Ele vai mandar um trovão!* Se ela tentasse atingir um painballer, os crakers se interporiam entre ela e a última bala do rifle. *Ah, você fez bang, um homem tombou, tem um buraco nele, está saindo sangue! Ele está ferido, devemos ajudá-lo!*

Mesmo com os painballers fora do jogo, havia outros predadores na floresta. Felinos peludos, lobocães, leocarneiros e, pior, porcos selvagens gigantes. E com as cidades e estradas abandonadas pelas populações, quem poderia prever a hora em que os ursos começariam a vir do norte?

...

– Precisamos ir agora – disse Toby para os crakers. Depois de um giro de cabeças, inúmeros pares de olhos verdes olharam para ela.
– O Homem das Neves precisa ir com a gente.
Os crakers começaram a falar ao mesmo tempo.
– O Homem das Neves deve ficar conosco! Vamos levá-lo de volta à árvore dele.
– É do que ele gosta, ele gosta de árvore.
– Sim, só ele pode falar com Crake.
– Só ele pode repetir as palavras de Crake sobre o ovo.
– Sobre o caos.
– Sobre Oryx, aquela que fez os animais.
– Sobre como Crake afastou o caos.
– O bom, o gentil Crake.
Eles começaram a cantar.
– Precisamos de remédios – disse Toby em tom desesperado. – Caso contrário, Jimmy... quer dizer, o Homem das Neves pode morrer.
Olhares vazios. Eles sequer entendiam o significado de morrer?
– O que é *Jimmy*?
Franzir intrigado de testas.
Ela cometera um erro: nome errado.
– Jimmy é o outro nome do Homem das Neves.
– Por quê?
– Por que outro nome?
– O que significa *Jimmy*?
Isso pareceu interessá-los muito mais que a morte.
– É a pele rosada do Homem das Neves?
– Eu também quero um Jimmy! – O pedido partiu de um menininho.
Como explicar?
– Jimmy é um nome. O Homem das Neves tem dois nomes.
– O nome dele é Homem das Neves-Jimmy?
– Isso mesmo – disse Toby, pois agora isso era verdadeiro.

– Homem das Neves-Jimmy, Homem das Neves-Jimmy – eles repetiram um para o outro.
– Por que dois? – perguntou um dos crakers.
Mas os outros se voltaram para outra palavra desconcertante.
– O que é *remédio*?
– Remédio é uma coisa que vai fazer o Homem das Neves-Jimmy melhorar. – Ela se aventurou.
Sorrisos: eles tinham gostado da ideia.
– Então, também iremos – disse um tipo alto e amarelo-acastanhado de nariz aquilino que parecia estar no comando. – Vamos carregar o Homem das Neves-Jimmy.
Dois homens crakers levantaram Jimmy com facilidade. As delgadas fendas brancas e brilhantes por entre as pálpebras de Jimmy deixaram Toby alarmada.
– Voar – ele disse quando os crakers o balançaram no ar.
Toby pegou a pistola de Jimmy, clicou no modo segurança e estendeu para que Ren a levasse; a garota não sabia como usá-la... como poderia saber? Mas certamente isso viria a calhar mais tarde.
Embora Toby tivesse presumido que apenas os dois voluntários crakers seguiriam até a cabana, o grupo inteiro juntou-se a eles, inclusive as crianças. Todos queriam estar perto do Homem das Neves. Os homens se revezavam para carregá-lo; os outros mantinham as tochas erguidas e de vez em quando cantavam com suas vozes sombrias e aquosas.
Quatro mulheres caminhavam ao lado de Ren e Amanda, acariciando-as e tocando nos braços e nas mãos delas.
– Oryx vai cuidar de você – disseram para Amanda.
– Não deixem que nenhum desses caralhos azuis da porra toquem nela novamente – disse Ren para as mulheres em tom feroz.
– O que são *caralhos azuis*? – elas perguntaram perplexas. – O que é *porra*?
– Não deixem, senão – disse Ren. – Senão teremos problema!
– Oryx a deixará feliz – elas disseram, soando inseguras. – O que é *problema*?
– Estou bem – disse Amanda amavelmente para Ren. – E você?

– Está bem o cacete! Vou levá-la até os MaddAddãos – disse Ren. – Eles têm camas, bomba-d'água e tudo o mais. Lá poderemos limpá-la. E o Jimmy também.
– Jimmy? – disse Amanda. – Ele é o Jimmy? Achei que estivesse morto, como todos os outros.
– Pois é, também achei. Mas muita gente sobreviveu. Quer dizer, alguns. Zeb e Rebecca, e você e eu, e Toby, e...
– Onde é que aqueles dois caras foram parar? – disse Amanda. – Eu devia ter esmagado o crânio daqueles painballers quando tive a chance. – Ela esboçou um sorriso, espantando a dor naquele seu velho jeito de rata da plebe. – A que distância eles estão?
– Eles podem carregá-la – disse Ren.
– Não. Estou bem.

As mariposas voavam em torno das tochas, as folhas farfalhavam na brisa da noite. Por quanto tempo caminhavam? Para Toby pareciam horas, mas a noção de tempo não era clara ao luar. Eles seguiam para oeste, depois de cruzar o parque Heritage; atrás do grupo, o rumor das ondas desvanecia. Embora houvesse um caminho, ela não o conhecia, mas os crakers pareciam saber para onde iam.

Toby prestava atenção em possíveis sons além do farfalhar das árvores – pisadas, galhinhos partidos, grunhidos – e, com a arma engatilhada, mantinha-se na retaguarda daquela procissão. Ouviu um coaxar e um ou dois ruídos: algum anfíbio, o canto de um pássaro noturno. Ela estava ciente da escuridão às suas costas: sua própria sombra se misturava às sombras mais profundas atrás.

Papoula

Finalmente, eles chegaram ao enclave de cabanas. Um único lampião aceso no quintal; atrás de uma cerca que servia de barricada, Crozier, Manatee e Tamaraw estavam de sentinela, armados de pistolas e com lanternas de cabeça a bateria adquiridas em uma loja de bicicletas.
  Ren correu em direção a eles.
  – Somos nós! – gritou. – Está tudo bem! Encontramos Amanda!
  A lanterna de Crozier piscou quando ele abriu o portão.
  – Abram passagem! – gritou.
  – Ótimo! Vou dizer aos outros! – disse Tamaraw. Ela saiu apressada em direção à cabana principal.
  – Croze! Conseguimos! – exclamou Ren, abraçando-o e deixando a pistola cair ao chão.
  Ele levantou-a, girou-a no ar, beijou-a, recolocou-a de pé e perguntou:
  – Ei, onde é que você conseguiu a pistola de spray?
  Ren começou a chorar.
  – Achei que eles nos matariam! – disse. – Eram dois... mas você precisava ter visto Toby! Foi tão valente! Ela os alvejou com aquela velha arma e depois os atingimos com pedras e depois os amarramos, mas aí...
  – Uau – exclamou Manatee, inspecionando os crakers que conversavam entre si próximos ao portão. – É o circo da cúpula Paradice.
  – Então, são eles, não é? – disse Crozier. – As pessoas peladas e horripilantes que Crake fez? As que vivem lá na costa?
  – É melhor não as chamar de horripilantes – disse Ren. – Podem ouvi-lo.

– Não foi obra apenas de Crake – retrucou Manatee. – Todos nós trabalhamos com essa gente no Projeto Paradice. Eu, Swift Fox, Ivory Bill...

– Por que os trouxeram para cá? – perguntou Crozier. – O que eles querem?

– Só estão tentando ajudar – respondeu Toby, sentindo-se subitamente exausta; tudo o que ela queria era entrar no seu cubículo e apagar. – Tem mais alguém aqui? – Ela deixara o enclave de cabanas ao mesmo tempo que Zeb saíra à procura de Adão Um e de possíveis jardineiros sobreviventes. Ela queria saber se ele retornara, mas não queria ser óbvia; ansiar era lamentar, como diziam os jardineiros, e Toby era sempre discreta quando se tratava de sentimentos.

– De novo, apenas os porcos – disse Crozier. – Continuam tentando cavar debaixo da cerca da horta. A luz de nossas lanternas os afugentou. Eles sabem muito bem o que é uma pistola.

– Desde que fizemos bacon de alguns deles – disse Manatee. – Frankenbacon, considerando que são modificados geneticamente. Ainda me sinto um pouco estranho por tê-los comido. Eles possuem tecidos do neocórtex humano.

– Tomara que a frankengente de Crake não esteja provocando mutações em nós – disse uma garota loura que saíra da cabana principal do enclave junto com Tamaraw. Embora tivesse passado pouco tempo na cabana antes de sair à procura de Amanda, Toby a reconheceu: Swift Fox, aparentemente com mais de trinta anos, mas com a camisola plissada tinha um ar de doze anos. Toby então se perguntou: onde ela conseguira aquela roupa? Saqueando a Hott-TottsTogs ou a Hundred-Dollar Store?

– Você deve estar exausta – disse Tamaraw para Toby.

– Não sei por que os trouxeram – disse Swift Fox. – Eles são muitos. Não podemos alimentá-los.

– Não teremos que alimentá-los – disse Manatee. – Eles se alimentam de folhas, lembra? Foi assim que Crake os projetou. Enfim, nunca vão precisar da agricultura.

– Tudo bem – disse Swift Fox. – Você trabalhou nesse setor. Eu trabalhei com cérebros. Lobos frontais, modificações no input sensorial. Tentei torná-los menos chatos, mas Crake não queria traços de agressão, nem senso de humor. Eles são batatas ambulantes.

– Eles são muito legais – disse Ren. – Pelo menos as mulheres.

– Suponho que os machos quiseram se acasalar com você; vão tentar fazer isso. Só não me faça *falar* com eles – disse Swift Fox.

– Vou voltar para a cama. Boa noite para todos, e se divirtam com os legumes. – Depois de bocejar e se espreguiçar, ela se retirou em passos lentos.

– Por que ela está tão mal-humorada? – perguntou Manatee.

– Ficou assim o dia todo.

– Hormônios, é meu palpite – respondeu Crozier. – É só olhar para a camisola.

– Infantil e pequena demais para ela – disse Manatee.

– Você notou – disse Crozier.

– Talvez ela tenha outras razões para estar mal-humorada – disse Ren. – Às vezes as mulheres ficam assim, você sabe.

– Desculpe – disse Crozier, enlaçando-a com o braço.

Quatro homens crakers afastaram-se do grupo e seguiram Swift Fox, os pênis azuis balançando. Eles tinham colhido mais flores em algum lugar e começaram a cantar.

– Não! – exclamou Toby bruscamente, como se dirigindo a cães. – Fiquem aqui! Com o Homem das Neves-Jimmy! – Como explicar que eles não poderiam seguir garotas não crakers que exalassem o odor de disponíveis, nem mesmo com flores, serenatas e sacudidelas de pênis? Mas eles já tinham desaparecido na curva da cabana principal.

Os dois crakers que carregavam Jimmy o abaixaram. Ele deixou-se cair.

– Onde o Homem das Neves-Jimmy vai ficar? – perguntaram. – Onde poderemos ronronar para ele?

– Ele vai precisar de um quarto só para ele – disse Toby. – Providenciaremos uma cama e depois pegarei o remédio.

– Iremos com você – eles disseram. – Vamos ronronar. – Os dois fizeram uma cadeira com os braços e reergueram Jimmy. Os outros se aglomeraram ao redor.

– Não todos vocês – disse Toby. – Ele precisa de tranquilidade.

– Ele pode ficar no quarto de Croze – disse Ren. – Pode, Croze?

– Quem é esse? – perguntou Crozier, olhando para Jimmy a essa altura de cabeça pendida para o lado e com baba na barba; coçava o corpo coberto por um roupão cor-de-rosa e fedia demais. – De onde *o* arrastaram? Por que ele está vestindo rosa? Está parecido com a porra de uma bailarina!

– É o Jimmy – disse Ren. – Lembra que contei para você? Meu antigo namorado?

– Aquele que lhe deu um fora? No ensino médio? Aquele molestador de crianças?

– Não faça assim – disse Ren. – Eu já não era criança. Ele está febril.

– Não vá, não vá – disse Jimmy. – Volte para a árvore!

– Você está cuidando dele? Depois de tudo que ele fez com você?

– Estou, tudo bem, ele virou uma espécie de herói – disse Ren. – Ele ajudou a salvar Amanda. E quase morreu.

– Amanda – disse Croze. – Não a vejo aqui. Onde ela está?

– Ali. – Ren apontou para as mulheres crakers que acariciavam Amanda e ronronavam suavemente para ela. Elas abriram espaço para que Ren entrasse no círculo.

– É mesmo Amanda? – perguntou Crozier. – Sem essa! Ela parece...

– Não diga isso. – Ren pôs os braços ao redor de Amanda. – Amanhã ela estará bem melhor. Ou então na próxima semana. – Amanda começou a chorar.

– Ela se foi – disse Jimmy. – Voou para longe. Porcões.

– Cristo – disse Crozier. – Isso está muito bizarro.

– *Tudo* está muito bizarro, Croze – disse Ren.

– Claro, claro, sinto muito. Fui pego de surpresa. Vamos...

– Acho que devo ajudar Toby – disse Ren. – Agora mesmo.

– Pelo visto dormirei no chão enquanto esse bundão dormirá na minha cama – disse Croze para Manatee.

– Por favor, cresça – disse Ren.

Era tudo de que precisávamos, pensou Toby. Brigas de amor entre jovens.

...

Eles carregaram Jimmy até o cubículo de Croze e o deitaram na cama. Toby pediu que Ren e duas mulheres crakers apontassem as lanternas para a cozinha, e lá encontrou o material médico na prateleira, exatamente onde o deixara antes de sair para procurar Amanda.

Ela fez tudo que podia por Jimmy: banho de esponja para livrá-lo de grande parte da sujeira; mel aplicado nos cortes superficiais; elixir de cogumelo contra infecções. Depois, papoula e salgueiro para aliviar a dor e para um sono reparador. E pequenas larvas cinzentas aplicadas sobre o ferimento do pé para mordiscar a carne infectada. A julgar pelo fedor, as larvas chegaram bem a tempo.

– O que é isso? – perguntou a mulher craker mais alta. – Por que colocou esses bichinhos no Homem das Neves-Jimmy? Eles vão comê-lo?

– Isso faz cócegas – disse Jimmy de olhos entreabertos. A papoula estava fazendo efeito.

– Oryx os mandou – disse Toby, uma resposta aparentemente boa porque as duas mulheres sorriram. – Eles se chamam *larvas*. As larvas comem a dor.

– Oh, Toby, que gosto tem a dor?
– Também temos que comer a dor?
– Se comermos a dor, isso ajudará o Homem das Neves-Jimmy.
– A dor cheira muito mal. Será que o gosto é bom?

Toby devia evitar as metáforas.

– A dor só tem gosto bom para as larvas – ela disse. – Não, vocês não devem comer a dor.

– Será que ele vai melhorar? – disse Ren. – Ele gangrenou?

– Espero que não – disse Toby. As duas mulheres crakers pousaram as mãos em Jimmy e começaram a ronronar.

– Caindo – ele disse. – Borboleta. Ela se foi.

Ren inclinou-se, afastou uma mecha de cabelo da testa de Jimmy e disse:

– Durma. Nós o amamos, Jimmy.

CABANA

Manhã

Toby sonha que está na pequena cama de solteiro de sua casa. Seu leão de pelúcia está no travesseiro ao lado, assim como seu enorme e velho urso desgrenhado que soa uma melodia. Sobre a escrivaninha, seu antigo cofre-porquinho, seu tablet usado para deveres de casa, suas canetinhas coloridas e seu celular estampado de margaridas. A voz de sua mãe ecoa da cozinha; seu pai responde; aroma de ovos fritos.

Dentro do sonho, ela sonha com animais. Um porco, embora de seis pernas, e uma espécie de gato cujos olhos parecem de mosca. E ainda um urso, mas com cascos. Tais animais não são hostis nem amigáveis. De repente, a cidade está em chamas e ela sente o cheiro, o medo impregna o ar. *Acabado, acabado*, diz uma voz, como a badalada de um sino. Um por um, os animais aproximam-se de Toby e a lambem com línguas quentes e ásperas.

Na fronteira do sono, ela tateia em busca de um sonho de retirada; cidade em chamas, mensageiros enviados para avisá-la. Aquele mundo está totalmente alterado; aquele mundo familiar está morto; tudo que ela amava está varrido.

Como dizia Adão Um: *O destino de Sodoma se aproxima rapidamente. Suprima o arrependimento. Evite a estátua de sal. Não olhe para trás.*

Ela acorda e se vê lambida na perna por uma Mo'Hair: cabeça ruiva e longos cabelos humanos em tranças arrematadas por um laço, obra de algum maddadamita sentimental. Talvez tivesse escapado do cercado onde as criaturas eram mantidas.

— Sai fora. — Ela cuidadosamente empurra a criatura com o pé e recebe um olhar vazio de reprovação... as Mo'Hairs não são muito inteligentes... e essa Mo'Hair sai ruidosamente pelo corredor. Nós bem que poderíamos ter portas aqui, pensa Toby consigo mesma.

A luz da manhã se insinua por um trapo pendurado na janela na vã tentativa de repelir os mosquitos. Se eles ao menos pudessem encontrar algumas telas! De todo modo, as janelas precisavam de caixilhos porque a cabana não tinha sido construída para moradia: antes era um pavilhão coberto para feiras e festas, e agora servia de abrigo porque era segura. Ficava distante dos escombros urbanos – ruas desertas, incêndios elétricos aleatórios e rios subterrâneos surgiam à vista à medida que as bombas deixavam de funcionar. Nenhuma construção em ruínas despencaria em cima daquela cabana, e era improvável que ela despencasse porque possuía um único pavimento.

Toby empurra os lençóis úmidos e se espreguiça; ao fazer isso, sente-se dolorida e tensa. Está cansada demais para se levantar. Muito cansada, muito desanimada e muito zangada consigo mesma por conta daquela última noite ao pé do fogo. O que dirá para Zeb quando ele voltar? Isso se ele voltar. Zeb é engenhoso, mas não é indestrutível.

Ainda restava a esperança de que ele tivesse se saído melhor que ela em sua busca. Havia uma chance de que alguns Jardineiros de Deus tivessem sobrevivido; se houvesse alguém capaz de se pôr a salvo da pandemia que dizimara quase todos os outros, esse alguém seria um jardineiro. Pois durante os anos de estadia de Toby com os jardineiros, primeiro como hóspede, depois como aprendiz, e por fim como proeminente Eva, eles haviam se preparado para uma catástrofe, construindo esconderijos ocultos e abastecendo-os de suprimentos: mel, soja, cogumelos secos, rosa-mosqueta, compota de bagas de sabugueiro, conservas de diversos tipos. E sementes que segundo eles seriam plantadas no advento de um novo mundo purificado. Talvez eles tivessem esperado a passagem da peste em algum desses refúgios – em algum abrigo Ararat onde estariam seguros durante a passagem daquilo que chamavam de Dilúvio Seco. Após o incidente com Noé, Deus prometera que nunca mais usaria o método da água, mas a maldade no mundo o obrigaria a fazer alguma coisa; esse era o raciocínio dos jardineiros. Mas onde Zeb os procuraria, em meio à cidade em destroços? Por onde começar?

Visualize o seu mais forte desejo, diziam os jardineiros, *e esse desejo se realizará*; isso nem sempre funciona, pelo menos como o esperado. O mais forte desejo de Toby é que Zeb retorne em segurança. Mas, se ele retornar, ela de novo terá que se impor como território neutro em relação a ele. Sem emoção, sem sensualidade, sem frescura. Uma camarada leal, um soldado de infantaria, uma Toby confiável e competente. Só isso.

E ela terá que admitir o seu próprio fracasso para ele. *Fui uma cretina. Era Dia de Santa Juliana e não pude matá-los. Eles escaparam. Levaram uma pistola de spray.* Ela não ficaria choramingando, e além de não chorar também não daria desculpas. Ele não diria nada, mas se decepcionaria com ela.

Não seja muito dura consigo mesma, dizia Adão Um com seus pacientes olhos azuis. Todos nós cometemos erros. De fato, ela responde agora para ele, mas alguns erros são mais letais que outros. Se um daqueles painballers matasse Zeb, ela é que seria culpada. *Burra, burra, burra.* É como se ela tivesse batido a cabeça contra a parede da cabana.

Ela só podia esperar que os painballers estivessem muito assustados e tivessem fugido para muito longe. Mas continuariam evadidos? Eles precisavam de comida. E talvez estivessem procurando restos de alimentos nas casas e lojas abandonadas ou em qualquer outro lugar silencioso ainda não devastado pelos ratos nem saqueados alguns meses antes. Talvez até estivessem abatendo animais – quatis, coelhos verdes, leocarneiros. Mas, quando acabasse a munição, eles precisariam de mais.

E sabiam que encontrariam isso na cabana de MaddAddão. Mais cedo ou mais tarde seriam tentados a atacar o elo mais fraco: capturariam uma criança craker e negociariam uma troca, da mesma forma que já tinham tentado trocar Amanda por alguma coisa. Eles exigiriam pistolas de spray e munição, e ainda uma ou duas mulheres jovens – Ren ou Lotis Blue ou White Sedge ou Swift Fox. Amanda estaria de fora porque já tinha sido usada e abusada por eles. Mas eles não poderiam optar por uma fêmea craker no cio? Isso seria uma novidade, aquelas crakers, aquelas mulheres de ventre azul brilhante, não eram boas interlocutoras, mas os painballers não se importariam com isso e também exigiriam o rifle de Toby.

Os crakers pensariam que era apenas uma questão de partilha. *Eles querem aquele pau? Isso os deixaria felizes? Ó Toby, por que não dá isso para eles?* Como explicar que você não pode entregar uma arma assassina para um assassino? Os crakers não entenderiam o que é assassinato porque confiam em tudo. Nunca imaginariam que alguém pudesse estuprá-los – *o que é estupro?* Ou cortar a garganta deles – *Ó Toby, por quê?* Ou talvez estripá-los para devorar os rins deles – *Oryx nunca permitiria isso!*

Na hipótese de que os crakers não tivessem desatado esses nós, o que Toby teria feito? Levado os painballers de volta à cabana e os prendido até que Zeb voltasse e assumisse o controle e fizesse o que era preciso fazer?

Ele teria proposto algum tipo de debate superficial. E em seguida um duplo enforcamento. Ou então passaria por cima das preliminares e os espancaria com uma pá, dizendo por que sujar uma corda? O resultado final seria o mesmo se ela logo tivesse apagado os dois naquela fogueira.

É hora de acabar com esse despertar sisudo. Já é de manhã. Ela precisa acabar com esses devaneios, nos quais Zeb assume a liderança e age como ela deveria agir. Ela precisa se levantar, sair e se juntar aos outros. Reparar o que não pode ser reparado, emendar o que não pode ser emendado, balear o que precisa ser baleado. Guarnecer a fortaleza.

Café da Manhã

Depois de lançar as pernas para fora da cama, Toby pisa no chão e se põe de pé. Seus músculos doem, sua pele parece uma lixa, mas isso não é tão ruim, desde que se esteja de pé.

Ela pega um lençol na prateleira – lavanda com bolinhas azuis. Há uma pilha de lençóis em cada cubículo, como as toalhas nos hotéis do passado. Seu esfarrapado roupão cor-de-rosa do AnooYoo Spa talvez esteja infectado com alguma coisa de Jimmy, e ela então o queimará. Assim que sobrar tempo, uma costura e aquele lençol lavanda será um roupão com mangas e capuz, mas por enquanto ela o enrola como uma toga.

Lençol é o que não falta. O estoque adquirido pelos maddadamitas nos edifícios desertos da cidade vai durar um bom tempo, assim como o estoque de calças e camisetas para o trabalho pesado. Mas os lençóis de tamanho único são mais aprazíveis e se adaptam a todos, por isso são o vestuário dos maddadamitas. Eles terão que pensar em outra coisa quando os lençóis estiverem surrados, mas isso levará anos para acontecer. Décadas. Se eles viverem tanto tempo.

Ela precisa de um espelho. Sem espelho é difícil saber quanto está detonada. Talvez ela consiga alguns espelhos na próxima lista de coleta. Espelhos e escovas de dente.

Ela dependura no ombro a mochila com itens para saúde: larvas, mel, elixir de cogumelo, salgueiro e papoula. Primeiro, vai cuidar de Jimmy, se é que ele ainda está vivo, e só depois vai tomar o café da manhã; não se pode encarar o dia, muito menos o pé purulento de Jimmy, de estômago vazio. Depois, ela pega o rifle e sai ao encontro da manhã luminosa.

Ainda é cedo, mas o sol já está queimando. Ela ergue uma ponta do lençol para proteger a cabeça e esquadrinha o terreno da cabana. A cabeça ruiva da Mo'Hair, ainda solta, observa os legumes através da cerca da horta enquanto mastiga algumas moscas *kudzu*. Lá dentro do cercado as outras Mo'Hairs berram para ela; Mo'Hairs prateadas e azuis, verdes e rosa, morenas e louras, um espectro completo de cores. *Hoje, cabelo. Amanhã, Mo'Hair,* assim anunciaram o lançamento das criaturas.

O atual cabelo de Toby é um transplante Mo'Hair; seu cabelo não era tão negro. Talvez por isso a Mo'Hair tenha entrado no cubículo para lamber a perna dela. Não pelo sal, mas pelo suave odor de lanolina. Talvez tenha achado que ela fosse um parente.

Que nenhum carneiro pule em cima de mim, ela pensa. Ela passaria a observar se estava assumindo características de carneiro. Rebecca já deve estar na cozinha, lidando com as questões do café da manhã; talvez ela tenha escondido um pouco de xampu floral perfumado no cantinho de suprimentos.

Perto da horta, sentadas à sombra, Ren e Lotis Blue estão absortas em uma conversa profunda. Sentada ao lado, Amanda olha para o vazio. Estado de alheamento, diriam os jardineiros. Faziam esse diagnóstico para uma ampla gama de condições, da depressão ao estresse pós-traumático e à condição permanente de chapado. A teoria era de que quando se estava em alheamento se reunia e se conservava energia, alimentando-se pela meditação e enviando fios invisíveis para o universo. Toby espera que isso seja verdadeiro para Amanda. Sua amiga tinha sido uma menina bastante animada nas aulas de jardinagem no terraço-jardim do Edencliff tempos atrás. Quando foi isso? Dez, quinze anos atrás? Incrível como o passado rapidamente se torna idílico.

Ivory Bill, Manatee e Tamaraw estão reforçando a cerca que à luz do dia parece frágil e permeável. Já tinham anexado diversos materiais sobre o esqueleto do velho trabalho ornamental em ferro: fios de arame entrelaçados com fita adesiva, uma mistura de estacas, uma fileira de paus pontiagudos enterrados no solo e com as pontas viradas para fora. Manatee está colocando mais paus; Ivory Bill

e Tamaraw estão com pás do outro lado da cerca. Parece que estão tapando um buraco.
– Bom dia – diz Toby.
– Dê uma olhada nisso – diz Manatee. – Tentaram cavar um túnel. Ontem à noite. As sentinelas não viram porque estavam caçando aqueles porcos da frente.
– Alguma pista? – diz Toby.
– Talvez tenham sido esses mesmos porcos – diz Tamaraw. – Espertos... eles distraem a atenção para uma tentativa de escavação sorrateira. De um jeito ou de outro, eles não entraram.

Além da cerca fronteiriça um semicírculo de crakers do sexo masculino, espaçados de modo uniforme, fazem xixi voltados para o outro lado. Junto ao grupo de mijões, um homem com um lençol listrado que se parece com Crozier – na verdade, é Crozier.
Qual será a próxima? Crozier virar nativo? Será que ele vai tirar a roupa e cantar a capela à medida que seu pênis se agigantar e se azular a cada estação? Se as duas primeiras circunstâncias fossem o preço de entrada para a terceira, ele faria isso num piscar de olhos. Logo cada macho humano singular entre os maddadamitas estaria ansioso pelo mesmo. E quando isso começasse, irromperiam as rivalidades e as guerras com paus e pedras e porretes, e depois...
Concentre-se, Toby, ela diz para si mesma. Não procure problemas. Você *realmente* precisa de um café. Qualquer tipo de café. Raiz de dente-de-leão. Happicuppa. Lama preta, se é que isso é tudo que existe.
E se houvesse bebida alcoólica, ela também a beberia.

A longa mesa da sala de jantar está posta ao lado do barraco da cozinha, coberta por um toldo adquirido em alguma pilhagem de um quintal deserto. E agora todos os pátios devem estar abandonados; as piscinas, rachadas e vazias ou entupidas de ervas daninhas; as janelas da cozinha, quebradas e invadidas pelos galhos verdes das trepadeiras. Dentro das casas, ninhos feitos de tapetes mastigados se contorcem nos cantos e rangem com filhotes de ratos sem pelos.

Cupins infiltram-se pelos caibros. Morcegos caçam mariposas nas escadarias.

– Depois que as raízes das árvores penetrarem e tomarem posse de tudo, não haverá mais chance para nenhuma construção humana – dizia Adão Um ao círculo de jardineiros. – E passado um ano elas rasgarão as estradas pavimentadas. E bloquearão os bueiros de drenagem, e quando os sistemas de bombeamento não estiverem mais funcionando, as fundações serão devoradas e nenhuma força na terra será capaz de deter essas águas, e quando as estações geradoras incendiarem ou entrarem em curto-circuito, sem mencionar a nuclear...

– Você poderá dar um beijo de despedida na sua torrada matinal – acrescentou Zeb um dia a essa litania. Ele tinha acabado de chegar de uma de suas misteriosas missões, aparentemente maltratado e com sua jaqueta preta de couro artificial rasgada. A limitação do derramamento de sangue urbano era uma das matérias que ele ensinava às crianças jardineiras, mas nem sempre a praticava. – Sim, sim, nós estamos carecas de saber, estamos condenados. Alguma esperança de uma torta de sabugueiro por aqui? Estou morrendo de fome. – Zeb nem sempre mostrava a devida reverência para com Adão Um.

Fazia muito tempo que as especulações passageiras sobre como ficaria o mundo depois que terminasse o controle humano tinham se tornado um meio entediante de entretenimento popular. Sem falar nos programas de TV on-line a respeito disso: fotos de paisagens geradas por computador onde cervos pastavam na Times Square, acusações e votações, especialistas renomados ministrando palestras sobre todos os passos errados da raça humana.

As pessoas suportavam até certo ponto, a julgar pelos indicadores que ora subiam e ora caíam enquanto os telespectadores votavam com os polegares, mudando de situações embaraçadoras iminentes para concursos em tempo real sobre a deglutição de cachorros-quentes, se eles gostassem de nostalgia, ou para comédias sobre garotas gostosas, se gostassem de bichos de pelúcia, ou para as diferentes lutas de artes marciais, se gostassem de orelhas mordidas, ou para suicídios no meio da noite transmitidos ao vivo, ou para

HottTotts, um programa pornô infantil, ou para Hedsoff, um programa de execuções em tempo real, se eles realmente estivessem cansados. Tudo isso era bem mais palatável do que a verdade.

– Você sabe que sempre busquei a verdade – disse Adão Um naquele tempo, assumindo o tom sério que às vezes adotava com Zeb, um tom que ele não usava com mais ninguém.

– Sim, está certo, eu sei disso – disse Zeb. – Buscai e achareis, um dia. E você achou. Você está certo, não contesto isso. Desculpe. Mastigo com minha mente cheia. Besteiras saem de minha boca. – E esse tom queria dizer: Esse é o meu jeito de ser. Você sabe disso. Aguente.

Se ao menos ele estivesse aqui, pensa Toby. Logo ela tem um rápido flash de Zeb desaparecendo sob uma cascata de cacos de vidro e pedaços de cimento enquanto outro prédio incendiado despenca, e depois ele uiva enquanto um abismo se abre sob seus pés e o faz rolar em uma torrente subterrânea não mais controlada pelas bombas e os esgotos, e depois ele cantarola descuidado enquanto atrás surgem braços, mãos, um rosto, uma pedra, uma faca...

Mas a manhã só está começando e ela não quer mais pensar nisso. E não adianta nada. E então ela deixa de pensar.

Em volta da mesa, uma coleção de cadeiras giratórias de cozinha com plástico estofado. Sobre a toalha de mesa estampada de rosas e passarinhos, pratos e copos, alguns utilizados, e xícaras e talheres. Parece uma pintura surrealista do século XX: objetos ultrassólidos, nítidos, delimitados, sendo que nenhum deveria estar ali.

Toby continua pensando: Por que não? Por que não deveriam estar ali? O mundo material não morre quando as pessoas morrem. Antes eram muitas pessoas e poucas coisas, agora é o contrário. Mas os objetos físicos soltavam as amarras – meu, seu, dele, dela – e agora vagavam por conta própria. Isso é como o rescaldo dos tumultos registrados nos documentários do início do século XXI, quando se previa que as crianças se juntariam em enxames de headphones e depois quebrariam janelas e saqueariam lojas, levando tudo que pudessem carregar.

E agora é assim, ela pensa. Nós queríamos essas cadeiras e esses copos e xícaras, e os carregamos até aqui. E agora que acabou a história, nós vivemos no luxo à medida que encontramos produtos e bens móveis.

Os pratos parecem antigos, ou então caros. Mas agora ela poderia quebrar todo o conjunto sem causar aborrecimento em nada a não ser em sua própria mente.

Rebecca irrompe com uma bandeja do barraco da cozinha.

– Querida! – exclama. – Você está de volta! Também me disseram que você encontrou Amanda! Cinco estrelas!

– Ela não está na melhor forma – diz Toby. – Aqueles dois painballers quase a mataram, e depois, na noite passada... Eu diria que ela está em choque. Em estado de alheamento.

Rebecca era uma velha jardineira e sabe o que é *alheamento*.

– Ela é forte – retruca. – Ela vai se consertar.

– Talvez – diz Toby. – Vamos torcer para que se livre da doença sem lesões internas. Você já deve ter sabido que os painballers fugiram. Levaram uma pistola de spray. Fui eu que armei essa confusão.

– Alguns vencem, outros perdem – diz Rebecca. – Não tenho palavras para lhe dizer como estou feliz por você não estar morta. Achei que aqueles dois vermes a matariam, e também a Ren. Fiquei preocupada. Mas você está aqui, se bem que preciso lhe dizer que sua aparência está péssima.

– Obrigada – diz Toby. – Esta travessa de porcelana é linda.

– Sirva-se, querida. Porco de três maneiras: bacon, presunto e costeletas. – Não foi preciso muito tempo para que os jardineiros rescindissem os votos vegetarianos, pensa Toby. Nem mesmo Jelack Rebecca está tendo problemas com carne de porco. – Raiz de bardana. Folhas de dente-de-leão. Costelas de cão ao lado. Se eu não parar de comer proteína animal ficarei ainda mais gorda do que estou.

– Você não está gorda – diz Toby. Acontece que Rebecca já era robusta desde o tempo em que elas trabalhavam preparando carne na SecretBurgers, antes de se tornarem jardineiras.

– Também amo você – diz Rebecca. – Tudo bem, não estou gorda. Esses copos são de cristal verdadeiro, eu estou amando tudo isso. Esse material custava uma fortuna no passado. Lembra-se dos jar-

dineiros? Vaidade mata, como costumava dizer Adão Um; por isso, era louça de barro ou morte. Mas já posso ver que no futuro deixaremos de nos preocupar com pratos e comeremos com as mãos.
— Há um lugar para a elegância, mesmo na vida mais pura e mais dedicada — diz Toby. — Adão Um também costumava dizer.
— Sim, mas às vezes esse lugar é a lata de lixo — diz Rebecca. — Eu tenho um monte de guardanapos de linho para mesa e não posso passá-los a ferro porque não há ferro, e isso realmente me incomoda! — Ela senta e enfia o garfo no pedaço de carne de seu prato.
— Também estou feliz por ver que você não está morta — diz Toby. — Ainda tem café?
— Tem, se não se incomodar com os galhos e raízes queimadas e o lixo. Sem cafeína, mas conto com o efeito placebo. Vejo que trouxe uma multidão de volta com você na noite passada. Aqueles... como você os chamaria, afinal?
— São pessoas — diz Toby. Ou pelo menos acho que são pessoas, ela acrescenta para si mesma. — São crakers. É assim que o grupo de MaddAddão os chama, e acho que eles deveriam saber.
— Eles definitivamente não são como nós — diz Rebecca. — De jeito nenhum. Esses pequenos mijões do Crake. Fale com eles para que usem a caixa de areia.
— Eles querem ficar perto de Jimmy — diz Toby. — Eles o carregaram nos braços até aqui.
— Já ouvi essa parte — diz Rebecca. — Tamaraw me contou tudo. Eles devem voltar... para onde quer que vivam.
— Eles dizem que precisam ronronar para o Jimmy — diz Toby.
— Como é? Fazer o quê? — diz Rebecca, com um leve bufo de riso. — Isso é uma dessas suas coisas sexuais estranhas?
Toby suspira.
— É difícil de explicar — diz. — Você tem de ver.

Rede

Após o café da manhã, Toby observa Jimmy em cima de uma rede improvisada feita de corda e fita adesiva e presa entre duas árvores. Ele tem sobre as pernas uma coberta infantil com desenhos de gatos que tocam violinos, cachorros que sorriem, pratos com rostos de onde mãos seguram colheres que sorriem e vacas com sinos ao redor do pescoço que saltam sobre luas que por sua vez olham de soslaio para as tetas dessas mesmas vacas. Justamente o que você precisa nessa hora em que está tendo alucinações, pensa Toby.

Ao lado da rede de Jimmy, três crakers – duas mulheres e um homem – estão sentados em cadeiras que talvez tenham pertencido a uma mesa de jantar: madeira escura, encosto retrô em forma de lira e estofo acetinado com listras amarelas e marrons. Embora aparentemente desconfortáveis nas cadeiras, os crakers também parecem à vontade consigo mesmos, como se em meio a uma aventura silenciosa. Seus corpos brilham como uma peça de spandex dourada; grandes mariposas *kudzu* cor-de-rosa sobrevoam a cabeça dos crakers como halos vivos.

Eles são extraordinariamente bonitos, pensa Toby. Ao contrário de nós. Eles devem achar que somos subumanos com nossas segundas peles a balançar, nossos rostos envelhecidos e nossos corpos deformados, muito magros, muito gordos, muito peludos e encaroçados. A perfeição tem um preço, mas quem paga é o imperfeito.

Cada um dos crakers repousa uma das mãos sobre Jimmy. Eles ronronam e o ronronado aumenta à medida que Toby se aproxima.

– Saudações, ó Toby – diz a mulher mais alta. Como é que sabem o nome dela? Talvez na noite anterior tenham escutado com ouvidos

mais atentos. Como Toby deveria responder? Como elas se chamavam? Seria educado perguntar?
— Saudações — diz Toby. — Como está o Homem das Neves-Jimmy hoje?
— Ele está cada vez melhor, ó Toby — responde a mulher mais baixa. As outras sorriem.
Jimmy parece um pouco melhor. Mais rosado, menos febril, e está dormindo. Elas o arrumaram: pentearam o cabelo e fizeram sua barba. Ele tem na cabeça um velho boné de beisebol vermelho e no pulso, um relógio redondo com mostrador em branco. Óculos de sol, sem uma das lentes, equilibram-se desajeitados no alto do nariz.
— Talvez ele se sinta mais confortável sem essas coisas em cima — diz Toby, apontando para o boné e os óculos de sol.
— Ele precisa ficar com essas coisas — diz o homem. — Essas coisas são do Homem das Neves-Jimmy.
— Ele precisa delas — reafirma a mulher mais baixa. — Crake acha que ele precisa delas. Veja, essa coisa aqui é para ouvir Crake. — Ela ergue o braço de Jimmy onde está o relógio.
— E ele vê Crake com isso — diz o homem, apontando para os óculos de sol. — Só ele.
Toby pensa em perguntar para que serve o boné, mas se detém.
— Por que o trouxeram para cá? — pergunta.
— Ele não gostou daquele lugar escuro. Lá dentro — diz o homem, apontando a cabeça para a casa.
— O Homem das Neves-Jimmy pode viajar melhor aqui fora — diz a mulher mais alta.
— Ele está viajando? — pergunta Toby. — Enquanto está dormindo? — Isso seria uma descrição de um sonho que eles imaginam que Jimmy está sonhando?
— Sim — diz o homem. — Ele está viajando para cá.
— Ele está correndo, às vezes rápido, às vezes devagar. Às vezes andando porque ele está cansado. Às vezes os porcos o perseguem porque não entendem. Às vezes ele sobe numa árvore — diz a mulher mais baixa.
— Ele vai acordar quando chegar aqui — diz o homem.

– Onde ele estava quando começou a viagem? – pergunta Toby, com cautela. Ela não quer parecer descrente.

– Estava no ovo – diz a mulher mais alta. – Onde estávamos no início. Estava com Crake e com Oryx. Os dois saíram do céu e se encontraram com ele no ovo e contaram outras histórias para que ele pudesse contar para nós.

– É daquele lugar que vêm as histórias – diz o homem. – Mas o ovo está muito escuro agora. Crake e Oryx devem estar lá, mas o Homem das Neves-Jimmy não deve estar mais lá. – Os três sorriem calorosamente para Toby, como se ela tivesse entendido cada palavra dita.

– Posso dar uma olhada no pé ferido do Homem das Neves-Jimmy? – ela pergunta educadamente. Eles não fazem objeção, mas não tiram as mãos de onde estão e continuam ronronando.

Toby examina as larvas debaixo do pano que enrolou no pé de Jimmy na noite anterior. Ainda estão ocupadas no trabalho, na limpeza da carne mortificada; o inchaço e a transpiração diminuíram. O lote de larvas já maturou; no dia seguinte ela terá que deixar alguma carne podre ao sol para atrair as moscas e criar novas larvas.

– O Homem das Neves-Jimmy está chegando mais perto de nós – diz a mulher baixinha. – E depois vai nos contar as histórias de Crake, como sempre fazia quando morava na árvore dele. Mas hoje você deve contá-las para nós.

– Eu? – diz Toby. – Eu não conheço as histórias de Crake!

– Você vai aprendê-las – diz o homem. – Isso vai acontecer. O Homem das Neves-Jimmy é o ajudante de Crake, e você é a ajudante do Homem das Neves-Jimmy. É por isso.

– Você deve colocar essa coisa vermelha – diz a baixinha. – Isso se chama *boné*.

– Sim, *boné* – diz a mulher alta. – À noite, quando chegar a hora da mariposa. Você deve colocar esse boné do Homem das Neves-Jimmy na cabeça, e ouvir essa coisa brilhante redonda que você pôs no braço.

– Sim – diz a outra mulher, balançando a cabeça. – E depois as palavras de Crake sairão da sua boca. O Homem das Neves-Jimmy faria assim.

– Está vendo? – diz o homem, apontando para as palavras escritas no boné: *Red Sox*. – Crake fez isso. Ele vai ajudá-la. Oryx vai ajudar muito, se tiver animal na história.

– Nós vamos trazer um peixe quando ele estiver escurecendo. O Homem das Neves-Jimmy sempre come peixe, porque Crake diz que ele precisa comer isso. Depois, você vai colocar o boné e ouvir a coisa de Crake e contar as histórias de Crake.

– Sim, como Crake nos fez no ovo e como limpou o caos dos homens maus. Como deixamos o ovo e andamos até aqui com o Homem das Neves-Jimmy, porque aqui havia mais folhas para comermos.

– Você vai comer o peixe e depois vai contar as histórias de Crake, como o Homem das Neves-Jimmy sempre faz – diz a mulher mais baixa. Eles olham para ela com olhos verdes misteriosos e sorrisos tranquilos. Parecem inteiramente confiantes em suas próprias habilidades.

Toby pensa com seus botões.

Quais são minhas escolhas? Não posso recusar. Eles podem se desapontar e voltar para a praia, onde os bandidos da Painball poderão agarrá-los, onde seriam presas fáceis, especialmente as crianças. Posso deixar isso acontecer?

– Tudo bem – ela diz. – Voltarei à noite. Vou colocar o boné de Jimmy, quer dizer, do Homem das Neves-Jimmy, e vou contar as histórias de Crake para vocês.

– E vai ouvir a coisa brilhante – diz o homem. – E comer o peixe. – Era como um ritual.

– Sim, farei tudo isso – diz Toby.

Que merda, ela pensa. Espero que eles pelo menos cozinhem o peixe.

História

Ao recolher a louça do café, Rebecca achou que tinha visto um rosto sinistro que a observava escondido debaixo das árvores. Deve ter sido um alarme falso, pensa Toby: nenhum painballer apareceu e, melhor, nenhum tiro de pistola de spray atingiu-a e nenhuma criança craker foi arrastada aos gritos para o matagal. Mesmo assim, todos estão tensos.

Toby pede que as mães crakers fiquem mais perto da cabana. Elas se mostram perplexas e Toby afirma que é uma mensagem de Oryx.

O dia transcorre sem incidentes. Nenhum viajante retorna, nem Shackleton, nem Black Rhino, nem Katuro. Nada de Zeb. Toby passa o resto da manhã na horta cavando e arrancando ervas daninhas, um exercício estúpido que a deixa calma e preenche o tempo. Alguns pés de grão-de-bico começam a brotar, e mudas de espinafre irrompem da terra junto a penachos de cenouras. Seu rifle está a postos nas proximidades.

Crozier e Zunzuncito conduzem as Mo'Hairs para fora do cercado para que os animais possam pastar. Ambos carregam pistolas de spray, eles teriam vantagem ao se confrontar com algum painballer – duas armas contra uma. Isso se não fossem pegos de surpresa. Toby espera que eles se lembrem de observar se existem árvores nas cercanias, os painballers poderiam pular dos galhos, como fizeram para pegar Amanda e Ren.

Por que uma guerra se parece tanto com uma brincadeira?, ela pensa. Esconder-se atrás de arbustos, pular para mostrar-se; afora o sangue, sem muita diferença entre *boo* e *bang*! O derrotado tomba com um grito, seguido por uma expressão tola, a boca entreaberta e os olhos arregalados. Os velhos reis bíblicos pisando no pescoço

dos conquistados, amarrando os reis inimigos em árvores, regozijando-se sobre pilhas de cabeças – havia um ingrediente infantil em tudo aquilo.
Talvez tenha sido isso que levou Crake a se ligar, pensa Toby. Talvez ele quisesse acabar com isso. Cortar aquela parte de nós: a tenebrosa malícia elementar. Começar de novo.

Ela almoça mais cedo e sozinha, pois está marcada para ficar de sentinela com o rifle na hora regular do almoço. Na refeição, porco frio e raiz de bardana, e ainda um biscoito Oreo de um pacote pego em algum armazém; um raro prazer zelosamente racionado. Ela abre o biscoito e lambe o recheio branco e doce antes de mastigar as duas metades de chocolate: um luxo culpado.
Antes da tempestade da tarde, cinco crakers carregam Jimmy e a colcha Hey-Diddle-Diddle até a cabana. Toby o acompanha enquanto chove; examina o ferimento e levanta a cabeça dele para fazê-lo beber o elixir de cogumelo, mesmo com ele ainda inconsciente. O suprimento de cogumelos está reduzido, e ela não sabe onde encontrar os cogumelos certos para uma nova beberagem.
Apenas um craker continua ronronando no quarto, os outros saíram. Eles não gostam de casas; preferem estar molhados a trancafiados. Quando a chuva para, os outros quatro crakers aparecem a fim de levar Jimmy lá para fora.
As nuvens se dissipam e surge o sol. Crozier e Zunzuncito retornam com o rebanho de Mo'Hairs. Nada aconteceu, dizem, ou nada que se possa chamar de palpável. As Mo'Hairs estavam saltitantes; foi difícil mantê-las juntas. E os corvos estavam fazendo uma confusão danada, o que isso lhe diz? Corvos sempre fazem barulho por alguma coisa.
– Saltitantes? – pergunta Toby. – Que tipo de confusão? – Mas eles não conseguem ser mais específicos.
Com um chapéu de lona e uma camisa de brim sobre os ombros curvados, Tamaraw tenta ordenhar uma Mo'Hair abarrotada de leite. A ordenha não vai bem: chutes e balidos e coices no recipiente derramado.

Crozier mostra aos crakers como operar a bomba manual; antes era uma decoração retrô, e agora uma fonte de água potável para todos. Só Deus sabe o que há na água, pensa Toby; é água subterrânea, cada vazamento tóxico a quilômetros de distância pode contaminar essa água. Ela prefere água da chuva, pelo menos para beber, se bem que com os incêndios distantes e as possíveis explosões nucleares propagando partículas nocivas à estratosfera, só Deus sabe o que há nessa água também.

Os crakers se encantam com a bomba; as crianças bisbilhotam e se admiram com a água bombeada. Em seguida, Crozier faz uma demonstração da peça de um dos reatores solares que os maddadamitas conseguiram pôr em funcionamento; ela está conectada a duas lâmpadas, uma no barraco da cozinha e a outra no quintal. Ele tenta explicar por que as luzes se acendem, mas os crakers estão intrigados. É óbvio para eles que os bulbos de luz são como as lumirosas, ou como os coelhos verdes que saem ao anoitecer; eles brilham porque Oryx os fez dessa maneira.

Faz-se a ceia na mesa comprida. White Sedge com um avental estampado de pássaros e Rebecca com uma toalha de banho cor de malva amarrada ao corpo por uma fita de cetim amarelo servem o alimento das panelas e depois também se sentam. No outro extremo da mesa, Ren e Lotis Blue persuadem Amanda para comer. Os maddadamitas terminam a tarefa de sentinela e entram.

– Saudações, Atalho Inacessível – diz Ivory Bill. Ele se apraz em chamar Toby pelo antigo codinome MaddAddão da companheira. Em volta do seu corpo magro, ele tem um lençol salpicado de papoula, e na cabeça, um turbante feito de uma fronha que combina com o lençol. Seu nariz angular se projeta para fora do rosto curtido como um bico. Estranho, pensa Toby, como os maddadamitas escolhem codinomes que espelham partes de si mesmos.

– Como ele está? – pergunta Manatee. Seu chapéu de palha de abas largas o faz parecer um fazendeiro gorducho. – Nosso famoso paciente.

– Não está morto – diz Toby. – Mas ainda não se pode chamar o estado dele de consciente.

– Se é que ele já esteve assim – comenta Ivory Bill. – Nós o chamávamos de Thickney. Era o seu nome MaddAddão nos velhos tempos.
– Ele era o chacal de Crake no Projeto Paradice – diz Tamaraw.
– Ele terá que nos contar muitas coisas quando acordar. E depois o esmurrarei até a morte. – Ela bufa para mostrar que está brincando.
– Thickney por nome, Thickney por natureza – diz Manatee.
– Não acho que ele teve essa ideia maluca. Ele foi apenas um joguete.
– Obviamente, para sermos justos, não tínhamos uma opinião positiva sobre ele – diz Ivory Bill. – Ele estava no projeto por opção. Ao contrário de nós. – Ivory enfia o garfo num pedaço de carne.
– Prezada senhora – diz para White Sedge –, poderia identificar essa substância para mim?
– Penso que não. De fato, não – diz White Sedge, com seu sotaque britânico.
– Nós éramos escravos do cérebro – diz Manatee espetando outra costeleta. – Cerebromaníacos da ciência que operavam as máquinas evolutivas para Crake. Quanta pretensão ao poder, ele achava que acabaria aperfeiçoando a humanidade. O que não quer dizer que não fosse um gênio.
– Ele não estava sozinho naquele lugar – diz o delgado Zunzuncito. – Era um grande empreendimento, a BioCorps o apoiava. As pessoas pagavam uma fortuna por aqueles *splices* genéticos. Elas customizavam os próprios filhos, faziam pedidos de DNA como se fosse pizza.
Ele está usando óculos bifocais, pensa Toby. Quando os produtos ópticos acabarem, estaremos de volta à Idade da Pedra.
– Pois é, Crake era o melhor para isso – diz Manatee. – Ele pôs acessórios nesses caras que ninguém mais sequer pensava. Repelente de insetos embutido, genial.
– E mulheres que não conseguem dizer não. Aquela coisa de código hormonal colorido é de tirar o chapéu – diz Zunzuncito.
– Foi um desafio intrigante se considerado um conjunto de problemas computacionais a serem resolvidos – diz Ivory Bill, voltando-se para Toby. – Eu elucido. – Ele fala como se todos estivessem em um seminário de pós-graduação enquanto corta os legumes em qua-

dradinhos. – Por exemplo, a moela do coelho e a plataforma do babuíno para determinadas características cromáticas do sistema reprodutivo...

– A parte em que eles ficam azuis – diz Zunzuncito solícito para Toby.

– Eu estava fazendo a composição química da urina – diz Tamaraw. – O elemento inibidor carnívoro. Foi difícil testar no Projeto Paradice... não tínhamos carnívoros à mão.

– Eu estava trabalhando na caixa de voz: isso, sim, era complexo – diz Manatee.

– Pena que você não codificou um botão para "cancelar" essa cantoria – diz Ivory Bill. – Isso é irritante.

– A ideia da cantoria não foi minha – diz Manatee de mau humor. – Não poderíamos apagar sem transformá-los em abobrinhas.

– Eu tenho uma pergunta – diz Toby. Eles se voltam para ela, como se surpreendidos pela intervenção.

– Pois não, minha senhora – diz Ivory Bill.

– Eles querem que eu conte histórias para eles – diz Toby. – Sobre o fato de terem sido criados por Crake. Mas o que eles pensam a respeito de Crake e por que pensam que ele os fez? O que eles ouviram sobre isso na época da cúpula Paradice?

– Eles acham que Crake é uma espécie de deus – responde Crozier. – Mas não sabem compará-lo a nada.

– Como sabe disso? – indaga Ivory Bill. – Você não estava no Paradice com a gente.

– Porque eles me disseram, porra! – exclama Crozier. – Já sou amigo deles. Já comecei a mijar com eles. Isso é um tipo de honra.

– Ainda bem que eles não conheceram o Crake – diz Tamaraw.

– Não me diga. – Swift Fox se junta ao grupo. – Eles dariam uma olhadela no lunático que os criou e pulariam de um arranha-céu. Isso se ainda houvesse algum arranha-céu de onde pular – acrescenta melancolicamente, dando um show de bocejos, esticando os braços acima e atrás da cabeça e empurrando os seios para cima e para fora. Seu cabelo cor de palha está puxado por um rabo de cavalo alto e amarrado por um elástico de malha azul. Seu lençol com uma borda delicada de margaridas e borboletas está amarrado à cintura por um cinto vermelho largo. Ou seja, o surpreendente toque no encontro de uma nuvem angelical com um cutelo de açougueiro.

– Não tem sentido remoer isso, minha senhora – diz Ivory Bill, alternando o olhar de Toby para Swift Fox. Ele soará ainda mais pomposo, pensa Toby, quando essa barba por fazer crescer de vez. – *Carpe diem*. Aproveitem todos os momentos propiciados pelo dia. Colham seus botões de rosa. – Ele esboça um sorriso lascivo enquanto olha para o cinto vermelho. Swift Fox o encara sem entender.

– Conte uma história feliz para eles – diz Manatee. – Divague nos detalhes. Oryx, a namorada de Crake, sempre fazia isso no Paradice, isso os mantinha plácidos. Só espero que aquele filho da puta do Crake não comece a fazer milagres do além-túmulo.

– Como transformar tudo em diarreia – diz Swift Fox. – Oh, desculpe-me, ele já fez isso. Tem café por aqui?

– Ai de mim – diz Ivory Bill –, nós estamos privados de café, minha senhora.

– Rebecca disse que precisa tostar algum tipo de raiz – diz Manatee.

– E não teremos qualquer tipo de creme para acrescentar a ele depois de tostado – diz Swift Fox. – Apenas molho gosmento. Isso faz qualquer um querer furar as próprias têmporas.

A luz agora desvanece e as mariposas voam em tons de rosa-escuro, cinza-escuro e azul-escuro. Os crakers reúnem-se em torno da rede de Jimmy, onde querem ouvir a história de Toby sobre Crake e de como eles saíram do ovo.

O Homem das Neves-Jimmy também quer ouvir a história, dizem em uníssono. Sem se importar se ele está inconsciente, os crakers estão convencidos de que ele pode ouvi-la. Já conhecem a trama, mas parece que o importante é que Toby conte a história. Ela deve se mostrar satisfeita ao comer o peixe que eles trouxeram, envolto em folhas e tostado por fora. Ela deve pôr o velho boné de beisebol vermelho e o relógio sem mostrador de Jimmy e encostá-lo no ouvido. Ela deve começar do início, ela deve presidir a criação, ela deve fazer chover. Ela deve limpar o caos, ela deve conduzi-los para fora do ovo e guiá-los para beira-mar.

No final, eles querem ouvir sobre os dois homens maus, e a fogueira na floresta, e a sopa de osso fedorento: eles estão obcecados com esse osso. E depois ela deve narrar como eles mesmos desamarraram os homens maus e como os dois fugiram para a floresta, e por que podem voltar a qualquer momento e fazer outras coisas ruins. Essa parte os entristece, mas eles insistem em ouvi-la de qualquer maneira.

Depois que Toby pega o fio da meada, eles a exortam a contar a história outra vez e outra vez. Eles pedem, eles interrompem, eles preenchem as partes esquecidas. O que eles querem é que ela tenha um desempenho perfeito, e outras informações do que ela sabe ou pode inventar. Ela é uma substituta ineficiente do Homem das Neves-Jimmy, mas eles fazem o possível para refiná-la.

Justamente quando pela terceira vez ela está na parte onde Crake limpa o caos, eles viram a cabeça de uma só vez. Farejam o ar.

– Os homens estão chegando, ó Toby – dizem.

– Os homens? – ela repete. – Os dois homens que fugiram? Onde?

– Não, não, os homens que cheiram a sangue.

– Outros homens. Mais que dois. Devemos recebê-los. – Todos se levantam.

Toby olha na mesma direção. Quatro... quatro silhuetas se aproximam cada vez mais pela tumultuada rua que faz fronteira com o enclave de cabanas. Com lanternas acesas. Quatro contornos escuros, todos carregando uma luz brilhante.

O corpo de Toby parece se soltar, o fluxo de ar interno se torna uma longa respiração sem som. Pode um coração pular? Pode alguém tontear de alívio?

– Ó Toby, você está chorando?

Volta ao lar

É Zeb. O desejo de Toby se torna realidade. Mais corpulento, mais despenteado, pelo que ela se lembra, e embora só tenham passado alguns dias desde que o viu pela última vez, mais velho. E mais encurvado. O que aconteceu?

Black Rhino, Shackleton e Katuro o acompanham. Ela já está mais perto e percebe que estão extenuados. Eles tiram as mochilas e os outros se aglomeram ao redor: Rebecca, Ivory Bill, Swift Fox e Beluga; Manatee, Tamaraw, Zunzuncito e White Sedge; Crozier, Ren e Lotis Blue; até Amanda se junta ao grupo.

Todos conversam, ou pelo menos todos os humanos. Os crakers se colocam de lado, observam agrupados e de olhos arregalados. Ren chora e abraça Zeb, um gesto aceitável: afinal, ele é padrasto dela. Quando faziam parte dos jardineiros, Zeb viveu por um tempo com Lucerne, a mãe fútil de Ren que não o tinha apreciado como devia, pensa Toby.

– Está tudo bem – diz Zeb para Ren. – Olhe só! Você tem Amanda de volta! – Ele estende um braço; Amanda se deixa ser tocada.

– Foi Toby – diz Ren. – Ela estava com a arma dela.

Toby aguarda e logo se move para a frente.

– Bom trabalho, atiradora de elite – diz Zeb para ela, embora ela não tivesse atirado em ninguém.

– Não os encontrou? – pergunta Toby. – Adão Um e...

Zeb olha para ela, com ar sombrio.

– Não, não encontramos Adão Um – diz. – Mas encontramos Philo.

Os outros se inclinam para ouvir.

– Philo? – pergunta Swift Fox.

– Um velho jardineiro – responde Rebecca. – Fumava muito... gostava da busca pela visão. Ficou com Adão Um quando os jardineiros se dividiram. Onde ele estava? – Pela expressão de Zeb, todos entendem que Philo não estava vivo.

– Avistamos um bando de urubus em cima da garagem de um estacionamento e fomos dar uma olhada – diz Shackleton. – Perto da velha Clínica do Bem-Estar.

– Onde costumávamos ir na hora da escola? – pergunta Ren.

– O corpo ainda estava fresco – diz Black Rhino.

Isso significa, pensa Toby, que alguns jardineiros desaparecidos sobreviveram à primeira onda da peste.

– Nenhum outro? – pergunta. – Ninguém mais? Ele... ele estava doente?

– Nenhum sinal deles – diz Zeb. – Mas acredito que ainda estejam lá fora. Talvez Adão esteja. Tem alguma comida aí? Eu poderia comer um urso. – A pergunta significa que ele ainda não quer responder para Toby.

– Ele come urso! – dizem os crakers entre si. – Sim! Como Crozier nos contou! "Zeb come urso!"

Zeb balança a cabeça em direção aos crakers que o olham desconfiados.

– Vejo que temos companhia.

– Este é o Zeb – diz Toby para os crakers. – É nosso amigo.

– Muito prazer, ó Zeb. Saudações.

– É ele, é ele! Crozier nos contou.

– Ele come urso!

– Sim. Ficamos felizes por conhecê-lo.

Sorrisos significativos.

– O que é um *urso*, ó Zeb... é esse urso que você come?

– É um peixe?

– Será que tem um osso fedorento?

– Eles vieram com a gente – diz Toby. – Do litoral. Não conseguimos impedi-los, eles queriam ficar perto de Jimmy. Do Homem das Neves. É assim que eles chamam Jimmy.

– O amigo de Crake? – pergunta Zeb. – Do Projeto Paradice?

– É uma longa história – diz Toby. – Agora, você precisa comer.

Manatee sai para buscar as sobras de um ensopado. Os crakers se colocam a uma distância segura; eles não apreciam os odores da culinária carnívora. Shackleton devora o ensopado e depois se senta ao lado de Ren, Amanda, Crozier e Lotis Blue. Black Rhino engole duas porções e sai para tomar um banho. Katuro diz que vai ajudar Rebecca a classificar o conteúdo das embalagens; eles tinham recolhido mais soydines, algumas fitas adesivas, alguns pacotes de Chickie-Nobs liofilizados, algumas Joltbars e outro pacote de biscoitos Oreo. Um milagre, diz Rebecca. É difícil encontrar um pacote de biscoito que não esteja mastigado pelos roedores.

– Vamos ver a horta – diz Zeb para Toby. O coração da garota afunda: só pode ser má notícia que ele precisa dar em particular.

Os vaga-lumes aparecem. A lavanda e o tomilho florescem, liberando aromas no ar. Algumas lumirosas autossemeadas despontam ao longo das arestas da cerca; inúmeros coelhos verdes cintilantes mordiscam as folhas rasteiras. Gigantescas mariposas cinzentas sobrevoam à deriva, como um sopro de cinzas.

– A peste não matou Philo – diz Zeb. – Alguém cortou a garganta dele.

– Oh – diz Toby. – Entendo.

– Depois vimos os painballers – continua Zeb. – Os mesmos que sequestraram Amanda. Estavam estripando um daqueles porcos. Disparamos alguns tiros, mas eles fugiram. Foi por isso que paramos a busca de Adão e voltamos o mais rápido possível, eles poderiam estar aqui pelos arredores.

– Sinto muito – diz Toby.

– Pelo quê? – pergunta Zeb.

– Nós os pegamos anteontem à noite – ela responde. – Nós os amarramos numa árvore. Mas eu não quis matá-los. Era Dia de Santa Juliana, e simplesmente não consegui. Eles fugiram com uma pistola de spray.

Ela começa a chorar. Isso é patético. Ela parece um filhote de rato cego e rosado choramingando. Não costuma fazer isso. Mas agora está fazendo.

– Ei – diz Zeb. – Vai ficar tudo bem.

– Não, não vai ficar bem – diz Toby, girando o corpo para sair: se vai choramingar, que faça isso sozinha. Sozinha é como ela se sente, por conta própria é como ela vai ser para sempre. Você já se acostumou com a solidão, diz para si mesma. Seja estoica.

Ela então é tomada nos braços.

Faz tempo que esperava isso, e já tinha desistido de esperar. Ansiava por isso e chegou a negar que fosse possível. Mas agora é fácil, assim como antes era fácil voltar ao lar para quem tinha lar. Cruzar a porta para um lugar familiar, um lugar que conhece você e que se abre, que permite que você entre. Um lugar que contava histórias que você precisava ouvir. Histórias das mãos e também da boca.

Senti sua falta. Quem disse isso?

Uma sombra na janela da noite, o brilho de um olho. Um batimento cardíaco sombrio.

Sim. Enfim. É você.

BEARLIFT

A HISTÓRIA DE QUANDO ZEB SE PERDEU NAS MONTANHAS E COMEU UM URSO

E assim Crake se livrou do caos para criar um lugar seguro, onde vocês poderiam viver. E depois...
  Nós conhecemos a história de Crake. Nós a ouvimos muitas vezes. Agora conte-nos a história de Zeb, ó Toby.
  A história de como Zeb comeu um urso!
  Sim! Comeu um urso! Um urso! O que é um *urso*?
  Queremos ouvir a história de Zeb. E do urso. O urso que ele comeu.
  Crake quer que a escutemos. Se o Homem das Neves-Jimmy estivesse acordado, ele poderia nos contar essa história.
  Tudo bem, então. Deixe-me ouvir a coisa brilhante do Homem das Neves-Jimmy. Pois preciso ouvir as palavras.
  Está difícil de ouvir. Não consigo ouvir com vocês cantando.
  Pois bem. Esta é a história de Zeb e o urso. Primeiro, só Zeb está na história. Ele está sozinho. O urso vem depois. Talvez o urso apareça amanhã. Para o urso aparecer, é preciso que vocês sejam pacientes.

Zeb estava perdido. Ele sentou-se debaixo de uma árvore. Uma árvore situada em um espaço aberto, amplo e plano, como uma praia sem areia e sem mar, apenas com algumas poças frias e um monte de musgo. Ao redor, bem longe, apenas as montanhas.
  Como ele chegou lá? Chegou voando num... não importa. Essa parte é uma história diferente. Não, ele não pode voar como um pássaro. Já não pode.
  Montanhas? Montanhas são rochas muito grandes e altas. Não, aquilo não são montanhas, são edifícios. Edifícios caem e depois pro-

vocam acidentes. Montanhas também caem, mas fazem isso lentamente. Não, as montanhas não caíram em cima de Zeb.

Então, Zeb olhou para as montanhas que estavam ao redor, mas bem longe, e pensou: Como vou atravessar essas montanhas? São tão grandes e tão altas.

Ele precisava atravessar as montanhas porque as pessoas estavam do outro lado. Ele queria ficar com as pessoas. Não queria ficar sozinho. Ninguém quer ficar sozinho, não é?

Não, não eram pessoas como vocês. Tinham roupas. Muitas roupas, pois fazia frio naquele lugar. Sim, foi na época do caos, antes de Crake acabar com o caos.

Então Zeb olhou para as montanhas, as poças, o musgo, e pensou: O que vou comer? E depois pensou: Tem muitos ursos que vivem nessas montanhas.

O urso é um grande animal coberto de pele, com garras enormes e dentes muito afiados. Maior que um felino peludo. Maior que um lobocão. Maior que um porcão. Enorme.

Fala com grunhidos. É esfomeado. Rasga as coisas em duas.

Sim, os ursos são Filhos de Oryx. Não sei por que ela os fez tão grandes e com dentes tão afiados.

Sim, temos de ser gentis com os ursos. A melhor maneira de ser gentil com os ursos é não ficar muito próximos a eles.

Não acho que haja ursos muito próximos de nós agora.

E Zeb então pensou: Talvez um urso tenha me farejado e esteja se aproximando de mim agora, pois ele está com fome, ele está morrendo de fome e quer me comer. E vou ter que lutar com o urso, e tudo que tenho é esta faquinha e este pau que pode fazer buracos nas coisas. E vou ter que vencer a luta, e matar o urso, e depois vou ter o que comer.

Logo, logo, o urso vai entrar na história.

Sim, Zeb vai vencer a luta. Zeb sempre vence a luta. Foi isso que aconteceu.

Sim, ele sabia que Oryx ficaria triste. Zeb sentiu pena do urso. Ele não queria machucá-lo. Mas ele também não queria ser comido pelo urso. Vocês não querem ser comidos por um urso, querem? Nem eu.

Porque os ursos não comem apenas folhas. Porque isso os deixaria doentes.

Enfim, se Zeb não comesse o urso, ele morreria, e se isso acontecesse, ele não estaria aqui agora com a gente. E isso também seria uma coisa triste, não é?

Se vocês não pararem de chorar, não poderei continuar contando a história.

O COMÉRCIO DE PELES

Existe a história, e depois a verdadeira história, e depois a história de como a história foi contada. E depois o que se deixou de fora da história. O que também faz parte da história.

Na história de Zeb e o urso, Toby deixou de fora um homem morto, cujo nome era Chuck. Esse homem também acabou perdido entre as poças e o musgo e as montanhas e os ursos. Ele também não sabia o caminho de saída. Era injusto negar-lhe uma menção, apagá-lo do tempo, mas Toby não estava preparada para lidar com os outros nós e emaranhados que surgiriam se ele fosse colocado na história. Ela ainda não sabe, por exemplo, como esse homem morto se introduziu primeiro na história.

– Pena que o filho da puta morreu – diz Zeb. – Eu o teria feito vomitar tudo para fora.

– Tudo?

– Quem o contratou. O que eles queriam. Onde ele teria me pegado.

– *Morreu* é um eufemismo, eu suponho. Ele não teve um ataque cardíaco – diz Toby.

– Não seja dura. Você sabe o que eu quero dizer.

Zeb estava perdido. Ele estava debaixo de uma árvore.
Ele não estava completamente perdido. Fazia uma vaga ideia de onde estava: em algum lugar no deserto das montanhas Mackenzie, a centenas de quilômetros de qualquer lugar com uma lanchonete. E não debaixo de uma árvore e sim ao lado, e não era exatamente uma árvore e sim um arbusto, se bem que não era basto e sim espigado. Um tipo esguio de abeto. Ele notou os detalhes do tronco, os

galhinhos inferiores secos, o líquen cinzento por cima, com babados e formatos intrincados e pontos vazados, como calcinhas de prostitutas.
– O que sabe sobre calcinhas de prostitutas? – pergunta Toby.
– Mais do que você quer que eu saiba – diz Zeb. – Enfim, quando você se concentra em detalhes como esses, o close nítido totalmente inútil, você sabe que está em estado de choque.

O tóptero AOH ainda estava em chamas. Por sorte ele se soltou antes da explosão do dirigível, ou antes da explosão de algum de seus componentes, e agradeceu pelo fato de que a merda digital que liberava o cinto de segurança ainda estava funcionando: caso contrário, ele teria morrido.

Chuck estava deitado de bruços na tundra. Com a cabeça posicionada em um ângulo desajeitado de cento e oitenta graus, ele observava sobre o próprio ombro como uma coruja. Não olhava para Zeb. Olhava para o céu. Sem anjos lá em cima, ou ainda não era hora de alguém aparecer.

O sangue escorria do alto da cabeça de Zeb, ele sentia o líquido quente descendo. Ferimento no couro cabeludo. Nada perigoso, mas sangra muito. A cabeça é a parte mais rasa do corpo, dizia o pai sociopata de Zeb. Afora o cérebro. E a alma, se é que você tenha sido abençoado com isso, o que duvido. Rev, o reverendo, tinha sido um grande líder de torcida para as almas, e se achava um chefe das almas.

E agora Zeb se perguntava se Chuck tinha uma alma, e se essa alma ainda pairava sobre o corpo do morto como um tênue odor.

– Chuck, seu maldito estúpido – disse Zeb em voz alta. Se ele tivesse tido tempo para sequestrar a si mesmo em prol dos capacetes, ele teria feito algo melhor do que o trabalho feito pelo imprestável Chuck.

Pena que de alguma forma Chuck estava morto – talvez ele tivesse tido algum lado bom, talvez até gostasse de cachorrinhos –, mas agora havia um idiota a menos no mundo, isso não era um plus? Uma marca de verificação na coluna das forças da luz. Ou da escuridão, dependendo de quem fizesse a contabilidade moral das partidas dobradas.

Acontece que Chuck não era um idiota qualquer; não era ranzinza, não era agressivo, como tolamente se configurava o próprio Zeb. Chuck era diferente. Muito simpático, muito ansioso para estar na fita; o homem é obsoleto, isso nos condena à extinção, restaurar o equilíbrio da natureza e blá-blá-blá, ele exagerava tanto que soava absurdo naquela roupa ao estilo Bearlift, com uma cota completa de ridículos biofodedores, o que exigia algum esforço.

Mas nem todos eram biofodedores, alguns alegavam que aderiam pelo desafio. Aventureiros, por conta do diabo, sem amarras, tatuados, com rabos de cavalo gordurosos, como os dos motoqueiros dos filmes antigos – músculos definidos, botas de sola grossa quentes demais para passeios comuns. Era como Zeb se posicionava: moldado por esteroides naturais; fazia o que tinha que ser feito, mantinha o passo, asas nos tornozelos, sem dinheiro, acomodado no submundo onde nenhuma autoridade enfiava os tentáculos no bolso de trás com o possível conteúdo de furtivas e comprometedoras contas bancárias hackeadas de outras pessoas.

Como bons beatos verdes, os biofodedores de carteirinha olhavam de nariz empinado para o jeito irascível de Zeb, mas não forçavam muito a barra. Eles precisavam de mão de obra porque nem todos no planeta achavam uma boa ideia que numerosos aero/orno/helitópteros descarregassem biolixo no extremo norte para que um bando de ursídeos sarnentos pudesse devorá-lo gratuitamente.

– Isso foi antes de se disseminar a escassez de petróleo? – pergunta Toby. – E antes do negócio do carbono garbóleo decolar. Caso contrário, nunca deixariam você desperdiçar um material primário e valioso com os ursos.

– Foi antes de um monte de coisas – diz Zeb. – Mas o preço do petróleo já estava aumentando demais.

A Bearlift possuía quatro modelos antigos de tópteros comprados no mercado cinza. Eram apelidados de Flying Pufferfish. Baseados em um bioprojeto, os tópteros eram um dirigível movido a gás hélio/hidrogênio e dotado de uma pele que sugava ou exalava moléculas como nadadeiras de um peixe que contraíam e se expandiam de modo a permitir que levantassem pesos pesados. Além disso, tinham barbatanas ventrais de estabilização, um par de helilâminas para pairar e quatro asas semelhantes às de um pássaro para manobras em velocidade lenta. A vantagem é que era um veículo de baixo consumo de combustível, capaz de transportar cargas ultrapesadas e de fazer voos baixos e lentos; a desvantagem é que o voo do tóptero era demorado, o software dos materiais falhava regularmente e poucos sabiam consertá-los. Era preciso chamar, ou melhor, contrabandear questionáveis digimecânicos do Brasil, onde florescia o mercado negro digital.

Eles o hackeavam assim que punham os olhos em você. Divulgavam registros de negócios sujos, fichas médicas e casos sórdidos de políticos, cirurgias plásticas de celebridades – isso na pequena extremidade. Na grande extremidade, uma Corp hackeava a outra. Hackear uma poderosa Corp era o tipo de coisa que podia torná-lo um verdadeiro merda, mesmo quando você estava blindado por um firewall pelo fato de pertencer à folha negra de pagamento de outra Corp poderosa.

– Suponho então que você fazia isso – diz Toby. – Esse tipo de coisa com o verdadeiro merda.

– Sim, eu tinha estado lá embaixo, só para ganhar a vida – diz Zeb. – Foi uma das razões para que eu ficasse tomando fôlego na Bearlift: ela estava muito longe do Brasil.

A Bearlift era uma fraude, ou parcialmente uma fraude. Logo qualquer um com metade de um cérebro descobria isso. Ao contrário de muitos outros golpes, esse era bem considerado, mas não menos fraudulento. Ela vivia das boas intenções das pessoas da cidade com emoções descartáveis que pensavam que estavam salvando alguma coisa – algum trapo de um autêntico ancestral primordial, um fragmento da alma coletiva vestida em bonito terno. O conceito era simples: os ursos-polares estão morrendo de fome porque o gelo que está derretendo os impede de caçar focas; vamos então alimentá-los com nossas sobras até que consigam se adaptar.

– *Adaptar* era a palavra de ordem daqueles dias, se você se lembra, se bem que duvido que tenha idade para isso; você ainda devia usar uniforme de escola. Ainda estava aprendendo a mexer na sua pequena armadilha para os homens.
– Pare de flertar – disse Toby.
– Por quê? Você gosta.
– Lembro-me desse *adaptar* – disse Toby. – Era outro jeito de dizer *azar*. Para quem se recusava a ajudar.
– Você sacou – disse Zeb. – De um jeito ou de outro, alimentar os ursos com lixo não os ajudou a se adaptar, isso só os fez aprender que os alimentos caem do céu. Eles babavam toda vez que ouviam o som de um tóptero, eles tinham o seu próprio culto à carga.
"Mas, eis a parte fraudulenta. Claro, o gelo estava derretendo; claro, alguns ursos-polares tinham morrido de fome, mas os outros estavam à deriva no sul, acasalando-se com os pardos dos quais haviam se separado duzentos mil anos antes. Então, havia ursos-brancos com manchas marrons e ursos-marrons com manchas brancas, ou todo marrom ou todo branco, mas fosse o que fosse que estivesse do outro lado, tinha-se um medidor de temperamento: os malhados o evitavam na maioria das vezes, como os ursos-pardos; os brancos o atacavam na maioria das vezes, como os ursos-polares. Você nunca sabia que tipo de urso era. O que você sabia é que não queria que seu tóptero caísse no país dos ursos."

Exatamente o que acontecera com Zeb.
– Seu estúpido de merda – ele disse outra vez para Chuck. – E quem quer que o tenha contratado é um estúpido de merda ao quadrado – acrescentou, sem achar que estivessem ouvindo. Ou então, ele teve um súbito pensamento desagradável, talvez estivessem.

Acidente

Tudo estava indo bem na Bearlift até que Chuck apareceu. Zeb estava em apuros naquele momento, é verdade...
– Ao contrário de qualquer outro momento – diz Toby.
– Você está rindo de mim? Vítima de uma juventude confusa devido ao abuso paterno? Além do mais, cresci muito rapidamente?
– Será que eu riria?
– Na verdade, você riria – diz Zeb. – Coração de pedra. O que você precisa é de uma boa trepada.

Zeb estava com alguns problemas naquele momento, é verdade, mas ninguém na matriz da Bearlift parecia saber ou se importar; metade do pessoal estava em apuros e o protocolo então era: Não pergunte. Não conte.

As tarefas eram simples: carregar o lixo comestível em Whitehorse ou em Yellowknife, e uma vez ou outra em Tuk, onde os petroleiros da Beaufort Sea despejavam o lixo quando não o desviavam ilegalmente. Naqueles dias as plataformas petrolíferas ainda produziam sobras genuínas de proteína animal. Isso porque nada era bom demais para as tripulações dos petroleiros. Carnes de porco – eles ingeriam muitos derivados da carne de porco – e de frango, ou de algo parecido. Carne de laboratório era camuflada em salsichas ou em bolo de carne para que não se pudesse identificá-la.

Você conduzia o tóptero com os restos de comida, e depois tomava uma cerveja, e depois pilotava o tóptero até os locais de entrega da Bearlift e sobrevoava a área enquanto ejetava as cargas, e depois voava de volta. Nada de mais, a não ser um tédio entorpecente, isso se não houvesse tempo ruim ou falha mecânica. Nesse caso, você aterrissava o tóptero, tentando se esquecer dos paredões da montanha, e depois esperava o tempo melhorar ou chutava os próprios calcanhares enquanto esperava pelo mecânico. Depois, repeteco. Rotina boa. O pior era ouvir o sermão de algum biofodedor de nariz verde empinado que aparecia nos bares de Bearlifttown quando você estava enchendo a cara com a infame bebida que era transportada em barris para aquele lugar.

Afora isso, era comer, dormir e, nos dias bons, dar uns amassos em alguma garota da equipe feminina, se bem que Zeb era cauteloso com isso. Algumas eram mal-humoradas, e outras, comprometidas, e ele procurava se manter fora de encrencas, nunca rolava sob os bancos de um bar com algum idiota enfurecido que se arrogava os eternos direitos hegemônicos de seu pênis e de suas covinhas, talvez por portar uma faca. Os revólveres não entravam em cena porque nessa época a CorpSeCorps os confiscava, levantando a espúria bandeira da segurança cívica e assim garantindo o monopólio do assassinato a distância. Alguns caras escondiam suas Glocks e outras marcas de renome, enterrando-as debaixo de pedras para o caso de extrema necessidade, mas não as portavam pela mesma razão. Isso não significa que leis e intimações fossem respeitadas naquele lugar remoto. Lá no norte as coisas eram sempre um pouco confusas em relação aos limites e à razão da lei. Então, nunca se sabia.

Enfim, as garotas. Se aparecia um "cai fora" em bochechas grandes ou pequenas, Zeb sempre recuava. Mas se alguma garota penetrava no seu dormitório na calada da noite, quem era ele para choramingar? Desde menino ouvia que tinha a moral de um tatu-bola, e não seria ele que frustraria as expectativas ou rejeitaria as insinuações de uma garota. Isso prejudicaria sua autoestima. Algumas garotas não pareciam bem sob a luz, mas outras tinham bundas incríveis e outras tinham peitos que mais pareciam duas bolas de boliche, e...

– Informação demais – diz Toby.

– Não seja ciumenta – retruca Zeb. – Elas já estão mortas. Você não pode ter ciúmes de um bando de mulheres mortas.

Toby não diz nada. O exuberante cadáver de Lucerne, a ex--amante de Zeb, flutua no ar entre eles, sem ser visto, sem ser mencionado e certamente ainda não enterrado no que concerne a Toby.

– Viva é melhor do que morta – diz Zeb.

– Nada a contestar – diz Toby. – Mas, pensando bem, nunca se sabe até que se experimenta.

Zeb sorri.

– Você também tem uma bunda incrível – diz. – Nem um pouco caída. Durinha.

– Fale sobre Chuck – diz Toby.

Chuck entrou na matriz da Bearlift na ponta dos pés, como se entrando em um quarto proibido e fingindo que tinha o direito de lá entrar. Furtivo, porém assertivo. Aos olhos de Zeb, as roupas de Chuck eram uma novidade. Era como se Chuck tivesse acabado de chegar de uma loja de roupas modernas repleta de zíperes e de velcros e de abas por toda parte, como um vídeo de quebra-cabeça pornô. Dispa este homem, encontre um duende e ganhe um prêmio. Nunca confie em um homem com roupas novas.

– Mas às vezes as roupas são novas – diz Toby. – Eram feitas assim naquela época. Não eram feitas já velhas.

– Um homem de verdade sabe como sujar as roupas em um segundo – diz Zeb. – É só rolar na lama. Além das roupas, ele tinha dentes grandes e brancos demais. Quando vejo esse tipo de dentes, tenho vontade de dar uma esbarrada neles com uma garrafa. Para ver se são falsos, para vê-los quebrar. Rev, meu pai, tinha dentes assim. Ele os branqueou. Seus dentes e seu bronzeado o faziam parecer uma arraia no fundo do mar, ou uma cabeça de cavalo apodrecendo no deserto. Quando sorria ele era muito pior do que quando ficava de cara amarrada.

– Livre-se da infância – diz Toby. – Senão ficará infeliz.

– Ai, seu infortúnio? Diga não aos ais? Não pregue para mim, querida.

– Isso funciona para mim. Livrar-me dos ais.

– Tem certeza disso?

– Continuando, Chuck.

– Continuando. Os olhos tinham alguma coisa. Os olhos de Chuck. Olhos laminados. Duros, brilhantes. Era como se tivessem uma tampa transparente em cima.

Era a primeira vez que Chuck surgia à mesa da cantina com uma bandeja.
– Se importa se me juntar a você? – disse escaneando Zeb, uma varredura de olhos laminados. Parecia escanear um código de barras.
Zeb o encarou, sem dizer sim, sem dizer não. Soltou um grunhido por via das dúvidas e voltou a mastigar uma enigmática salsicha que mais parecia uma borracha. Você teria esperado que Chuck desfechasse uma avalanche de perguntas pessoais – de onde você é, como chegou aqui, e assim por diante. Mas ele não o fez. Ele se valeu da Bearlift como manobra de abordagem, dizendo que era uma grande organização. Mas Zeb se mostrou indiferente e ele então insinuou que só estava lá porque atravessava uma fase ruim na vida e precisava manter-se em silêncio por um tempo até que as coisas se dissipassem.
– O que você fez, onde enfiou seu nariz? – perguntou Zeb. Chuck abriu um sorriso de dentes de cavalo e disse que achava que a Bearlift era para homens como ele, sabe como é, mais ou menos como a Legião Estrangeira. Zeb replicou dizendo que a Bearlift não tinha nada de estrangeiro e que era pior que a Legião.
Isso não quer dizer que a grosseria teria abalado o cara. Chuck afastou-se, mas nunca deixou de estar presente. Se Zeb estava batalhando no bar para acabar com uma ressaca na manhã do dia seguinte, de repente Chuck aparecia na camaradagem e se oferecia para pagar a próxima rodada. Era só pegar a latinha, tomar um gole e Chuck evaporava, materializando-se como um ectoplasma, mijando duas barracas abaixo; ou então Zeb estava virando uma esquina, na zona mais miserável de Whitehorse, e adivinhe, Chuck surgia sorrateiro na esquina seguinte. Ele devia fuçar as coisas de Zeb no armário do quarto quando Zeb não estava presente.
– Seria bem-vindo para isso – diz Zeb. – Na minha roupa suja nada além de roupa suja, mas a roupa suja de verdade estava na minha cabeça.

Mas qual era o jogo de Chuck? Era óbvio que havia um jogo. No início Zeb pensou que ele fosse gay e estava prestes a passar-lhe uma cantada, mas não era isso.

Ao longo das semanas seguintes Chuck e Zeb fizeram uns dois voos juntos. Sempre havia dois no Pufferfish; você se revezava para cochilos. Zeb tentou evitar parceria com Chuck que àquela altura lhe dava arrepios na nuca, mas logo um sujeito com quem Zeb faria um voo foi chamado para o funeral de uma tia e Chuck se apresentou para substituí-lo, e depois outro sujeito teve uma intoxicação alimentar. Zeb se perguntou se Chuck tinha pago para que os dois caíssem fora. Se é que não tinha estrangulado a tal tia e colocado *E. coli* na pizza para tornar a coisa convincente.

Zeb esperou por uma pergunta de Chuck enquanto estavam no ar. Talvez o cara soubesse de alguma malandragem anterior de Zeb e estivesse a serviço de uma galera clandestina até então desconhecida que queria que Zeb encarasse um *bolus* de pirataria eletrônica rigorosamente proibida; ou talvez fosse uma extorsão a ser praticada em algum plutocrata, ou um mercenário conectado a ladrões de IP que precisava de um profissional experiente em rastreamento para um futuro sequestro de um cerebromaníaco de alguma Corp.

Ou talvez fosse uma sondagem – Chuck faria a proposta de alguma gracinha flagrantemente ilegal, gravaria Zeb ao concordar em fazê-la, e depois as garras da gigantesca lagosta do sistema de justiça o apertariam e o abateriam; ou talvez, a demanda idiota de uma chantagem, como se alguém pudesse tirar merda de pedra.

Mas nada de anormal ocorreu nesses dois voos. Talvez tenham servido de chupetas para deixar Zeb à vontade. Sinal de que Chuck era inofensivo. Sua idiotia era uma densa cobertura?

Isso quase funcionou. Zeb começou a achar que estava sendo paranoico. Cutucando sombras. Preocupando-se com um zé-ninguém escorregadio como Chuck.

Aquela manhã – manhã do acidente – começou como de costume. Café da manhã, bolinhos anônimos feitos com ingredientes misteriosos, duas canecas de um substituto da cafeína, uma fatia de serragem torrada. As fontes da Bearlift eram baratas, uma causa tão nobre e tão digna implicava pessoas humildes que ingerissem alimentos de segunda e guardassem as coisas boas para os ursos.

Em seguida, carregar miudezas, enfiar sacos de biodegradáveis na barriga do Puffer. O parceiro de voo de Zeb acabou riscado da agenda daquele dia – cortou o pé ao dançar descalço sobre cacos de vidro para mostrar que era durão. Isso se deu num estabelecimento erótico, local mais alto que a ionosfera produzida por qualquer farmacêutico cretino, dizia-se. Zeb faria dupla com um cara legal chamado Rodge. Mas quando entrou deu de cara com Chuck, todo arrumadinho com seus zíperes e abas de velcro, sorrindo com seus enormes dentes brancos de cavalo, mas sem os olhos laminados.

– Rodge recebeu algum telefonema? – perguntou Zeb. – A avó dele morreu?

– Na verdade, foi o pai – disse Chuck. – Bom dia. Ei, trouxe-lhe uma cerveja. – Ele também pegou a dele, só para mostrar que era um cara normal.

Zeb grunhiu, pegou a cerveja e girou a tampa.

– Preciso tomar um gole – disse, deixando a cerveja escorrer afora. Parecia lacrada, mas essas coisas podiam ser falsificadas; podia-se falsificar qualquer coisa. Ele não queria beber ou comer nada que tivesse passado pelas mãos de Chuck.

A decolagem dos Puffers era sempre complexa: as lâminas de helicóptero e o hélio/hidrogênio do dirigível davam propulsão, mas o truque era atingir altitude o suficiente antes de começar a bater as asas e parar as helilâminas no momento certo, ou a coisa toda poderia cair em espiral e de ponta.

Nesse dia, porém, não houve problema algum. Foi um voo padrão, sobrevoando os vales e contornando as montanhas Pelly. Pararam algumas vezes para bombardear a paisagem com quitutes para os ursos; depois, em altitude elevada, sobrevoaram o deserto e as montanhas Mackenzie, cujos cumes cobertos de neve pareciam um cartão-postal, e ejetaram mais cargas; depois, atravessaram o que restara da trilha Old Canol, ainda demarcada por alguns postes telefônicos da Segunda Guerra Mundial.

O tóptero respondia bem. Parava de bater as asas e planava sobre os pontos de despejo, a escotilha aberta, como era esperado, e o biolixo despejado. Na última estação de alimentação, dois ursos – um branco, outro marrom – galoparam em direção ao seu depósito de lixo pessoal quando o tóptero se aproximou; enquanto isso Zeb observava aquelas peles que ondulavam como sacudidelas de um tapete felpudo. Essa proximidade sempre era emocionante.

Zeb então girou o tóptero e se dirigiu para sudoeste, em direção a Whitehorse. E depois entregou o comando para Chuck porque o relógio dizia que era hora de tirar uma soneca. Ele deitou-se, ajeitou o pescoço no travesseiro e fechou os olhos, mas não se deixou adormecer porque Chuck não se mostrara alerta durante o voo. Você não podia se deixar surpreender por nenhuma eventualidade.

Eles estavam a uns dois terços do caminho até a primeira montanha estreita do vale quando Chuck fez um movimento. Por entre os olhos semicerrados Zeb percebeu a mão que se movia furtivamente em direção a sua coxa, segurando um fio brilhante. Ele ergueu-se rapidamente e agarrou Chuck pela traqueia. O apertão fez Chuck engasgar – aquilo não era um suspiro; é difícil descrever, mas o fato é que ele emitiu aquele som, largou o que segurava e pegou Zeb pelo pescoço com as duas mãos. Zeb o esmurrou e, claro que a essa altura ninguém estava nos controles, durante a briga algum mecanismo deve ter sido atingido por pernas ou mãos ou cotovelos e o tóptero dobrou duas de suas quatro asas, tombou para o lado e mergulhou.

E de repente Zeb estava sentado debaixo de uma árvore, observando o tronco. Espantoso como eram limpas as bordas com babados de líquen; luz acinzentada e um tom esverdeado, e uma das bordas era mais escura, tão intrincada...

Levante-se, ordenou para si mesmo. Você precisa se mover. Mas o corpo não ouviu.

Suprimentos

Muito tempo depois – pareceu muito tempo, Zeb se sentiu como se estivesse vagando por um lodo transparente –, ele rolou para um lado, apoiou-se no solo com as mãos e levantou-se ao lado de um abeto espigado. Em seguida, vomitou. Ainda não tinha reparado que estava se sentindo mal e de repente vomitou.

– Um monte de animais faz isso – ele diz. – Sob estresse. Significa que você não deve gastar a energia para digerir. Tem que esvaziar a carga.

– Você estava com frio? – pergunta Toby.

Zeb tremia e batia os dentes. Ele arrancou o colete de Chuck e o vestiu por cima do seu próprio colete. O colete não estava muito rasgado. Puxou o celular de um bolso de Chuck e o esmagou com uma pedra para destruir a função de GPS e escuta. Antes de ser esmagado, o celular tocou e Zeb quase atendeu fingindo ser Chuck. Mas poderia ter atendido e dito que Zeb estava morto. Talvez ficasse a par de alguma coisa. Uns dois minutos depois o seu próprio celular tocou; ele esperou que parasse e também o destruiu.

Chuck tinha alguns outros brinquedinhos, embora nada que Zeb não tivesse. Canivete, spray para urso, spray para insetos, manta de alumínio de sobrevivência, coisas assim. Por uma baita sorte a pistola de spray contra urso que eles carregavam para caso de encalhes e ataques projetara-se para fora junto com Chuck. As armas contra urso eram uma exceção nas novas regras que proibiam o uso de armas, isso porque até mesmo os burocratas babacas da CorpSeCorps sabiam que uma arma contra urso era necessária lá em cima. A Corps não gostava da Bearlift, mas não tentavam acabar com essa empresa, embora pudesse fazer isso com um dedo. A Bearlift cumpria uma função para eles, soava como uma nota de esperança, distraía as pessoas da verdadeira ação de intimidar o planeta e se apossar de tudo que tivesse valor. Eles não faziam objeções à propaganda padrão da Bearlift, onde biofodedores com sorrisos verdes diziam o que a boa Bearlift fazia de bom com um montão de libras esterlinas, e pediam por favor que todos enviassem mais dinheiro para que não se tornassem culpados de um ursocídio. A Corps chegava até a injetar dinheiro do próprio bolso.

– Isso foi quando eles ainda massageavam a própria imagem de confiável – diz Zeb. – Só depois que tivessem dado uma chave de braço no poder é que deixariam de se preocupar tanto.

Zeb quase parou de tremer quando encontrou a arma para urso. E quase a abraçou porque no mínimo ganhava metade de uma possibilidade. Mas ele não encontrou a seringa com agulha que Chuck tentara lhe injetar; que pena, teria sido bom saber o que a seringa continha. Poção para nocaute, o mais provável. Tal substância o apagaria e ele seria levado para algum ponto de encontro decadente, onde estaria sendo aguardado por alguns raspadores de cérebro contratados sabe-se lá por quem, os quais extrairiam os seus dados neurais e chupariam tudo que ele já tinha pirateado e todos que ele já tinha hackeado. E depois o deixariam em frangalhos, em amnésia induzida, destroçado, cambaleando sem rumo por um pântano distante e devastado, e por fim teria a calça roubada por moradores da região e os órgãos reciclados para o negócio de transplantes.

Mas o que ele faria se tivesse achado a agulha? Testaria em si mesmo? Espetaria numa toupeira?

– Eu a teria de reserva para uma emergência – diz Zeb.

– Emergência? – repete Toby, sorrindo no escuro. – Aquilo não era uma emergência?

– Não era uma emergência de verdade – diz Zeb. – Como por exemplo colidir com outra pessoa lá fora. Isso seria uma emergência. Claro que seria um louco.

– Havia algum barbante? – pergunta Toby. – Nos bolsos. Nunca se pensa em como os barbantes são úteis. Ou as cordas.

– Barbante. Sim, agora que você mencionou. E um rolo de linha de pesca e uns anzóis que sempre carregávamos. Isqueiro. Minibinóculos. Bússola. A Bearlift nos dava todas essas coisas de escoteiros, noções básicas de sobrevivência. Mas não peguei a bússola do Chuck porque já tinha uma comigo. Ninguém precisa de duas bússolas.
– Barra de chocolate? – pergunta Toby. – Barrinhas energéticas?
– Sim, umas Joltbars de merda, nozes falsificadas. Pacote de pastilhas para tosse. Usei essas. E também... – Ele faz uma pausa.
– E também o quê? – pergunta Toby. – Diga.
– Tudo bem, aviso: isto é forte. Arranquei um pedaço do Chuck. Fiz isso com o canivete, daquele tipo serrilhado. Embrulhei o pedaço na jaqueta à prova d'água de Chuck. Lá em cima, nas montanhas, não há muito para se comer, todos sabiam disso, todos que tinham feito o curso da Bearlift. Coelhos, esquilos rasteiros, cogumelos, mas não se tinha tempo para caçar nada disso. De qualquer forma, você pode morrer se comer apenas coelhos. Fome de coelho, era como chamavam. Carne de coelho não tem gordura. É como naquela dieta famosa... só proteína. Seus músculos se dissolvem. Seu coração enfraquece.
– Que parte do Chuck você pegou? – pergunta Toby, surpreendida porque não se sente enjoada; no passado, quando os *escrúpulos* eram uma opção, isso a surpreenderia.
– A parte mais gorda – diz Zeb. – A parte desossada. A parte que você pegaria. Ou qualquer pessoa sã.
– Sentiu-se mal por ter feito isso? – pergunta Toby. – Pare de dar palmadas no meu bumbum.
– Por quê? – diz Zeb. – Não, não me senti mal. Ele teria feito o mesmo. Talvez um gesto carinhoso, como este?
– Sou muito magra – diz Toby.
– Pois é, você poderia ser mais cheinha. Vou lhe dar uma caixa de chocolates, quer dizer, se encontrar alguma. Para engordá-la.
– Acrescente algumas flores – diz Toby. – Cumpra todo o ritual de conquista romântica. Aposto que nunca fez isso na vida.
– Você ficaria surpresa – diz Zeb. – Já houve um tempo em que eu dava buquês de flores de presente. Especiais.

– Continue – diz Toby, os buquês ou como eram ou para quem Zeb teria dado não importam para ela. – Lá está você. Montanhas ao longe, uma parte de Chuck no solo e o resto no seu bolso. Isso a que horas?

– Talvez às três da tarde, talvez cinco, merda, talvez oito, ainda não estava escuro – diz Zeb. – Eu tinha perdido a noção. Eram meados de julho, falei isso? Mas dificilmente o sol clareia tudo lá em cima. Fica abaixo do horizonte, faz uma beirada vermelha bonita. Logo, logo, em poucas horas, ele nasce de novo. Aquele lugar não fica acima do Círculo Polar Ártico, mas a tundra é alta; salgueiros de duzentos anos de idade, videiras horizontais, flores silvestres, tudo floresce de uma só vez porque o verão só dura umas duas semanas. Isso não quer dizer que eu observava as flores silvestres.

Zeb pensou que talvez fosse melhor tirar Chuck de vista. Colocou a calça em Chuck novamente, enfiou o corpo sob uma das asas do tóptero e trocou de botas com o morto – de qualquer forma, as de Chuck eram melhores e eles calçavam quase o mesmo número. E depois deixou um pé à vista, para que quem visse de certa distância pensasse que era o de Zeb. Ele achou que pelo menos por um tempo estaria mais seguro morto.

A matriz da Bearlift enviaria alguém quando percebesse que estava sem comunicação. Provavelmente a equipe de reparos. E quando percebessem que não restara nada para consertar e que ninguém estava agitando um lenço branco sentado em volta de uma pequena fogueira, eles se afastariam. Este era o espírito: não desperdice combustível com cadáveres. A própria natureza os recicla. Os ursos cuidariam do corpo, e também os lobos, os carcajus, os corvos e outros.

Mas talvez a Bearlift não fosse a única a procurar. Era óbvio que por ter um cérebro truculento Chuck não estaria trabalhando apenas para a Bearlift; nesse caso, ele não teria hesitado em tentar algo mais direto e teria recebido ajuda. Já teriam lobotomizado Zeb e o largado em alguma cidade zumbi, como um ex-mineiro, um ex-petroleiro, com passaporte falso e sem impressões digitais. Não que se incomodariam em ir tão longe; afinal, quem sentiria falta de Zeb?

Claro, Chuck servia a chefes de outro lugar, de qualquer outro lugar de onde eles telefonavam. Mas a que distância? Norman Wells, Whitehorse? Seria um lugar com uma pista de pouso. Zeb precisava se afastar do local do acidente o mais rápido possível e encontrar um esconderijo. O que não era tão fácil naquela tundra desnuda.

Acontece que os ursos-brancos e malhados conseguiam isso, e eles eram maiores. E também mais experientes.

BUNKIE

Zeb começou a caminhada. O tóptero caíra numa encosta suavemente inclinada a oeste, oeste era então a direção tomada. Ele tinha na cabeça um mapa incipiente de toda a região. Pena que não tinha o mapa no papel, o mapa que sempre mantinham aberto sobre os joelhos para o caso de uma falha digital enquanto voavam naquela região.
 Era difícil caminhar pela tundra. Esponjosa, alagada, com poças escondidas e musgo escorregadio e moitas traiçoeiras de capim. Fragmentos de velhos aviões assomavam da turfa – um eixo aqui, uma hélice ali, restos de pilotos do século XX apanhados pelo nevoeiro ou pela ventania repentina de tempos passados. Ele avistou um cogumelo, mas não o pegou; não sabia nada sobre cogumelos, mas sabia que alguns eram alucinógenos. Só faltava isso, um encontro com o deus dos cogumelos em meio a ursos de pelúcia verdes e roxos com asinhas aproximando-se com sorrisos cor-de-rosa. O surrealismo do próprio dia já era suficiente.
 A arma para urso estava carregada, e o spray, engatilhado. Se fosse surpreendido por um urso era só atirar. O spray não era de boa qualidade, a menos que se tivesse uma boa mira e a vermelhidão dos olhos do animal à vista – assim era só lançar o spray e depois atirar. Se aparecesse um urso malhado, as coisas seriam dessa maneira. Mas os ursos-brancos o perseguiam e o atacavam por trás.
 Sobre uma nódoa úmida de areia, ele encontrou a pegada de uma pata dianteira esquerda, e mais à frente, fezes frescas. Eles provavelmente o estavam observando. Sabiam que ele carregava um pacote de sangue e músculo, ainda que estivesse muito bem embrulhado; os bichos sentiam o cheiro. E também sentiam o cheiro do seu medo.

...

Zeb já estava com os pés encharcados, apesar da qualidade superior das botas de Chuck. Aquelas botas não calçavam tão bem como ele pensara. Talvez seus pés estivessem embranquecendo cada vez mais, tornando-se massa purulenta dentro das meias. Para apagar isso da mente – desligar-se dos ursos, do cadáver de Chuck, de tudo – e para fazer algum barulho de modo que nem ele nem os ursos malhados fossem surpreendidos, ele cantou uma canção. Era um hábito remanescente de sua alardeada juventude, dos tempos em que assobiava no escuro, fosse qual fosse o escuro que o bloqueava. No escuro, nas trevas, na escuridão que dominava até mesmo em meio à luz.

Papai é um sádico, mamãe, uma fingida,
Feche os olhos e dê uma dormida.

Não, nada de dormir, por mais que estivesse extenuado. Era preciso seguir em frente. Marcha forçada.

Imbecil, imbecil, imbecil, imbecil,
Talvez eu seja muito ruim, muito ruim, um psicótico vil.

Um enfileiramento mais espesso de vegetação inclinada sinalizou um riacho. Ele seguiu em direção ao riacho, ao longo de montículos, musgo e pontos de cascalho, onde seixos emergiam à superfície durante o gelo profundo do inverno. Naquele dia não fazia um frio rigoroso; na verdade, estava quente debaixo do sol, mas ele ainda estremecia como um cachorro molhado a se sacudir. Ele então apertou o colete de Chuck por cima do próprio casaco.

Quando estava quase chegando ao riacho que mais parecia um rio de correnteza forte, ele pensou, e se isso estiver grampeado? O colete. E se houver um pequeno transmissor costurado em algum ponto do tecido? Acharão que Chuck está vivo e em movimento, ainda que misteriosamente sem atender ao celular. Claro que mandariam alguém para buscá-lo.

Ele tirou o colete e o estendeu onde o fluxo das águas era mais forte. O colete inflou de ar ao ser afundado; não afundaria. Era só colocar pedras nos bolsos; melhor ainda, ele o deixou flutuar para longe, para bem longe. Enquanto assistia àquele colete que seguia a correnteza como uma estranha água-viva inchada, ele pensava, talvez essa porra de ideia não tenha sido muito brilhante. Eu não estou focado.

Ele levou a água fria à boca – não beba muito, vai ficar pesado – e se perguntou se estaria engolindo um pouquinho do mijo febril de castor. Mas claro que não havia castores ali. O que se poderia contrair dos lobos? Hidrofobia, mas não pela água. Cocô dissolvido de alce – a água abrigaria algum tipo de vermes minúsculos que chupam e cavam túneis? Algum tipo de vermes de fígado?

Ele então se perguntou, por que está falando em voz alta nessa água? Em plena vista. Siga o riacho ao longo do vale, ordenou para si mesmo. Fique perto dos arbustos, fora de vista. Quanto tempo teria passado a partir do momento em que Chuck deixou de atender o celular? Talvez duas horas, se você contasse o pânico pelo que deu errado; a reunião que eles teriam convocado, por controle remoto ou por qualquer outra coisa, o mensageiro, o falatório e as atribuições de culpa e recriminações veladas. Essas merdas todas.

Naquele lugar, salgueiros altos protegidos do vento, gramíneas, arbustos. Moscas, pernilongos borrachudos. Às vezes isso enlouquece os caribus, dizia-se. Eles eram vistos com suas largas patas nevadas flutuando sobre o pântano, correndo para lado nenhum. Zeb utilizou o repelente de insetos; não muito porque precisava poupá-lo. Continuou caminhando rumo oeste, ele se lembrou – pensou que se lembrou – que nessa direção chegaria ao que restara da Canol Road. Já não restava quase nada da estrada, mas pelo que se lembrava de outros voos aéreos, restavam algumas edificações. Um velho *bunkie,* um ou dois galpões.

Seu objetivo era um poste telegráfico de madeira antiga que além de inclinado tinha ao lado um emaranhado de arame e o esqueleto de um caribu com galhadas embaraçadas; mais adiante, um tambor de óleo, depois, dois tambores de óleo, e depois, um caminhão vermelho aparentemente intocado, mas sem pneus. Talvez os caçadores locais os tivessem levado para longe em seus veículos de quatro rodas, na época em que podiam pagar pelo combustível para caçadas longínquas. Certamente encontrariam alguma utilidade para pneus como aqueles. O caminhão tinha o formato arredondado e simples dos anos 1940, época da construção da estrada. Um sistema montado durante a Segunda Guerra Mundial para transportar petróleo para o interior por meio de um gasoduto, o que impediria que fosse explodido por submarinos costeiros. Foram levados muitos soldados do Sul para construir o sistema, rapazes negros, muitos. Era a primeira vez que enfrentavam nevascas frias, temperaturas abaixo de zero e vinte e quatro horas na escuridão; eles devem ter pensado que estavam no inferno. Segundo uma lenda da região, um terço desses rapazes enlouqueceu. Zeb também se viu enlouquecendo naquele lugar, mesmo sem as nevascas.

De repente, um ferimento no pé, provavelmente uma bolha, mas não era hora de parar para examinar. Ele pulou por cima da estropiada fita de isolamento da estrada e de alguns arbustos mais altos e próximos, olhou do alto e lá estava o *bunkie*. Uma construção comprida e baixa de madeira sem porta, mas ainda com um telhado em cima.

    Ele foi rápido para a sombra. Depois esperou. Tudo em completo silêncio.

    Placas metálicas de sucata, pedaços de madeira, arame enferrujado. Camas que teriam estado ali. Poltrona rasgada. Carcaça de era uma vez um rádio, em forma arredondada parecida com um pão daquela década. Ainda tinha um botão. Uma colher. Detritos de um fogão. Cheiro de alcatrão. A luz do sol infiltrada pelas frestas do teto peneirando o pó. Névoa de desolação desvanecida, nódoa de pesar.

    Esperar foi pior que caminhar. Algumas partes latejavam: os pés, o coração. Sua respiração estava muito estridente.

    Logo ele se perguntou se ele próprio estaria grampeado; se Chuck por via das dúvidas tinha introduzido um minitransmissor dentro do bolso de trás enquanto ele estava distraído. Nesse caso, ele estava frito; agora estariam ouvindo a respiração dele. E antes o tinham ouvido cantar. Já o teriam identificado, dispararam um minifoguete em direção a ele e puf.

Nada a ser feito.

Passada... o quê? Uma hora? Um ornodrone aproximou-se em baixa altitude. Claro, do nordeste: Norman Wells. Seguiu direto até o local do acidente e fez alguns sobrevoos para transmitir as imagens. Fosse quem fosse que estivesse no controle já teria tomado uma decisão na base de comando. O drone disparou contra a asa quebrada, onde estava escondido o corpo de Chuck. E depois explodiu o que ainda restava do tóptero. Era como se Zeb pudesse ouvir as vozes: *Ninguém está vivo. Tem certeza? Não pode ser. Os dois? Tem que ser. De qualquer forma, é melhor se certificar, vasculhar o terreno agora.*

Ele prendeu a respiração, mas o drone não seguiu a trilha do colete flutuante e ignorou o *bunkie* abandonado da Canol; simplesmente girou e voltou para o lugar de onde viera. Só queriam chegar lá primeiro para fazer uma limpeza e desaparecer rapidamente antes que o pessoal de reparos da Bearlift aparecesse.

Fizeram isso com a lentidão habitual. Hora de se mexer, pensou Zeb. Estou com fome. A equipe de reparos sobrevoou os destroços; oh, meu Deus, sem dúvida, pobre bastardo, nunca teve uma chance. E depois também partiu em direção a Whitehorse.

Depois que o crepúsculo vermelho se instalou e a névoa se condensou e a temperatura caiu, Zeb fez uma pequena fogueira sobre um pedaço de metal, isso para que não houvesse incêndio no interior do *bunkie* e a fumaça pudesse se dispersar pelo teto. Nenhuma coluna incriminadora. Ele então se levantou um pouco mais aquecido. Depois cozinhou. Depois comeu.

– Só isso? – diz Toby. – Não está um pouco abrupto?
   – O quê?
   – Bem, isso está... quer dizer...
   – Você quer dizer a carne? Forçar a barra de um vegetariano?
   – Não seja mau.

– Você queria que eu fizesse uma oração? Obrigado, meu Deus, por ter feito de Chuck um idiota e por tê-lo oferecido a mim de maneira altruísta, embora tola e realmente de maneira não intencional?
– Você está fazendo graça.
– Então, não venha com esse papo de velho jardineiro pra cima de mim.
– Ei! Você também é um velho jardineiro! Você era o braço direito de Adão Um, você foi um dos pilares da...
– Bem, eu ainda não era. A porra de um pilar. Seja como for, isso é outra história.

PÉ-GRANDE

Não foi fácil, é claro. Zeb cortou pequenos pedaços e usou um espeto enferrujado, e também argumentou consigo mesmo: "*Isso é Nutrição com N maiúsculo! Acha que vai conseguir sair daqui sem Nutrição?*" Mas houve alguns problemas na deglutição. Felizmente, ele tinha muita prática em se distanciar daquilo que engolia, mais recentemente da gororoba servida na Bearlift – provavelmente a mais popular *era* uma proteína fortificante servida seca e moída.

Mas os primeiros testes dessa natureza ocorreram mais cedo, uma das punições instrutivas de Rev era obrigá-lo a ingerir qualquer nojeira. Como não sentir o cheiro, como não sentir o gosto, como não pensar, tudo isso era como não ver o mal, não ouvir o mal, não falar o mal; ser cego, surdo e mudo, como os macacos empoleirados no tambor de óleo em miniatura sobre a penteadeira da mãe: as patas sobre os orifícios superiores eram um modelo para que ela seguisse em frente e feliz. *Você esteve doente? O que é isso no seu queixo?* Ele dizia: Você é um cachorro, coma o seu próprio vômito. Ele empurrava a minha cabeça para... *Zebulon, deixe de inventar histórias. Você sabe que seu pai nunca faria uma coisa dessas! Ele te ama!*

Feche o alçapão disso e role um pedregulho. A questão era como se manter aquecido. Ao canto estavam folhas de papel parafinado de pouco uso, apenas algumas. Zeb estendeu-as no chão porque isso ajudaria a fazer uma barreira de retenção de calor. Se as meias secassem também ajudariam; ele colocou-as sobre um pequeno suporte de varas perto das brasas da fogueira, esperando que não queimassem. Esquentou algumas pedras nas brasas; enfiou os pés gelados dentro do colete; desdobrou as duas mantas térmicas, a dele e a de Chuck, torceu-se por dentro delas e ajeitou as pedras quentes por baixo. Mantenha o núcleo aquecido, essa era a Lição Um. Mantenha a circulação nos pés, sempre um bom plano à dianteira. Lembre-se de que mãos sem dedos não são de muito uso para tarefas que exigem pequenas habilidades musculares, como amarrar os cadarços.

Será que haveria rosnados do lado de fora do *bunkie* nas horas de escuridão, e arranhaduras? Nenhuma porta naquele lugar, qualquer coisa podia entrar. Carcaju, lobo, urso. Talvez a fumaça os mantivesse lá fora. Será que devia dormir? Ele devia dormir. Logo a luz iluminará tudo.

Ele acordou cantando.

Vagando aqui, vagando ali, vagando em minha cueca,
Eu tenho um docinho coberto de pelos,
Ela é uma gatinha em qualquer lugar...

Uma rouquidão, uma distorção de áudio sob o acontecimento. Energético, no entanto. Ligação instantânea homem-caverna.

– Cale a boca – ele disse para si mesmo. – Quer morrer levianamente? Não importa, ninguém está olhando – retrucou para si mesmo.

As meias não estavam secas, mas estavam mais secas. Que tolo, devia ter pegado as meias dos finados pés branquelos de Chuck. Ele calçou as meias, dobrou os cobertores térmicos metálicos e os enfiou nos bolsos – malditas coisas que nunca entram em suas pequenas embalagens depois que são retiradas. Embalou as tranqueiras que eram chamadas de Equipamento Prático e os restos do piquenique, e depois olhou cautelosamente lá para fora.

Névoa por toda parte. Cinzenta como tosse de enfisema. Até que isso era bom porque agora a visibilidade de voo seria baixa, o que atrapalharia os bisbilhoteiros aéreos. Por outro lado, não era bom para ele porque agora ele não saberia mais para onde estava indo. Mas certamente seria o caso de seguir a estrada de tijolos amarelos, sem os tijolos e sem a Cidade das Esmeraldas no fim.

Só havia duas direções possíveis: nordeste até Norman Wells, uma caminhada difícil por uma trilha arruinada com blocos desprendidos da geleira; ou sudoeste até Whitehorse, em meio ao frio, montanhas e vales tomados pelo nevoeiro. Ambos os destinos estavam distantes demais, e se ele tivesse que fazer uma aposta não apostaria em si mesmo. Mas a rota de Whitehorse ligava um lado de Yukon à estrada propriamente dita, por onde passavam veículos motorizados. Mais chance de pegar uma carona. Ou algo parecido. Ou outra coisa.

Ele partiu em plena neblina, mantendo-se à superfície de um cascalho degradado. Se fosse um filme, ele desapareceria aos poucos na brancura e logo desapareceria de vez, enquanto os créditos rolariam por cima. Mas não tão rápido, não tão rápido, ele ainda estava vivo.

– Aproveite o momento – insistiu consigo mesmo.

Gosto de seguir errante atrás de uma bunda vagabunda,
E gosto de cantar enquanto caminho, mas isso me deixa na barafunda.
Fodendo, fodido, fodido, fodendo... ah! ah! ah! ah! ah! ah!

– Você não está levando isso a sério – ele se repreendeu. – Ora, cale a boca – respondeu para si mesmo. Já ouvi muito isso.

Conversar consigo mesmo, nada tão positivo assim. Fazê-lo em voz alta, ainda pior. O delírio ainda não se instalara, mas como poderia ter certeza?

A névoa se dissipou ali pelas onze da manhã; o céu azulou; o vento começou a soprar. Dois corvos faziam sombra por cima, sobrevoando-o perigosamente enquanto trocavam comentários rudes sobre ele. Estavam à espreita, a fim de devorá-lo no lanchinho: os corvos não são lá muito hábeis em fazer as primeiras incisões, sempre caçam com caçadores. Ele comeu uma Joltbar; chegou a uma ponte caindo aos pedaços, eram então duas opções: botas molhadas ou pés descalços aleijados? Optou pelas botas, mas antes tirou as meias. A água estava fria, pra lá de fria.

– Está congelada, merda – disse, e era mesmo uma merda.
Então, ele teve que optar entre recolocar as meias e deixá-las molhadas ou se dar ao duvidoso prazer de caminhar apenas com botas, o que certamente aumentaria a bolha nos pés. Logo as próprias botas se mostrariam uma limitação inútil.

– Imagine – diz Zeb. – Horas a fio. Foi esse tipo de coisa o dia todo, com o vento soprando e o sol brilhando.
– Até onde você foi? – pergunta Toby.
– Como medir? Lá, os quilômetros não contam. Digamos que não fui longe o suficiente – ele responde. – E que eu estava correndo no vazio.

Ele passou a noite agachado entre duas pedras grandes, tremendo como vara verde, apesar dos cobertores metálicos de sobrevivência e da fogueira feita de galhos secos de salgueiro e bétula.

Tão logo surgisse o rosado do próximo pôr do sol, ele estaria sem alimentos. Ele então deixou de se preocupar com os ursos; na verdade, ansiou por cravar os dentes em algum urso grande e gordo. Sonhou com pequenos glóbulos de gordura caindo como a neve, uma neve em bolotas, não em flocos; sonhou que essa neve se infiltrava pelas pregas e poros do corpo e o engordava. O cérebro era cem por cento colesterol; ele precisava de impulso, ansiava por isso. Chegou a vislumbrar o interior do corpo, as cavidades entre as costelas, cavidades forradas de dentes. Se ele esticasse a língua para a nevasca de gordura, o ar teria gosto de canja de galinha.

Um caribu irrompeu em meio à penumbra. Olhou para ele, ele olhou para o animal. Longe demais para atirar, rápido demais para perseguir. Esses animais patinavam sobre o pântano como se tivessem esquis. O dia seguinte tornou-se brilhante e quase quente; a distância, o indistinguível bambeava nas bordas como uma miragem. Ele estava mais faminto? Difícil dizer. As palavras pareciam emergir e queimar ao sol. Logo ele ficaria sem palavras, depois ainda seria capaz de pensar? Não e sim, sim e não. Ele estaria contra si mesmo, contra tudo que se colocasse no espaço por onde se movia, sem vidrilhos de linguagem entre ele e o não ele. O não ele se insinuava defensivo através das bordas; corroía a forma, enviava radículas que se metamorfoseavam em cabelos reversos na cabeça. Logo ele estaria como se coberto de musgo. Ele precisava continuar caminhando, preservar a aparência, definir-se por suas próprias ondas de choque, deixar a consciência no ar. Isso para manter-se alerta e sintonizar-se com o que e para quê? Para sabe-se lá que poder se aproximar e impedi-lo de morrer.

Em outra ponte caindo aos pedaços, um urso cristalizado próximo aos arbustos baixos que margeavam o rio. O animal não estava lá e de repente estava, e empinou-se assustado e oferecido. Aquilo era um rosnado, um rugido, um fedor? Sem dúvida, mas Zeb não lembra mais. Foi precisou pulverizar os olhos do urso com o spray e atirar à queima-roupa, mas sem registro fotográfico.

Depois, ele só se lembra de que estava estripando o urso, cortando-o com uma faca inadequada. Sangue até os pulsos, depois, bonança: carne e pele. Os dois corvos faziam ruídos em R ao longe, esperando a vez deles: nacos de carne acompanhados de pedacinhos de sobras.

– Não muito – ele disse em voz alta enquanto mastigava e pensava nos perigos de se empanturrar de estômago vazio, especialmente com algo tão rico e supersaturado. – Um pouco de cada vez. – A voz soou abafada, como se estivesse telefonando para si mesmo do subsolo. Aquilo tinha gosto de quê? Quem se importava? Se comesse o coração, será que passaria a falar a língua dos ursos?

Imagine-o no dia seguinte ou no próximo ou em algum outro momento, no meio do caminho, em qualquer lugar, se bem que ele acredita que realmente está em algum lugar. Ele tem calçados novos – tiras de pele trançadas e amarradas, ao estilo do homem das cavernas dos quadrinhos. Ele tem uma capa de pele, tem um chapéu de pele, e tudo também serve como itens pesados e fedorentos de dormir. Ele carrega uma carga de carne e muita gordura. Se tivesse tempo transformaria a gordura em graxa e passaria no próprio corpo, mas quando a mastiga é como se desse uma boa mordida em combustível. E é combustível, e o queima; o calor viaja em suas veias.

– Adeus, cuidem-se – ele entoa. Os corvos agora em sua cola o sombreiam. E já são quatro: ele é o Flautista de corvos. – *Há um pássaro azul em minha janela.* – Canta para eles. A mãe dele costumava cantar, merda de porcaria otimista e retrô. Isso e os hinos alegres.

De repente, um ciclista aproxima-se ao longe e ao longo do trecho relativamente suave da estrada à frente. Algum amante de mountain-bike, um aventureiro maluco entupido de endorfinas. Costumam abastecer seus kits nas lojas de Whitehorse, e depois se dirigem às colinas para testar a coragem e a resistência na trilha Old Canol. Pedalam até o *bunkie* – é a trajetória habitual deles. E depois pedalam de volta, velozes e audazes. Alguns contam histórias de abduções alienígenas, outros, de raposas falantes, e outros mais, de vozes humanas que cortam a noite na tundra. Ou de vozes semi-humanas. Tentando atraí-los.

Não, dois ciclistas. Um ligeiramente à frente. Briga de casal, ele especula. O normal seria os dois estarem juntos.

Coisas úteis, essas mountain-bikes. E também as mochilas de equipamento e tudo o mais que se acrescenta.

Zeb se esconde no matagal que ladeia a estrada, aguarda a passagem do primeiro ciclista. Uma loura, uma deusa com coxas de um quebra-nozes de aço inoxidável em seu brilhante traje de ciclista. Sob o capacete aerodinâmico, ela aperta os olhos frente ao vento, ela franze a testa e as sobrancelhas se acanham por dentro de seus pequenos e estilosos óculos que a protegem do vento e do sol. Afasta-se com a bicicleta sacolejando e o traseiro tenso como seios implantados, seguida a certa distância por um sujeito com a cara amarrada e a boca contraída nos cantos. Ele a irritou, e agora sente o chicote. Zeb pode aliviá-lo da miséria que o sobrecarrega.

– Grrrr! – grita Zeb, ou soa para esse efeito.

– Grrrr? – repete Toby rindo.

– Você sabe o que quero dizer – diz Zeb.

Forma sucinta: ele pula para fora dos arbustos e ruge para o sujeito de dentro da pele de urso. O alvo solta um grito abafado, seguido pelo baque metálico de um tombo. Nem é preciso nocautear o pobre otário; ele já está nocauteado. É só pegar a bicicleta com as mochilas e cair fora.

Mais à frente, Zeb olha para trás e vê que a garota se deteve. Nesse mesmo segundo ele a imagina com um O preso e aberto, um O de aflição. E agora ela se arrependerá do que disse para o pobre bastardo. E sairá pedalando com força e se ajoelhará e o tomará nos braços, examinando os arranhões em lágrimas. O garotão olhará nos olhos arregalados e confusos da garota e tudo será perdoado, seja o que for. E depois eles pedirão socorro pelo celular.

O que vão dizer? Zeb pode imaginar.

Já fora de vista, depois de ter descido uma colina e feito uma curva, ele supervisiona as mochilas. Um tesouro: um punhado de Joltbars, alguns produtos parecidos com queijo, um casaco impermeável e estofado, um minifogão com cilindro de combustível, meias enxutas, botas de sola grossa – também pequenas, mas os bicos poderiam ser cortados. Um celular. E melhor ainda, uma identidade: será muito útil. Ele destrói o celular e o enfia debaixo de uma pedra, e depois monta na bicicleta e desce a toda a velocidade margeando a tundra.

Felizmente, um trecho do caminho aberto, sem dúvida por um urso-branco em busca enfurecida de esquilos. Zeb se enterra junto com a bicicleta na terra preta e úmida, construindo um ponto de observação entre os montículos de terra. Depois de uma longa e molhada espera, aparece um tóptero. Sobrevoa o lugar onde os dois jovens ciclistas talvez estivessem abraçados, tremendo e agradecendo às estrelas pela sorte, e depois desce uma escada e passado algum tempo alcança os amantes. Eles são levados pelo tóptero em voo lento e baixo, *flippity-flop, blimpity-blimp*. Eles terão uma boa história para contar.

E fazem isso. Já em Whitehorse, depois de ter tirado as vestes de pele de urso e as submergido numa lagoa, depois de ter vestido roupas novas propiciadas pela sorte, depois de ter pegado uma carona, depois de ter se recomposto e arrumado um novo penteado, depois de ter hackeado alguns elementos da identidade do ciclista e conseguido algum dinheiro por meio de uma falha de segurança conhecida de cor, depois de ter rapidamente incrementado seu fluxo de caixa, só depois de tudo isso é que Zeb lê sobre o caso.

No fim das contas, os Pés-Grandes existem e migraram para as montanhas Mackenzie. Não, claro que não tinha sido um urso porque os ursos não andam de bicicleta. De qualquer forma, a coisa tinha mais de dois metros de altura e olhos quase humanos, e cheirava terrivelmente mal e mostrava sinais de inteligência quase humana. Apareceu inclusive uma foto, tirada pelo celular da garota: uma bolha marrom com um círculo vermelho em volta que a destacava entre as muitas bolhas marrons na imagem.

Em uma semana beatos do Pé-Grande de todo o mundo formaram uma legião, montaram uma expedição no local da descoberta e vasculharam a área atrás de pegadas e tufos de cabelo e pilhas de esterco. Logo, logo, diz o líder, eles teriam nas mãos um lote de DNA definitivo que seria exibido para os corruptos, aqueles fossilizados, obsoletos e negadores da verdade.

Logo, logo.

A HISTÓRIA DE ZEB E MUITO OBRIGADA E BOA NOITE

Muito obrigada por terem me trazido este peixe.
Muito obrigada significa... *Muito obrigada* significa que vocês fizeram algo de bom para mim. Ou algo que vocês acharam que era bom. E esse algo bom é o peixe que vocês me deram. Então, isso me deixou feliz, mas o que realmente me deixou feliz é que vocês quiseram que eu ficasse feliz. Isso é o que significa *muito obrigada*.
Não, vocês não precisam me dar outro peixe. Já estou bastante feliz.
Vocês não querem ouvir sobre Zeb?
Então, vocês precisam ouvir.

Depois que Zeb voltou das montanhas altas com neve no topo, e depois que retirou a pele do urso e a colocou em si mesmo, ele disse muito obrigado para o urso. Para o espírito do urso.
Isso porque o urso, em vez de comer Zeb, permitiu que ele o comesse, e também porque ofereceu a própria pele para ser usada.
Espírito é a parte que não morre quando o seu corpo morre.
Morrer é... o que acontece com os peixes quando são pescados e cozidos.
Não, não são apenas os peixes que morrem. As pessoas também morrem.
Sim. Todas.
Sim, vocês também. Um dia. Ainda não. Falta muito tempo.
Não sei por quê. Crake fez dessa maneira.
Porque...
Porque se nada morresse, e todos tivessem mais e mais bebês, o mundo ficaria muito cheio e não haveria mais espaço.

Não, vocês não serão cozidos no fogo quando morrerem.

Porque vocês não são peixes.

Não, o urso também não era peixe. E ele morreu como urso. Não como peixe. Por isso, não foi cozido.

Sim, talvez Zeb tenha dito muito obrigado para Oryx. E também para o urso.

Porque Oryx deixou que Zeb comesse um dos filhos dela. Oryx sabe que alguns de seus filhos comem outros de seus filhos; é como eles são feitos. Aqueles com dentes afiados. Então, ela sabia que Zeb também poderia comer um de seus filhos porque ele estava com muita fome.

Não sei se Zeb disse muito obrigado para Crake. Talvez seja melhor perguntar a Zeb da próxima vez que o encontrarem. Seja como for, Crake não se encarrega dos ursos. Oryx é que se encarrega dos ursos.

Zeb colocou a pele do urso para se manter aquecido.

Porque ele estava com muito frio. Porque lá fazia muito mais frio. Por causa das montanhas com neve no topo.

Neve é água congelada em pedacinhos chamados flocos de neve. *Congelada* é quando a água fica dura como pedra.

Não, flocos de neve não têm nada a ver com o Homem das Neves-Jimmy. Não sei por que uma parte do nome dele é quase um floco de neve.

Estou fazendo isto com as mãos na testa porque estou com dor de cabeça. Dor de cabeça é quando você tem dor na cabeça.

Muito obrigada. Tenho certeza de que ronronar ajudaria. Mas também seria bom se vocês parassem de fazer tantas perguntas.

Sim, acho que Amanda também deve estar com dor de cabeça. Ou outro tipo de dor. Talvez vocês possam ronronar um pouco para ela.

Acho que por esta noite já é o suficiente sobre a história de Zeb. Olhem, a lua está surgindo. É hora de vocês dormirem.

Sei que vocês não têm camas. Mas eu tenho uma cama. Eu também vou dormir. Boa noite.

Boa noite significa que espero que vocês durmam bem e que acordem com segurança quando amanhecer, e que nada de ruim aconteça com vocês.

Bem, isso é como... Não sei dizer que tipo de coisa ruim poderia acontecer com vocês.

Boa noite.

CICATRIZES

Cicatrizes

Noite após noite, ao acabar de contar uma história para os crakers, Toby sai discretamente para se juntar a Zeb sem que ninguém a veja. Mas não engana ninguém, ou pelo menos ninguém entre os seres humanos. Naturalmente, eles acham isso engraçado. Ou pelo menos os mais jovens – Swift Fox, Lotis Blue, Croze, Shackie, Zunzuncito. Inclusive Ren, provavelmente. Até mesmo Amanda. O romance entre os cronologicamente mais velhos é motivo de risadinhas. Para os jovens, paixão e rugas não se misturam, pelo menos sem farsa. Em certos momentos atração e interpenetração tornam-se mal-humoradas e encarquilhadas, o mar fértil torna-se areia estéril, e eles devem achar que ela passou por isso. Cozinhando ervas, colhendo cogumelos, aplicando larvas, cuidando de abelhas, removendo verrugas – funções de senhoras. Vocações de senhoras.

Quanto a Zeb, talvez seja menos cômico e mais intrigante para eles. Do ponto de vista sociobiológico dos jovens, ele deveria fazer o que os machos alfas fazem de melhor: pular em cima das solteironas que são suas por direito, abatê-las, passar seus genes adiante, por intermédio de fêmeas que possam realmente conceber, ao contrário dela. Então, por que é que Zeb está desperdiçando seu precioso estoque de esperma? Talvez eles se perguntem. Já que poderia investir com sabedoria nas ofertas de ovário de Swift Fox, por exemplo. Pois é quase certo que aquela garota sabe das coisas, a julgar pela linguagem corporal: bater de cílios, mamilos intumescidos, bater de cabelo, axilas à mostra. Ela poderia muito bem ter um traseiro azul, como os crakers. Um jorro de babuínos.

Pare com isso, Toby, ela diz para si mesma. É assim que começa, entre os círculos fechados dos abandonados, dos náufragos, dos sitiados: ciúme e intriga, brechas nas paredes do pensamento comunitário. Em seguida, entrada do inimigo, o assassino, a sombra entrando pela porta que esquecemos de trancar porque estávamos distraídos com nosso eu mais sombrio: cultivando nossos ódios menores, entregando-nos aos ressentimentos mesquinhos, gritando um com outro, quebrando a louça.

Grupos sitiados são propensos a tais venenos do espírito, como calúnias e lutas internas. Na época dos jardineiros, eles realizavam sessões de meditação profunda sobre o assunto.

Toby tem sonhado com a partida de Zeb desde que se tornaram amantes. Na vida real, enquanto ela sonha, ele de fato não está presente porque não há espaço para dois na cama de solteiro do minúsculo quarto de Toby. Assim, no meio da noite Zeb parece um personagem saindo de uma antiga casa de campo de uma comédia inglesa, tateando na escuridão de volta ao seu cubículo apertado.

Mas nos sonhos ele realmente se foi – para bem longe, ninguém sabe para onde – e, do outro lado da cerca da cabana, Toby observa a estrada agora coberta de trepadeiras de *kudzu* e atulhada com destroços de casas e veículos. Soa um balido suave, ou será um choro?

– Ele não vai voltar – diz uma voz de aquarela. – Ele nunca voltará.

É uma voz de mulher: de Ren, de Amanda ou da própria Toby? O cenário é docemente sentimental, como um cartão em tom pastel – acordada, ela se irritaria com o cenário, mas os sonhos não ironizam. Ela chora tanto que as roupas se encharcam de lágrimas que cintilam como o fogo azul-esverdeado da luminosidade gaseificada que se torna escuridão, ou será que ela está numa caverna? Mas logo um grande animal que parece um felino surge para consolá-la. Ele se esfrega nela, ronronando como o vento.

Ela acorda e topa com um menino craker no quarto. Ele ergueu a beira do lençol úmido enrolado nela e suavemente acaricia a perna dela. Ele cheira a laranja e a outra coisa. Um odor cítrico de purificador de ambientes. Todos eles cheiram a isso, mas os jovens cheiram mais.

– O que está fazendo? – ela pergunta o mais calma possível. As unhas dos meus pés estão sujas, pensa. Sujas e irregulares. Tesoura de unhas, é preciso colocá-la na lista de coleta. Sua pele parece grossa comparada à pele intocada da mão do menino. Será que está saindo uma luz brilhante de dentro dele, ou a pele dele é fina a ponto de refletir a luz?

– Ó Toby, você tem pernas por baixo – diz o menino. – Assim como nós.

– Sim. Tenho.

– Você tem seios, ó Toby?

– Sim, também tenho – ela responde sorrindo.

– São dois? Dois seios?

– Sim. – Ela resiste à tentação de acrescentar "até agora". Será que ele está esperando um seio ou três, ou talvez quatro ou seis como nas cadelas? Será que ele já viu uma cadela de perto?

– Será que poderá sair um bebê de dentro de suas pernas, ó Toby, depois de você ficar azul?

O que ele está perguntando? Se as pessoas que não são crakers podem ter bebês ou se ela própria pode ter bebês?

– Se eu fosse mais jovem, um bebê poderia sair de mim – ela diz. – Mas não agora. – Se bem que a idade não é um fator decisivo. Se a vida tivesse sido diferente para ela. Se ela não tivesse precisado do dinheiro. Se tivesse vivido em outro universo...

– Ó Toby – diz o menino craker. – Você está doente? Você está ferida? – Ele estende os seus bonitos braços para abraçá-la. São lágrimas nesses estranhos olhos verdes dele?

– Está tudo bem – ela diz. – Não vou me machucar mais. – Ela já tinha vendido os próprios óvulos para pagar o aluguel, nos seus dias de plebelândia, antes de ser resgatada pelos Jardineiros de Deus. E uma infecção acabou impedindo-a de conceber filhos. Claro, fazia muitos anos que essa tristeza estava enterrada. Por via das dúvidas, que continuasse enterrada. Considerando a situação global – a situação do que se costumava chamar de raça humana –, tais emoções devem ser descartadas como sem sentido.

Ela quase acrescenta "carrego cicatrizes dentro de mim", mas se contém. *O que é uma cicatriz, ó Toby?* Seria a pergunta seguinte. Ela então teria que explicar o que é uma cicatriz. *Uma cicatriz é como uma escrita no seu corpo. Fala de alguma coisa que já aconteceu com você, como um corte na sua pele de onde saiu sangue. O que é escrever, ó Toby? Escrita é quando você faz marcas num pedaço de papel... numa pedra, numa superfície plana, como a areia da praia, e cada uma das marcas significa um som, e os sons juntos significam uma palavra, e as palavras juntas significam... Como você faz essa escrita, ó Toby? Você faz com um teclado ou outra coisa... você pode fazer isso com uma caneta ou um lápis, um lápis é um... ou pode fazer com uma varinha. Ó Toby, não entendo. Você marca sua pele com uma varinha, você corta sua pele e depois é uma cicatriz, e a cicatriz vira uma voz? Ela fala, fala coisas? Ó Toby, podemos ouvir o que a cicatriz fala? Mostre como é que cicatrizes que falam são feitas!*

Não, o melhor é se manter distante de todo esse negócio de cicatriz. Caso contrário, ela poderá induzir os crakers a cortar a própria pele para ver se os cortes podem virar vozes.

– Qual é seu nome? – ela pergunta para o menino.

– Meu nome é Barba Negra – responde o menino em tom sério. Barba Negra, o notório pirata assassino? Aquele doce menino? Um menino que nunca terá uma barba quando crescer porque o Crake acabou com os pelos do corpo quando criou as novas espécies. Muitos crakers têm nomes estranhos. Segundo Zeb, foram nomeados por Crake... Crake e seu senso de humor distorcido. Mas por outro lado por que não combinar a esquisitice dos crakers com nomes estranhos?

– Fico muito feliz em conhecê-lo, ó Barba Negra – ela diz.

– Você come seus excrementos, ó Toby? – pergunta Barba Negra.
– Como nós fazemos? Para digerir melhor as folhas?

Esterco? Cocô comestível? Ninguém avisou sobre isso!

– Acho que é hora de você ver sua mãe, ó Barba Negra – diz Toby. – Ela deve estar preocupada com você.

– Não, ó Toby. Ela sabe que estou com você. Ela diz que você é boa e gentil. – O menino sorri, mostrando dentes pequenos e perfeitos: encantadores. Todos são muito atraentes, como anúncios coloridos de cosméticos. – Você é boa como Crake. Você é gentil como Oryx. Você tem asas, ó Toby? – Ele estica o pescoço para ver as costas dela. Aquele abraço anterior talvez tivesse sido uma forma furtiva de apalpar as costas dela à procura de penas que poderiam estar brotando.

– Não – diz Toby. – Não tenho asas.

– Vou casar com você quando crescer – diz Barba Negra, oferecendo-se heroicamente. – Mesmo que você só fique... mesmo que você só fique um pouquinho azul. E depois você vai ter um bebê! Ele vai crescer na sua caverna de osso! Você vai ser feliz!

Só um pouquinho azul. Talvez isso signifique que ele reconhece a idade dela, embora os crakers não tenham uma palavra para *idade*.

– Muito obrigada, ó Barba Negra – diz Toby. – Agora, vá. Preciso tomar meu café da manhã. Preciso visitar Jimmy... preciso visitar o Homem das Neves-Jimmy para ver se ele está melhor. – Ela planta os pés firmes no chão, um sinal para o menino sair.

Pelo que parece, ele não entende o sinal.

– O que é *café da manhã*, ó Toby? – pergunta. Ela não lembrou que eles não fazem esse tipo de refeição. Eles pastam, como herbívoros.

Ele olha para o binóculo dela, fuça a pilha de lençóis. E depois acaricia o rifle encostado ao canto. Uma criança humana também faria o mesmo: mexer nas coisas, indolente e curiosa.

– Isso é seu café da manhã?

– Não toque nisso – ela diz um tanto brusca. – Isso não é café da manhã, isso é uma coisa especial para... Café da manhã é o que comemos de manhã... as pessoas como eu, com uma pele extra.

– É um peixe? – pergunta o menino. – Esse café da manhã?

– Às vezes – diz Toby. – Mas no café da manhã de hoje vou comer um pedaço de animal. Um animal com pele. Acho que vou comer a perna. Dentro dela tem um osso fedorento. Você não quer ver um osso fedorento, quer? – Ela pergunta para se livrar do menino.

– Não – ele responde franzindo o nariz em dúvida. Mas parece intrigado, afinal quem não gostaria de espreitar por trás da cortina para ver os revoltantes banquetes dos ogros?
– Então, é melhor sair daqui – diz Toby.
Ele continua no mesmo lugar.
– O Homem das Neves-Jimmy disse que as pessoas ruins do caos comiam os Filhos de Oryx. Elas os matavam e comiam. Elas sempre faziam isso.
– Sim, elas comiam, mas comiam de maneira errada – diz Toby.
– Os dois homens maus também comem de maneira errada? Aqueles que fugiram?
– Sim – diz Toby. – Eles fazem isso.
– Como você come, ó Toby? As pernas dos filhos de Oryx? – Ele fixa seus grandes olhos nela, como se ela estivesse prestes a mostrar as presas e se lançar sobre ele.
– De maneira certa – ela diz, torcendo para que ele não pergunte qual é a maneira certa.
– Vi um osso fedorento. Estava lá atrás da cozinha. É o café da manhã? Os homens maus comem esses ossos? – diz Barba Negra.
– É – responde Toby. – Mas eles também fazem outras coisas ruins. Muitas coisas ruins. Muitas coisas horrorosas. Nós precisamos ter muito cuidado e só podemos entrar na floresta em grupo. Se você vir esses homens maus ou alguém parecido com eles, você deve correr e me dizer imediatamente. Ou dizer para Crozier ou para Rebecca, ou para Ren ou para Ivory Bill. Dizer para qualquer um de nós. – Ela sempre martela esse ponto para todos os crakers, inclusive os adultos, mas não tem certeza se eles prestam atenção. Olham para ela balançando a cabeça, mastigando lentamente, como se pensando, mas nunca parecem assustados. Preocupante, essa falta de medo deles.
– Não para o Homem das Neves-Jimmy ou para Amanda – diz o menino. – Não podemos dizer para eles. Porque eles estão doentes. – Pelo menos ele entendeu alguma coisa. Ele faz uma pausa, como se considerando. – Mas Zeb vai expulsar os homens maus. Depois, tudo vai ficar seguro.

– Claro – diz Toby. – Depois, tudo vai ficar seguro. – Os crakers já tinham construído um formidável conjunto de crenças a respeito de Zeb. Logo ele será o todo-poderoso capaz de resolver todos os males; isso poderá ser problemático, claro que ele não pode. Nem mesmo para mim, pensa Toby.

Mas o nome de Zeb é reconfortante para Barba Negra. Ele sorri de novo e faz um discreto aceno de mão levantada, como um velho presidente, como uma rainha em cavalgada, como uma estrela de cinema. De onde pegou esse gesto? Logo ele desliza pela porta, sem tirar os olhos de Toby, vira para um lado e desaparece.

Ela pensa consigo mesma: será que o assustei? Será que ele vai contar essas nojentas maravilhas para os outros, como crianças de verdade – como fazem as crianças?

Bioleta-violeta

Fora da cabana principal, o dia está em curso. Os outros já devem ter tomado o café da manhã, embora Swift Fox e Ivory Bill ainda estejam à mesa, sem dúvida envolvidos em algum tipo de flerte arcano, ela, por prática, ele, pateticamente sério.

Toby olha em volta à procura de Zeb, mas ele está longe de ser visto; talvez esteja tomando banho. Crozier acabou de sair com o rebanho Mo'Hair, acompanhado à retaguarda por Zunzuncito com uma pistola. A rede de Jimmy está sob a árvore, vigiada por um trio de crakers.

Lotis Blue e Ren estão expandindo a cabana. Os maddadamitas retornaram para expandir o número de cubículos de dormir, os novos serão mais espaçosos, mais parecidos com os de uma casa propriamente dita. A construção da estrutura central baseou-se nos métodos dos antigos dias, uma imitação de antiguidade, como um dinossauro feito de cimento. A Feirinha da Árvore da Vida era realizada naquele espaço; Toby lembra que frequentava o lugar com os Jardineiros de Deus para vender sabão reciclado e vinagre e mel e cogumelos e legumes e verduras do terraço-jardim, na época em que ainda havia comércio e gente para comprar e vender coisas.

Acho que darei uma espiada nos arredores para ver se encontro algumas abelhas, ela pensa. Talvez haja algumas fugitivas, vivendo nas árvores. Cuidar de colmeias pode ser calmante e útil.

A obra na cabana é feita em etapas. Nesta manhã Ren e Lotis Blue misturam palha, lama e areia na piscina de plástico decorada com Mickey Mice. Com a moldura de madeira no lugar, as camadas de argamassa são adicionadas diariamente. A secagem das camadas é um problema, devido às tempestades pela tarde, mas por sorte eles conseguiram recolher algumas folhas de plástico para a cobertura.

Amanda senta-se perto de Ren e Lotis Blue, com as mãos no colo, sem fazer nada. Ela não faz muita coisa. Talvez a cura seja lenta, pensa Toby, como um lento cozinhar. Talvez assim o resultado seja melhor. Mas pelo menos ela ganhou algum peso. Até que nos últimos dias ela fez algum esforço; arrancou uma ou duas ervas daninhas, descartou lesmas e caracóis. Em outros tempos, no terraço-jardim do Edencliff, os jardineiros realocavam nossos companheiros comedores de vegetais arremessando-os para a rua – as lesmas também tinham o direito de viver, era o mantra, mas não em lugares inadequados como as saladeiras, onde poderiam ser mastigadas e feridas. Mas agora a quantidade de lesmas é avassaladora – até parece que as plantas geram lesmas e caracóis espontaneamente; então, por comum e tácito acordo, elas estão sendo lançadas na água salgada.

Amanda parece gostar um pouco disso, apesar do contorcionismo espumoso. Mas a construção na cabana é trabalho demais para ela. Logo ela que era tão forte: nada parecia assustá-la. Ela era uma rata da plebe durona; vivia de sua própria inteligência e podia lidar com qualquer coisa. Se comparada com Ren, a mais fraca e mais tímida era Ren. O que aconteceu com Amanda – o que quer que os painballers tenham feito com ela – deve ter sido extremo.

Diversas crianças crakers assistem à mistura de lama. Obviamente, fazendo perguntas. *Por que está fazendo isso? Você está fazendo um caos? O que é aquilo com aquelas coisas pretas e redondas na cabeça? O que é um mickeymouse? Mas não se parecem com camundongos, já vimos camundongos, camundongos não têm mãos grandes e brancas*, e assim por diante. Cada coisa nova que descobrem no território dos maddadamitas é fonte de admiração para eles. Ontem Crozier encontrou um maço de cigarros enquanto pastoreava, e os crakers não pouparam comentários. *Ele ateou fogo naquele pauzinho branco! Ele o pôs na boca! Ele respirou a fumaça! Por que fez isso, ó Crozier? Fumaça não é para respirar, fumaça é para cozinhar um peixe,* e assim por diante.

– É só dizer para eles que é uma coisa de Crake – disse Toby. Foi o que Crozier fez. A jogada Crake servia para tudo.

Alguns crakers – algumas mulheres e diversas crianças menores – afastados no antigo playground, fora da cerca fronteiriça da cabana, mastigam folhas das videiras de *kudzu* enroscadas nos balanços. A *kudzu* é uma de suas plantas favoritas, o que mostra que Crake se preveniu porque tão cedo não haverá escassez de *kudzu*. As crianças acariciam as lâminas de plástico vermelho quase à vista nos balanços, como se fossem vivas. Quem se lembrava daqueles balanços antes de os crakers começarem a roer as videiras?

Toby caminha até a bioleta-violeta, não apenas porque precisa, mas também porque só quer chegar à mesa do café da manhã depois que Swift Fox sair. Conscientemente, ela reprime a palavra *puta*: nenhuma mulher deve usar essa palavra para outra mulher, especialmente sem um motivo exato.

Verdade?, soa a voz de sua puta interior. Você já viu como ela olha para Zeb. Os cílios batem como uma armadilha de Vênus, e aquele olhar de soslaio, como um comercial decadente de uma prostituta robótica: bactérias & fibras resistentes, cem por cento jorro fluido, gemidos realistas, pegada firme até a plena satisfação.

Toby respira como no seu treinamento de meditação de jardineira. Ela visualiza um pequeno broto de raiva que emerge da pele como um chifre de caracol e depois murcha e tomba. Sorri suavemente na direção de Swift Fox, pensando, tudo que você quer é um salto rápido, quer cair em cima dele só para mostrar que você pode. E para pregá-lo na sua parede de troféus. Você não sabe nada sobre ele, você realmente não sabe o que ele vale, ele não é seu, você não faz ideia de quanto tempo esperei...

Nada disso conta. Ninguém se importa. Não há integridade, não há direito de propriedade. Toby não tem reivindicações. Se Zeb for para a cama com Swift Fox – mesmo que vá na ponta dos pés, mesmo que escorregue sorrateiramente para debaixo dos lençóis –, o que ela tem direito a dizer a respeito é exatamente nada. Pelo que conhece da vida, ela desconfia que ele agora come em dois pratos, deixando-a no modo amoroso de espera – embora talvez um pouco demais, como melhores amigos, com camaradagem demais

entre ambos, não é? Pois além de ainda estar o tempo todo secretamente faminto, ele sai de fininho, talvez para entrar por uma porta diferente e se meter com voracidade na cama de uma Swift Fox sempre voraz.
Isso não é coisa para se pensar, ela não vai mais pensar nisso. *Não* vai pensar. Realmente, *não* vai pensar.

As bioletas-violetas fazem parte da instalação original do parque: três barracas para os homens e três para as mulheres. Os sistemas solares ainda estão em operação, impulsionando as LEDs ultravioleta e os pequenos motores do sistema de ventilação. Enquanto as bioletas ainda estiverem funcionando, os maddadamitas não terão que cavar poços. Felizmente, ainda há muito papel higiênico disponível nas ruas circunvizinhas, isso porque não era um item muito saqueado nas pilhagens durante a peste. O que se poderia fazer com rolos de papel higiênico? Você não poderia se embebedar com eles.

As paredes internas das bioletas continuam cobertas de inscrições da plebelândia, camadas sobrepostas umas nas outras ao longo de gerações. Houve um tempo em que os vigilantes das normas do decoro tentavam apagar as palavras com camadas de tinta, mas em uma hora a anarquia autoexpressiva da garotada destruía uma superfície branca que exigira três dias de pintura.

Para Daryn, sou tua puta, tu, meu Rei,
Eu <3 vc + que qualquer coisa
Foda-se a Corps
Loris piranha metida
Q 100.000 pit bulls estuprem vc

Gente que escreve nas paredes de banheiro devia fazer bolinhas com o próprio cocô, e os que leem deviam comer essas bolas de cocô

Liga pra mim / Melhor pro seu $ / Vc vai gritar por 24h & morrer num lago de porra
FORA DO MEU CAMINHO OU TE PASSO A FACA

E timidamente inacabado: *Tente amar o Mundo precisa de*

O que comer, onde cagar, como se abrigar, quem e o que matar, pensa Toby: são esses os princípios básicos? Foi para isso que viemos ou viemos para voltar?

E quem você ama? E quem ama você? E quem não ama você? E pensando bem, quem odeia você de verdade.

Brilho

Jimmy ainda está adormecido sob as árvores. Toby verifica o pulso dele – mais calmo; troca as larvas – a ferida no pé não está mais purulenta; derrama um pouco de elixir de cogumelo com um pouco de papoula pela goela dele adentro.

Em volta da rede, uma roda oval de cadeiras, como se Jimmy fosse a oferenda central de um banquete: um salmão gigante, um javali na bandeja. Três crakers ronronam por cima dele, revezando-se: dois homens e uma mulher, ouro, marfim, ébano. Um trio diferente em intervalos de poucas horas. Será que eles têm um quociente para tanto ronronar, será que eles são como baterias que precisam ser recarregadas? Seguramente, precisam de tempo para pastar e tomar banho, mas será que o próprio ronronar possui uma espécie de frequência elétrica?

Nunca saberemos, pensa Toby, segurando o nariz de Jimmy para fazê-lo abrir a boca; já não se podem ligar fios aos cérebros para estudos científicos, agora não mais. O que é uma sorte para eles. Nos velhos tempos eles seriam raptados da cúpula Paradice por alguma Corp rival, e depois seriam espetados por agulhas e sacudidos e sondados e cortados em pedaços para que se soubesse do que se constituíam. Seria preciso saber o que os unia, o que os fazia ronronar e o que os fazia reagir. E o que os deixava doentes, se é que havia alguma coisa. Eles acabariam como placas de DNA dentro de um freezer.

Jimmy engole, suspira; a mão esquerda apresenta contrações musculares.

– Como ele se comportou hoje? – pergunta Toby aos três crakers.
– Será que ele finalmente acordou?

– Não, ó Toby – diz o homem dourado. – Ainda está viajando. – O craker em questão tem cabelo ruivo brilhante, pernas compridas e finas; apesar da cor da pele, parece um personagem de livro de histórias infantis. Um conto popular irlandês.

– Mas agora ele parou – diz o homem ébano. – Subiu numa árvore.

– Não na árvore dele – diz a mulher marfim. – Não é a árvore onde ele mora.

– Ele foi dormir nessa árvore – diz o homem ébano.

– Você quer dizer que ele está dormindo dentro do próprio sono? – pergunta Toby. Isso parece errado, isso não seria possível. – Na árvore do sonho dele?

– Sim, ó Toby – diz a mulher marfim. Os três a contemplam com bruxuleantes olhos verdes, como se ela estivesse girando um pedaço de corda e eles fossem gatos entediados.

– Talvez ele durma por um longo tempo – diz o homem dourado. – Ele está preso ali na árvore. Se não acordar e viajar para cá, não vai acordar completamente.

– Mas ele está ficando cada vez melhor! – diz Toby.

– Ele está com medo – diz a mulher marfim em tom determinado. – Com medo do que está neste mundo. Com medo dos homens maus, com medo dos porcos. Ele não quer ser acordado.

– Vocês podem falar com ele? – pergunta Toby. – Podem dizer para ele que é melhor estar acordado? – Não custa tentar; talvez eles tenham algum tipo de comunicação inaudível que possa chegar até Jimmy, onde quer que ele esteja. Um comprimento de onda, uma vibração.

Mas eles já não estão mais olhando para ela. Estão olhando para Ren e Lotis Blue que caminham com Amanda a reboque, abrigando-se atrás.

As três sentam-se nas cadeiras vazias, Amanda hesitante. Ren e Lotis Blue estão sujas de barro pelas atividades na obra enquanto Amanda está impecavelmente limpa. Toda manhã, as duas dão banho em Amanda, escolhem um novo lençol para vesti-la e trançam o cabelo dela.

– Nós pensamos em fazer uma pausa na obra – diz Ren. – Para ver como Jimmy... o Homem das Neves-Jimmy está indo.

A mulher marfim abre um largo sorriso para elas, o sorriso dos dois homens crakers é menos aberto; eles parecem nervosos com a presença das mulheres mais jovens da cabana. Desde que souberam que não se aceitava a cópula grupal, eles não sabem o que se espera deles. Começam a confabular em voz baixa enquanto a mulher marfim continua ronronando.

Ela está azul? Uma está azul. As outras duas estavam azul, nós unimos o nosso azul ao azul delas, mas elas não ficaram felizes. Elas não são como as nossas mulheres, elas não estão felizes, elas estão quebradas. Foi Crake que as fez? Por que as fez dessa maneira, elas não estão felizes? Oryx vai cuidar delas. Será que Oryx vai cuidar delas, se elas não são como nossas mulheres? Quando o Homem das Neves-Jimmy acordar, vamos perguntar essas coisas para ele.

Eu gostaria de ser uma mosca na parede, pensa Toby. Ouviria as justificativas de Jimmy para as formas dos homens ou semi-homens feitas por Crake.

– Será que Jimmy... será que o Homem das Neves-Jimmy vai ficar bem? – pergunta Lotis Blue.

– Acho que sim – diz Toby. – Vai depender do... – Ela omite "sistema imunológico". Os crakers ouviriam. (*O que é sistema imunológico? É uma coisa que tem dentro de você e que o ajuda e que o torna forte. Onde podemos encontrar um sistema imunológico? Isso vem de Crake, ele vai nos mandar um sistema imunológico? E assim por diante.*) – Depende do sonho dele. – Sem comentários dos crakers, ótimo. – Mas tenho certeza que ele vai acordar logo.

– Ele precisa comer – diz Lotis Blue. – Ele emagreceu muito! Ele não pode viver de vento.

– Você pode ficar um longo tempo sem comida – diz Ren. – Faziam jejuns lá nos jardineiros? Você pode aguentar dias. Semanas. – Ela se inclina e alisa o cabelo de Jimmy. – Seria bom se pudéssemos lavar a cabeça dele com xampu – acrescenta. – Já está ficando seboso.

– Acho que ele acabou de murmurar alguma coisa – diz Lotis Blue.

– Foi só um murmúrio. Nós poderíamos limpá-lo – diz Ren. – Tipo, um banho de esponja. – Ela se inclina ainda mais. – Parece um pouco murcho. Pobre Jimmy. Espero que não morra.

– Ele está sendo hidratado – diz Toby. – E há mel, ele está sendo alimentado com mel. – Por que ela soa como uma enfermeira-chefe? – Já o lavamos. – Ela se põe na defensiva. – Fazemos isso todo dia.

– Bem, de qualquer maneira, ele não está tão febril – diz Lotis Blue. – A febre abaixou. Não acha?

Ren sente a testa de Jimmy.

– Sei lá – diz. – Jimmy, você pode me ouvir? – Todos observam: Jimmy não se mexe. – Acho que ainda está morno. Amanda? Veja o que você acha. – Está tentando envolvê-la, pensa Toby. Despertar o interesse dela por alguma coisa. Ren sempre foi uma menina gentil.

Se ela está azul, a Lotis, devemos acasalar com ela? Não devemos, não. Não cante para elas, não colha flores para elas, não aponte o pênis para elas. Essas mulheres gritam de medo, não aceitariam a gente mesmo que déssemos flores para elas, elas não gostam de pênis balançando. Não as deixamos felizes, não sabemos por que elas gritam. Mas às vezes elas não gritam de medo, às vezes elas...

– Preciso me deitar – diz Amanda. Ela se levanta e se afasta cambaleando em direção à cabana.

– Estou muito preocupada com ela – diz Ren. – Vomitou essa manhã e não comeu nada no café da manhã. Isso é alheamento extremo.

– Talvez seja um mal-estar – diz Lotis Blue. – Alguma coisa que ela comeu. Precisamos encontrar um jeito de lavar a louça melhor, não acho que a água esteja...

– Olhe – diz Ren. – Ele piscou.

– Ele está ouvindo você – diz a mulher marfim. – Ele está ouvindo sua voz e agora está caminhando. Ele está feliz, ele quer estar com você.

– Comigo? – diz Ren. – Sério?

– Sim. Olhe, ele está sorrindo. – De fato, um sorriso ou quase um sorriso, pensa Toby. Se bem que podem ser gases, como acontece com os bebês.

A mulher marfim espanta um mosquito que pousou na boca de Jimmy.

– Logo, logo ele estará acordado – diz.

ZEB NA ESCURIDÃO

ZEB NA ESCURIDÃO

É noite. Toby tem se esquivado de sua sessão de contadora de histórias para os crakers. As histórias exigem muito dela. Além de ter que colocar um ridículo boné vermelho e comer um peixe ritual, nem sempre conforme com o que se costuma chamar de cozido, ela precisa inventar um monte de coisas. E ela não gosta de mentir, não intencionalmente, não mentiras propriamente ditas, mas evita os cantos mais escuros da confusa realidade. É como tentar não queimar uma torrada enquanto está sendo torrada.

– Irei amanhã – ela disse para eles. – Hoje à noite preciso fazer uma coisa importante para Zeb.

– Que coisa importante você precisa fazer, ó Toby? Gostaríamos de ajudá-la.

Pelo menos não perguntaram o que significa *importante*. Pareciam fazer uma ideia disso: algum lugar entre o perigoso e o aprazível.

– Muito obrigada – ela disse. – Mas é uma coisa que só eu posso fazer.

– É sobre os homens maus? – perguntou o menino Barba Negra.

– Não – disse Toby. – Faz muitos dias que não vemos os homens maus. Talvez tenham ido para muito longe. Mas ainda precisamos ter cuidado e avisar aos outros se eles aparecerem.

Uma Mo'Hair desapareceu, disse Crozier para ela em particular... a ruiva, a de tranças, mas talvez só tenha se desviado ao pastar. Se é que não foi pega por um leocarneiro.

Ou algo pior, pensa Toby: algo humano.

...

Que dia sufocante. Nem mesmo o temporal da tarde dissipou a umidade. Em condições normais – mas o que é *normal*? – o clima teria drenado a sobrecarga da luxúria; um clima abafado, como se debaixo de um colchão molhado. Ela e Zeb deviam estar moles, enervados, exaustos. Mas em vez disso se afastaram dos outros, mais cedo que de costume, loucos de desejo, com os poros ávidos e os capilares inundados, até que se enroscaram como as salamandras no lago.

Agora, o crepúsculo é intenso. As poças arroxeiam a terra escura, os morcegos sobrevoam como borboletas peludas, as flores da noite se abrem e perfumam o ar. Os dois sentam-se na horta em frente à cozinha para gozar a brisa da noite, nem que seja um pouquinho. Entrelaçam os dedos frouxamente; Toby ainda sente um pequeno frêmito elétrico entre eles. Minúsculas mariposas iridescentes tremulam em volta da cabeça deles. Para elas temos cheiro de quê?, ela se pergunta. De cogumelos? De pétalas esmagadas? De orvalho?

– Ajude-me aqui fora – diz Toby. – Preciso de mais para seguir em frente com os crakers. Eles são insaciáveis quando o assunto é você.

– Como o quê?

– Você é o herói deles. Eles querem conhecer a história de sua vida. Suas origens milagrosas, seus atos sobrenaturais, suas receitas favoritas. Você é como uma realeza para eles.

– Por que eu? – pergunta Zeb. – Pensei que Crake tivesse acabado com tudo isso. Eles não deveriam estar interessados.

– Bem, eles estão. Estão obcecados por você. Para eles você é como um astro do rock.

– Meu Deus, que merda! Você não pode simplesmente dizer qualquer porra para eles?

– Eles interrogam como advogados – diz Toby. – Preciso pelo menos do básico. A matéria-prima. – Ela quer saber sobre Zeb para o interesse dos crakers ou de si mesma? Ambos. Mas principalmente para si mesma.

– Eu sou um livro aberto – diz Zeb.

– Não seja evasivo.

Zeb suspira.

– Odeio ter de voltar ao passado. Terei que vivê-lo, não gosto de revivê-lo. Quem se importa?
– Eu me importo – diz Toby. E você também, pensa consigo. Você ainda se importa. – Estou ouvindo.
– Você é persistente, não é?
– Eu tenho a noite toda. Então, você nasceu...
– Sim, vamos lá. – Outro suspiro. – Tudo bem. Primeiro você precisa entender: nós tivemos mães erradas.
– Erradas, como assim? – Ela se dirige a um rosto que mal pode ver. Maçã de rosto plana, uma sombra, um brilho de olho.

A HISTÓRIA DO NASCIMENTO DE ZEB

Coloco o boné vermelho do Homem das Neves. Mastigo o peixe. Ouço a coisa brilhante. Agora, vou contar a história do nascimento de Zeb.

    Vocês não precisam cantar.

    Zeb não veio de Crake, não como o Homem das Neves. Zeb não foi feito por Oryx, não como os coelhos. Ele nasceu da mesma forma que vocês nascem. Ele cresceu dentro de uma caverna de osso, assim como vocês, e saiu por um túnel de osso, assim como vocês.

    Porque debaixo da pele de roupa nós somos iguais a vocês. Quase iguais.

    Não, nós não ficamos azuis. Mas às vezes sentimos o cheiro do azul. E nossa caverna também é de osso.

    Não acho que precisamos discutir sobre os pênis azuis agora.

    Sei que eles são maiores. Agradeço por me lembrarem disso.

    Sim, nós temos seios. As mulheres têm.

    Sim, dois.

    Sim, na parte da frente.

    Não, não vou mostrá-los a vocês agora.

    Porque essa história não é sobre seios. Esta história é sobre Zeb.

Muito tempo atrás, nos dias do caos, antes de Crake ter acabado com isso, Zeb vivia na caverna de osso de sua mãe. Oryx cuidava dele ali, como cuida de todos que vivem na caverna de osso. Um dia ele viajou pelo túnel de osso e chegou a este mundo. E depois ele se tornou um bebê, e depois cresceu.

    E ele tinha um irmão mais velho cujo nome era Adão. Mas a mãe de Adão não era a mãe de Zeb.

Porque a mãe de Adão fugiu do pai de Adão quando Adão era muito jovem.

Fugir significa que ela saiu rapidamente de um lugar para outro lugar. Mas ela não fez isso correndo. Talvez tenha caminhado ou dirigido um... Então, Adão nunca mais a viu.

Sim, tenho certeza de que ele ficou triste com isso.

Porque ela queria acasalar com outros machos, não apenas com o pai de Zeb. Pelo menos foi isso o que o pai de Zeb disse para ele.

Sim, foi um bom desejo, e ela teria ficado feliz se estivesse vivendo com vocês. Ela poderia acasalar com quatro homens de uma só vez, como vocês. Enfim, ela ficaria muito feliz!

Mas o pai de Zeb pensava diferente.

Porque ele tinha feito uma coisa com ela chamada *casamento*, e com o casamento havia um macho para cada fêmea e uma fêmea para cada macho. Às vezes havia mais. Mas não devia haver.

Porque era o caos. Era uma coisa do caos. Por isso vocês não podem entender.

Agora o *casamento* acabou. Crake acabou com isso porque achava que era estúpido.

Estúpido era toda coisa de que Crake não gostava. Crake achava um monte de coisas estúpidas.

Sim, o bom, o gentil Crake. Paro de contar a história se vocês cantarem.

Porque isso me faz esquecer do que eu estou contando.

Muito obrigado.

Depois, o pai de Adão casou com outra mulher e Zeb nasceu. O pequeno Adão já não estava mais sozinho, agora ele tinha um irmão. E Adão e Zeb se ajudaram um ao outro. Mas às vezes o pai de Zeb era muito cruel com eles.

Eu não sei por quê. Ele pensava que a dor era uma coisa boa para as crianças.

Não, ele não era tão mau quanto os dois homens maus que prejudicaram Amanda. Mas ele não era uma pessoa amigável.

Eu não sei por que algumas pessoas daquela época não eram amigáveis. Era uma coisa do caos.

E quase sempre a mãe de Zeb estava tirando uma soneca ou fazendo outras coisas que lhe interessavam. Ela não se interessava muito por crianças pequenas. E por isso ela disse: "Vocês serão a minha morte."

Minha morte é difícil de explicar. Isso significa que ela estava descontente com as coisas que eles faziam.

Não, Zeb não matou a mãe dele. *Minha morte* é só uma coisa que ela falou. Ela falava um monte de coisas.

Por que ela falou isso se não era verdade? Bem... era assim que as pessoas falavam. Não era mentira e também não era verdade. Ficava no meio. Era um jeito de falar de algum sentimento. Era um jeito de falar. Um *jeito de falar* significa...

Vocês estão certos. A mãe de Zeb também não era uma pessoa amigável. Às vezes ela ajudava o pai de Zeb a trancá-lo dentro de um armário.

Trancar significa... *armário* significa... Era um quarto muito pequeno e escuro, e Zeb não podia sair. Eles pensavam que Zeb não podia sair. Mas logo Zeb aprendeu a abrir portas fechadas.

Não. A mãe dele não podia cantar. Não como as mães de vocês. E os pais de vocês. E vocês.

Mas Zeb podia cantar. Era uma das coisas que ele fazia quando estava trancado dentro do armário. Ele cantava.

Moleques da PetrOleum

Trudy, a mãe de Zeb, era boazinha, e Fanella, a mãe de Adão, era uma sem-vergonha malvada. Pelo menos era essa a história que Trudy e Rev contavam. Ambos alegavam que Zeb era estupidamente inútil e que eles eram muitos justos, e Zeb então passou a achar que tinha sido adotado porque não podia ter vindo de duas fontes tão cristalinas de DNA como as deles.

Zeb fantasiava que tinha sido deixado para trás por Fenella que devia ser a sua mãe verdadeira porque ela também era inútil. Forçada a fugir às pressas, ela não teria conseguido levá-lo junto durante a fuga e o tinha deixado dentro de uma caixa de papelão na porta de Trudy, que o teria acolhido sem que tivesse relação de parentesco com ele. Trudy sempre mentia sobre o assunto. Fenella – onde quer que estivesse – lamentava profundamente por tê-lo abandonado e planejava retornar para levá-lo com ela tão logo fosse possível. Depois, os dois iriam embora para muito longe, e definitivamente fariam tudo da longa lista de coisas desaprovadas por Rev. Zeb se via sentado juntinho com a mãe no banco de um parque, felizes e apertando a ponta do nariz um no outro enquanto saboreavam balas de alcaçuz. Isso só era um exemplo.

Mas aconteceu quando ele era pequeno. Depois de ter desvelado a genética, ele decidiu que Trudy acabou se envolvendo secretamente com um ladrão. Ou então com um jardineiro; ela costumava contratar uns cucarachos ilegais de cabelo preto como o de Zeb. Mas ela pagava pouco e eles não usavam carrinho de mão para trabalhar o solo, não arrancavam moitas e não colocavam pedras no seu jardim de pedras, que era a única coisa, segundo Zeb, que prendia a atenção de Trudy quando se tratava de nutrir e cuidar. Ela sempre estava lá fora, arrancando ervas daninhas com um pequeno ancinho ou exterminando formigueiros com vinagre quente.

– Claro que eu poderia ter herdado a criminalidade de Rev, ele tinha os cromossomos para isso – diz Zeb. – Ele praticava os seus delitos e os fazia parecer respeitáveis, enquanto eu era a matéria bruta de verdade. Ele era furtivo e dissimulado, eu era escancarado.

– Não se subestime tanto – diz Toby.

– Você não sacou, querida – diz Zeb. – Estou me vangloriando.

Rev professava o seu próprio culto. Naquele tempo era o que se fazia se você quisesse cunhar megamoedas e tivesse facilidade para arengar e intimidar, além de uma língua de ouro para pregar, e se você tivesse pouca massa cinzenta, mas muita habilidade para negociar como, por exemplo, no mercado de derivativos. Diga o que as outras pessoas querem ouvir, chame isso de religião, faça pressão para conseguir mais contribuições, use suas próprias plataformas de mídia com robocalls e engenhosas campanhas on-line, faça amizade com políticos ou os ameace e sonegue impostos. É preciso dar algum crédito ao cara. Ele era torto como um pretzel, era um canalha, um rato rei com uma coroa de papel-alumínio, mas não era burro.

Como testemunha de tal sucesso, Zeb vivia com Rev na época da abertura de uma megaigreja toda envidraçada em terreno aberto, com bancos de carvalho e granito falsos. A Igreja PetrOleum era afiliada à Petrobatista, uma igreja um pouco mais importante. Eles voaram alto enquanto o petróleo antes acessível tornava-se escasso e o preço disparava e o desespero se instalava na plebelândia. Inúmeros figurões da Corps compareciam à igreja como oradores convidados. Agradeciam ao Todo-Poderoso pelas bênçãos ao mundo com fumaças e toxinas, olhavam para o alto como se a gasolina viesse do céu, um olhar piedoso como o inferno.

– Piedoso como o inferno – diz Zeb. – Sempre gostei dessa frase. Na minha humilde visão, piedoso e inferno são duas faces da mesma moeda.

– Humilde visão? – retruca Toby. – Desde quando?

– Desde que conheci você – diz Zeb. – Olhei para a sua bela bunda, um dos milagres da criação, e por comparação percebi que eu

não passava de uma construção de péssima qualidade. Daqui a pouco você vai querer que eu esfregue o chão com a língua. Dá um tempo ou ficarei encabulado.
– Tudo bem, humilde visão – diz Toby. – Continue.
– Posso beijar sua clavícula?
– Em um minuto – diz Toby. – Depois que você chegar ao que interessa. – Ela é nova no quesito flerte, mas está gostando.
– Quer mesmo o que interessa? A sacanagem?
– Você está enrolando. Não pode parar agora – diz Toby.
– Tudo bem, fechado.

Rev estabelecera uma teologia que o ajudaria a arrecadar dinheiro. Claro que tinha um fundamento bíblico para isso. Mateus, capítulo 16, versículo 18: "Tu és Pedro, e sobre esta pedra edificarei a minha igreja."
– Não é preciso ser um gênio da ciência, diria Rev, para entender que *Pedro* era a palavra latina para pedra, portanto, o real, o verdadeiro significado de "Pedro" referia-se ao petróleo ou ao óleo extraído da pedra. "Então, este versículo, queridos amigos, não diz respeito apenas a são Pedro: é uma profecia, uma visão da Era do Petróleo, e a prova, queridos amigos, está bem diante de seus olhos, porque vejam! O que é hoje mais valorizado por nós do que o petróleo?" E você tinha que dá-lo para o velhaco repugnante.
– Ele realmente pregava isso? – pergunta Toby. Era para rir ou não? Pelo tom de Zeb não dava para saber.
– Não se esqueça da parte do Oleum. Era ainda mais importante do que a parte do Pedro. Rev era capaz de delirar sobre o Oleum durante horas: "Meus amigos, como todos sabemos, *oleum* é a palavra latina para petróleo. E de fato o óleo é santo em toda a Bíblia! O que mais é usado para ungir sacerdotes, profetas e reis? Óleo! É o sinal de uma eleição especial, a crisma consagrada! O que mais prova a necessidade da santidade do nosso próprio óleo, colocado na terra por Deus em prol do uso especial dos fiéis para multiplicar Suas obras? Os recursos de extração de *oleum* abundam neste planeta de nosso domínio, e Ele espalha a generosidade do *oleum* entre

nós! Não é dito na Bíblia que você deve trazer os seus talentos à luz? E o que mais faz a luz se acender que o óleo? Está certo! Óleo, meus amigos! O Óleo Sagrado não pode ser escondido debaixo do alqueire... em outras palavras, debaixo das pedras. Fazer isso é desprezar a Palavra! Levantai vossas vozes na canção, e deixai o Oleum jorrar rios cada vez mais fortes e bem-aventurados!"

– Isso é uma imitação? – pergunta Toby.
– Igual pra caralho. Eu tinha que ter toda lengalenga na minha cabeça, tinha que ouvi-la bastante. Eu e Adão.
– Você é bom no que faz – diz Toby.
– Adão era melhor. Na igreja de Rev, e também em volta da mesa de jantar, não rezávamos por perdão ou por chuva, embora Deus soubesse que poderíamos ter usado um pouquinho de cada. Rezávamos por petróleo. Ah, e também por gás natural... Rev o incluía em sua lista de dons divinos. Toda vez que dávamos graças antes das refeições, Rev fazia questão de salientar que o petróleo é que tinha colocado a comida na mesa. Era o petróleo que nutria os tratores que lavravam os campos e os caminhões que transportavam os alimentos para as lojas, e também o carro que nossa dedicada mãe Trudy dirigia até o mercado para comprar comida, e também a energia cujo calor cozinhava a comida. Era bem provável que estivéssemos comendo e bebendo derivados do petróleo... o que de um jeito ou de outro era verdade. E nós então tínhamos que ficar de joelhos!

"Quando o discurso chegava a esse ponto, Adão trocava chutes comigo debaixo da mesa. A ideia era chutar bem forte para que o outro tivesse vontade de gritar ou recuar, mas sem dar bandeira porque quem fizesse barulho ficaria de castigo ou teria que beber urina. Ou pior. Mas Adão nunca gritou. Eu o admirava por isso."

– Literalmente? – diz Toby. – Beber urina?
– Juro de coração – diz Zeb. – E agora, onde coloco esse meu coração frio e de pedra?
– Pensei que vocês se gostassem – diz Toby. – Você e Adão.
– E nos gostávamos. Chutar debaixo da mesa é coisa de meninos.
– Você tinha quantos anos?

– Já era grandinho – diz Zeb. – Mas Adão era mais velho. Uns dois anos, mas ele era o que os jardineiros chamariam de uma alma velha. Ele era sábio, eu era bobo. Foi sempre assim.

Adão era magro e espichado. Embora mais velho, não era tão forte quanto Zeb, isso desde que Zeb passou dos cinco anos de idade. Adão era metódico, contemplativo, pensava nas coisas. Zeb era impulsivo, pavio curto, raivoso. Isso o colocava em apuros e o tirava de apuros na mesma medida.

Juntos, os dois eram muito eficazes. Eram unidos pela cabeça: Zeb era o mau que era bom para coisas ruins, Adão era o bom que era ruim para coisas boas. Ou aquele que usava coisas boas como fachada para coisas ruins. Adão e Zebulon: letras extremas, como no alfabeto. Rev é que tinha bolado essa bonita simetria de nomes de A ao Z; ele gostava de parque temático em tudo.

Adão era sempre apontado como exemplo. Por que Zeb não se comportava bem, como seu irmão se comportava? Senta direito, não se contorça, coma direito, sua mão não é garfo, não limpe o rosto na camisa. Faça o que seu pai manda, diga sim senhor e não senhor, e assim por diante. Era o que dizia Trudy, quase implorando; ela só queria paz e tranquilidade, e realmente não gostava das consequências do comportamento rebelde de Zeb – equimoses, hematomas e cicatrizes. Ela não era sádica, não como Rev. Mas ela era o centro do seu próprio universo, em tempo integral. Ela queria regalias e Rev era uma fonte perene do dinheiro que pagava por elas.

Ela explicava para Zeb que Adão era uma criança modelo porque a obediência de Adão era especial e louvável, considerando que... nesse ponto ela parava de falar, uma vez que Fenella, a mãe de Adão, nunca era mencionada nas conversas, se Trudy e Rev pudessem evitar. E não pense que eles usavam o comportamento escandaloso de Fenella para depreciar a herança genética de Adão e espancá-lo com um porrete, pois eles nunca fizeram isso. Adão era muito bom em inocência, ou em exibi-la com seus grandes olhos azuis e seu rosto angelical.

Zeb se apropriou de algumas fotos antigas de Fenella – elas estavam dentro de um pendrive escondido no fundo de uma caixa guardada no armário, o mesmo onde frequentemente trancavam Zeb. Ele guardava uma lanterninha lá dentro para poder enxergar no escuro. Encontrou o pendrive e o conectou ao computador de Rev para ver o que tinha. A coisa ainda funcionava: havia cerca de trinta fotos de Fenella, algumas com Adão, outras com Rev, em nenhuma ele sorria muito. Sem dúvida aquele pendrive tinha sido um descuido porque não havia outras imagens de Fenella na casa. Ela não parecia de forma alguma uma piranha, tinha aquele mesmo olhar bom e sincero de Adão.

Zeb tinha uma queda pela mãe: se pudesse contar o que estava acontecendo, ela o apoiaria, ela seria tão rebelde quanto ele. Claro que ela era rebelde; afinal, não tinha fugido? Mas ela não tinha cara de fugitiva, nem parecia lá muito forte.

Às vezes Zeb sentia ciúmes de Adão porque o irmão tinha passado mais tempo com Fenella, e Trudy era tudo que Zeb tinha. Depois, deixou de se ressentir com o infalível sistema de evasão de punição de Adão que levava a melhor sobre ele e passou a provocar Adão em segredo: fezes na cama, rato morto na pia, torneira do chuveiro trocada de quente para frio – ele tinha descoberto o mecanismo do encanamento – ou apenas uma torta de maçã nos lençóis. Brincadeiras de meninos. Rev obtinha boas reservas do petróleo, além dos poços que jorravam das poupanças dos paroquianos, de modo que eles residiam naquela casa grande, com Trudy e Rev na extremidade oposta à de Adão e Zeb. Dessa maneira, se Adão choramingasse, ninguém ouviria. Se bem que ele nunca choramingava; apenas lançava um olhar de reprovação, com um toque de que o tinha perdoado, e isso o incomodava dez vezes mais.

Às vezes Zeb provocava Adão com tiradas maldosas sobre Fenella. Comentava que ela devia ter tatuagens pelo corpo todo, nos peitos, em tudo mais; dizia que ela era uma drogada que fugiu com um motoqueiro; não, com uma dúzia de motoqueiros, e que ela trepava com todos eles, um atrás do outro; ele também dizia que ela se vendia nas ruas de Las Vegas para viciados noiados e cafetões sifilíticos. Por que Zeb dizia aquelas coisas grosseiras e repugnantes sobre a mulher que ele próprio considerava seu outro eu, sua fada madrinha, sua deusa de mármore? Quem vai saber?

O estranho é que Adão não revidava. Apenas sorria de um modo misterioso, como se soubesse de alguma coisa que Zeb não sabia. Adão nunca dedurou as brincadeiras juvenis de Zeb. Desde aquele tempo, o cara era um pentelho cheio de segredos. De qualquer forma, na maior parte do tempo os dois irmãos trabalhavam em equipe. Na escola CapRock Prep, uma escola particular só de meninos financiada por uma das OilCorps, eles eram conhecidos como os Moleques da Sagrada PetrOleum por conta da posição do pai, mas ninguém mexia com eles abertamente, não depois que Zeb pegou corpo. Sozinho, Adão teria sido um pato, ele era tão chatinho e transparente; mas se alguém levantasse um dedo na direção dele, Zeb o pegaria de porrada. Só teve que fazer isso duas vezes. A notícia correu.

As mãos de Schillizzi

Fazendo frente à lavagem cerebral de Trudy e Rev, Adão e Zeb assumiram uma ação evasiva conjunta. Do que fugiam além da punição? De tudo que os conduzia em direção ao caminho da retidão, o Caminho da Sagrada PetrOleum, o caminho que Rev e Trudy os instigavam a trilhar.

No caso de Adão, a ação adotava a mentira inocente – ele fazia isso com qualquer um, menos com Zeb que sabia que o irmão era tão inocente quanto um ovo no cu da galinha. Zeb tinha o instinto de um ladrão furtivo. O tempo de castigo no armário trazia vantagens; grampos de cabelo eram úteis e logo ele percorria a casa às ocultas, remexendo furtivamente gavetas e e-mails dos pais, os quais a essa altura acreditavam piamente que ele estava trancado entre os casacos de inverno e aparelhos eletrônicos obsoletos. Destrancar portas e gavetas tornou-se um hobby; passado um tempo, com ajuda das sessões clandestinas nas instalações digitais da escola e do tempo livre na biblioteca pública, hackear tornou-se uma vocação. No seu mundo de fantasia nenhum código poderia mantê-lo de fora, nenhuma porta poderia trancá-lo, e a fantasia tornou-se realidade à medida que ele crescia e adquiria mais experiência.

No começo, Zeb invadiu sites pornôs e pirateou acid rock e shows de aberrações – tudo proibido pela Igreja, nem seria preciso dizer; se ela exigia golas abotoadas e votos públicos de castidade, aquela música sugava o cérebro como mil sanguessugas gigantes do espaço sideral. Zeb então colocava o fone para ouvir os Luminescent Corpses ou os Pancreatic Cancers ou os Bipolar Albino Hookworms enquanto rolava a tela que exibia as sempre novas e ardilosas partes implantadas no corpo das garotas. Isso não fazia dano algum: os vídeos eram feitos por outros e o que ele fazia era apenas passar o tempo. Ele não estava *causando* nada.

Até que ele se sentiu pronto e decidiu elevar a aposta e realmente testar os seus próprios poderes.

A Igreja PetrOleum possuía alta tecnologia, com dezenas de sites sofisticados de mídia social e sites de donativos on-line por onde fluía a grana dos fiéis vinte e quatro horas por dia. Achava-se que a segurança dos sites era imune às invasões, qualquer clepto em potencial teria que atravessar duas camadas de codificação intrincada antes de invadir as contas de débito. O sistema mantinha a distância os cleptomaníacos, mas era indefeso a conspirações internas, como aquela operação espetacular de Zeb nos seus dezesseis anos de idade.

O ponto fraco de Rev era a crença na sua própria invulnerabilidade; isso o deixava negligente e, como ele não conseguia guardar as combinações de números e letras de cabeça, ele escrevia as senhas. E depois as escondia em lugares tão óbvios que até o coelhinho da Páscoa zombaria. Caixa de abotoaduras? Sapato de domingo? Retrocretino, suspirou Zeb, memorizando os rabiscos crípticos nas tirinhas de papel e recolocando a caixa e o sapato exatamente onde estavam antes.

Já de posse das chaves do reino, Zeb desviou o rio de doações – não todo, apenas 0,09%, com margem de erro, ele não era lobotomizado – para as inúmeras contas abertas por ele, optando pelos doadores com um perfil de agradecimento rastejante e uma mensagem carola de indução de culpa, além de um ou dois slogans de ódio dirigidos aos Inimigos do Óleo Sagrado de Deus: "Painéis solares são obra de Satã", "Ecologistas são todos malucos", "O Diabo quer que você congele nas trevas", "Assassinos seriais acreditam no aquecimento global".

Para os esconderijos financeiros, ele utilizou uma identidade remendada de fragmentos expropriados em ataques furtivos a alvos de proteção precária, como avatares 3-D para videogames tipo AdoteUmPeixe, instituições biossentimentalistas de caridade similares e instalações pornô tipo Feel-iT habilitadas em shoppings suburbanos – "Retorno vibratório com estímulos reais das sensações carnais! Diga adeus aos gritos e gemidos falsos, isto sim é real! Aviso: não exponha o dispositivo eletrônico à umidade. Não enfie os terminais na boca ou em outras regiões de membrana mucosa. Isso pode acarretar queimaduras graves."

Zeb realmente não se surpreendeu quando descobriu durante uma de suas expedições virtuais que o próprio Rev era um frequentador habitual dos sites hápticos de masturbação, se bem que se entregava a essa atividade em casa porque não poderia dar-se ao luxo de ser flagrado no shopping – ele escondia os terminais de feedback no saco de golfe. Preferia os sites que envolviam chicotes, penetração com garrafas e mamilos ardentes. Ele também era um grande fã dos sites de reconstituição de decapitações históricas, os quais eram relativamente caros, talvez pelos adereços e figurinos – "Mary, rainha dos escoceses: sinta o jorro quente do sangue da cabeça." "Ana Bolena, vagabunda real! Transou com o irmão e vai fazer isso com você; então, comece a cortar o pescoço sujo dessa vadia." "Katherine Howard: acabe com essa raposa fria com um golpe da sua poderosa lâmina." "Lady Jane Grey: obrigue essa virgem da elite a pagar o preço pelo esnobismo, venda para os olhos opcional." Isso para que se tivesse a exata sensação nas próprias mãos do que era decapitar uma mulher com um machado. ("Divertido! Histórico! Educativo!")

Com um pagamento extra você as decapitava peladas, muito mais emocionante. Zeb curtiu algumas rodadas – cortesia da conta de Rev – para que pudesse ter uma base de comparação entre as nuas e as vestidas. Uma mulher nua de joelhos e prestes a perder a cabeça – por que isso fascinava? Será que o cara era insensível ou psicopata ou algo assim? Não, no cérebro dos psicopatas faltava um chip, de acordo com Adão, que estudava essas coisas. Os psicopatas eram desprovidos de empatia; gritos e lágrimas soavam irritantes para eles. Dessa maneira, eles não se sentiam uns merdas e/ou pervertidos pelo que faziam, como Zeb se sentia.

Ele pensou em hackear e recodificar o programa para que quando o machado golpeasse, o usuário não tivesse a sensação de que o tinha nas mãos, mas sim no próprio pescoço. Qual seria a sensação de se ter a cabeça cortada? Doía ou o choque apagava tudo? Ou você seria tomado por uma onda de empatia? Mas empatia demais podia ser perigosa. Talvez uma parada cardíaca.

Aquelas mulheres nuas de joelhos e prestes a ser decapitadas eram reais ou não? Zeb torcia para que não fossem reais porque a realidade virtual era diferente da realidade cotidiana em que os corpos podiam ser feridos. Eles não teriam permissão para assassinar mulheres de verdade na tela; claro que isso era crime. Mas os efeitos em 3-D eram tão incríveis que você chegava a se abaixar para não ser atingido pelo jorro de sangue.

Adão não se sentiu atraído por essas atividades que só chegaram aos seus ouvidos porque Zeb não resistiu ao desejo de compartilhar informações sobre a vida secreta de Rev. Uma vida secreta que em certa medida também era agora de Zeb.

– Isso é depravado – comentou Adão.

– Pois é! Esse é o *ponto*! O que você é, gay? – retrucou Zeb, mas Adão apenas sorriu.

Talvez a esquisitice frustrada de Rev tenha se dado pela necessidade de um escape, e agora Zeb era grande e grosseiro demais para se arriscar como um tipo sádico. Claro que ele podia revidar, e Rev era um covarde, de modo que tanto as surras de cinto como a obrigação de beber xixi e o aprisionamento tornaram-se coisas do passado. Trudy também não era uma opção para o degenerado filho da puta, apesar de subserviente ela nunca permitiria que lhe pusessem cabrestos de couro e piercings no mamilo, ou que lhe flagelassem com uma vara ou a fizessem comer o seu próprio excremento. Informação é poder, e Zeb então agradeceu à estrela da sorte pelos sites de masturbação on-line, registrando o número de vezes que Rev os usava e armazenando as informações presenteadas pela sacola de veludo vermelho de Papai Noel para uso futuro. Era bem possível que Rev viesse a se eletrocutar por via do próprio pau ou se explodir como uma salsicha em brasa, e certamente agradaria a Zeb estar de olho no buraco da fechadura para assistir ao hilário fiasco. Ele chegou a considerar a possibilidade de religar os terminais hápticos para alcançar tal efeito, mas não sabia ao certo quanta voltagem seria necessária. Além do mais, com Rev gravemente machucado e impossibilitado de reembolsar a grana, se ele descobrisse quem estava por trás de tudo, com certeza isso poderia trazer grandes problemas.

A essa altura Zeb já tinha dedos mágicos. Ele executava os códigos como se fosse um Mozart ao piano, gorjeava em cuneiforme e valsava nos firewalls como um tigre de circo que salta dentro de um aro em chamas sem piscar os olhos. Infiltrava-se na contabilidade da Igreja PetrOleum – os dois conjuntos de livros contábeis, o oficial e o caixa 2 – com poucos movimentos rápidos, e o fazia com regularidade. Isso durou uns dois anos, à medida que os 0,09% empilhavam e que Zeb crescia e ganhava pelos no corpo, e se exercitava no ginásio da CapRock Prep, onde tinha o cuidado de se manter na metade da curva de avaliação, especialmente na área de tecnologia da informação, para que seus talentos sobrenaturais de hacker não chamassem a atenção.

Ele se formaria em seis meses, e depois? Tinha algumas ideias vagas, e seus pais capatazes também. Rev enfatizava que através de suas conexões poderia arranjar para Zeb um cobiçado trabalho no deserto petrolífero do norte, dirigindo uma daquelas máquinas gigantescas e barulhentas que escavavam cascalho betuminoso rico em petróleo. Isso faria de Zeb um homem, ele dizia, a possível definição de *homem* flutuava no ar entre os dois. (Torturador de crianças? Fraudador religioso? Degolador de mulheres on-line?) Além disso, o dinheiro era bom. Zeb então faria isso por um tempo e só depois optaria por uma profissão.

Havia três subtextos nisso. 1) Rev queria distância de Zeb porque já começava a sentir medo dele, e com razão. 2) Com alguma sorte Zeb teria câncer de pulmão, ou então um terceiro olho ou umas escamas de tatu, o ar lá em cima era tão tóxico que você sofria mutações em uma semana.

E 3) Zeb não era muito inteligente, ao contrário de Adão em quem o velho depositava a esperança de continuar o negócio de fraudador de igreja e por isso o tinha mandado para a universidade Spindletop. Adão se formara em Petroteologia, Homilética e Petrobiologia; esta última, segundo a visão de Zeb, requeria o aprendizado de biologia para que se provasse o contrário. Isso exigia alguma destreza intelectual da qual, estava implícito, Zeb carecia. Escravo nas galés estaria mais à altura dele.

– Acho uma ideia maravilhosa – disse Trudy. – Agradeça ao seu pai por ter resolvido tudo. Nem todo rapaz tem um pai como o seu. Sorria, ordenou Zeb para si mesmo.

– Eu sei – disse. A palavra *sorriso* significa "faca de trinchar" em grego. Foi o que ele descobriu na web certa vez em que não estava decapitando figuras históricas.

Zeb sentia saudade de Adão e suspeitava que era recíproco. Quem mais poderia falar sobre as improváveis subcamadas de suas vidas? Quem mais poderia fazer uma imitação engraçada, palavra por palavra, da prece de Rev para são Lucic-Lucas, a quem Deus revelara o Óleo Sagrado?

Durante a separação, eles evitavam mensagens de texto, telefonemas ou qualquer outra coisa com sinal eletrônico; a internet, como se sabia, vazava como um paciente com câncer de próstata, e o mais provável é que Rev não meteria o bedelho com Adão e sim com Zeb. Mas quando Adão retornava para as festas, a velha semana doméstica era revivida. Zeb dava boas-vindas com um anfíbio dentro do sapato ou um artrópode na caixa de abotoaduras ou algumas sementes espinhentas artisticamente presas dentro da camiseta do irmão, embora eles já estivessem velhos para pegadinhas como essas, isso era apenas uma coisa nostálgica.

Depois, eles fingiam que jogavam uma partida na quadra de tênis, cochichando em breves intervalos junto à rede, trocando ideias. Zeb queria saber se Adão já tinha trepado, uma pergunta que era contornada com habilidade. Adão queria saber quanto dinheiro Zeb tinha roubado da igreja e transferido para suas próprias contas clandestinas, isso porque eles planejavam desaparecer do círculo encantado de Rev depois que tivessem fundos suficientes.

Eram as últimas férias antes da formatura de Adão. Sentado à escrivaninha de Rev, Zeb observava o monitor do computador, cantarolando baixinho e com luvas de látex de médico, enquanto à janela Adão vigiava a possível chegada do carro beberrão de gasolina de Rev ou do Hummerette de Trudy.

– Você tem mãos de Schillizzi – disse Adão à sua maneira neutra habitual. Era admiração ou simplesmente observação?

– Schillizzi? – repetiu Zeb. – Caralho, outro desfalque do velhaco botulístico, só que muito mais! Olha só isso!

– É melhor maneirar a fala – disse Adão em tom mais suave.

– Cresça e apareça – disse Zeb alegremente. – E ele está escondendo a grana numa conta bancária na Grand Cayman!

– Schillizzi era um conhecido arrombador de cofres do século XX – disse Adão só interessado nessa história, ao contrário de Zeb. – Ele nunca recorria a explosivos, só às mãos. Era um cara lendário.

– Aposto que o velhote está planejando pular fora – disse Zeb. – Hoje aqui, amanhã zap, e depois de amanhã martínis em alguma praia tropical, contratando garotas de programa e deixando a porra dos fiéis de calça arriada lá fora no frio.

– Não nas Cayman, ele não vai para lá – disse Adão. – Lá é quase tudo subaquático. Mas transferiram esses bancos para as Canárias, lugar com mais montanhas. Só mantiveram os nomes corporativos da Grand Cayman. Para preservar a tradição, suponho.

– Só quero saber se ele vai levar a mofenta da Trudy – disse Zeb, surpreendido pelo conhecimento bancário de Adão, mas à época o conhecimento de Adão sobre um monte de coisas o surpreendia. Era difícil saber o que Adão sabia.

– Ele não vai levar Trudy – disse Adão. – Ela está se tornando financeiramente muito exigente. Já suspeita do que ele está fazendo.

– Como sabe disso?

– Mera suposição – disse Adão. – Pela linguagem corporal. No café da manhã ela sempre lança olhares raivosos para ele quando ele não está olhando. E o importuna com perguntas sobre quando eles terão umas férias. Ela também está se sentindo tolhida em suas ambições como decoradora de interiores: repare na coleção de amostras de papel de parede e de cores de tinta. Já está cansada de fazer o papel da esposa angelical apenas para o benefício da congregação. Ela acha que ajudou a criar o superávit doméstico e agora quer mais espaço.

– Como Fenella – disse Zeb. – Ela também queria mais espaço. Mas pelo menos caiu fora mais cedo.

– Fenella não caiu fora – disse Adão de novo em tom neutro. – Ela está debaixo das pedras do jardim.

Zeb girou na cadeira ergonômica de Rev.

– Ela está o quê?

– Aí vêm eles – disse Adão. – Os dois ao mesmo tempo. Parece um comboio. Desligue tudo.

Mudo e furto

—Repete o que você disse — pediu Zeb quando os dois estavam na quadra de tênis e seguros de não serem ouvidos. Embora não fossem bons no tênis, fingiam que praticavam. Lado a lado, sacavam bolas por cima da rede, ou melhor, quase sempre contra a rede. Seus quartos estavam grampeados. Zeb tinha descoberto isso anos antes e se aprazia em mandar desinformações pela luminária de sua escrivaninha e recebê-las de volta via computador de Rev. Mas era melhor se fazer de tonto, deixando os grampos onde estavam.

— Debaixo das pedras do jardim — disse Adão. — É ali que Fenella está.

— Você tem certeza?

— Eu vi quando a enterraram — disse Adão. — Da janela. Eles não me viram.

— Isso não foi um... você não sonhou com isso? — perguntou Zeb. — Você devia ser um bebê, porra! — Adão lançou-lhe um olhar de peixe: não só não aprovava o linguajar grosseiro como também nunca parecia se acostumar com isso. — Quer dizer, era muito novinho — acrescentou Zeb. — As crianças aumentam as coisas. — Pela primeira vez ele estava abalado, mal conseguia pensar direito.

Se a história de Adão fosse verdadeira — por que ele a inventaria? —, isso mudava toda a visão de Zeb sobre si mesmo. Fenella dera forma à história que ele fazia do seu passado, e do futuro também, mas agora, de repente, ela era um esqueleto: estava morta esse tempo todo. Enfim, nenhum ajudante secreto o esperava lá fora: ele nunca teve ajuda. Não havia um membro compreensivo da família a ser localizado um dia, caso ele pudesse encontrar uma saída e destrancar as fechaduras invisíveis para deixar o galinheiro de Rev para trás.

Ele sobrevoava uma terra arrasada, sozinho, exceto pelo irmão de cabeça avariada que poderia se tornar um autêntico beato porque tinha talento para isso. Dessa maneira, o próprio Zeb estaria à deriva em Voidsville, no frio e no escuro, como um astronauta perdido e solto da nave-mãe. Ele arremessou a bola contra a rede.

– Eu estava com quase quatro anos – disse Adão no mesmo tom professoral de Rev. – Ainda guardo uma lembrança nítida daquele tempo.

– Você nunca me contou – retrucou Zeb ofendido pela falta de consideração de Adão. Aquilo doeu. Eles deviam ser uma equipe.

– Você teria dado com a língua nos dentes – disse Adão. – E quem sabe o que eles teriam feito? – Ele sacou para cima e a bola resvalou na rede. – Você também poderia ter acabado debaixo das pedras do jardim. E eu também.

– Espere – disse Zeb. – Eles? Você quer dizer que a porra da Trudy estava metida nisso?

– Já falei para você – disse Adão. – Não precisa dizer palavrões.

– Desculpe, escapuliu, porra – disse Zeb. Não seria Adão que lhe diria o que dizer. – Trudy, a boazinha?

– Ela deve ter tido algum motivo – respondeu Adão, com um tom de quem estava acima de provocações. – Talvez apenas chantagem. Ou talvez quisesse Fenella fora do caminho para limpar o próprio caminho. Meu palpite é que ela já estava grávida de você. A Igreja PetrOleum não aprova o divórcio, a cerimônia de casamento é ungida com óleo sagrado. Como sabemos.

Então, agora a culpa pela morte de Fenella era de Zeb. Simplesmente pelo mau gosto de ter sido concebido. Merda.

– Como é que eles fizeram? – Zeb quis saber. – Os dois? Talvez tenham colocado arsênico no chá de Fenella ou... – Decapitação, não, envergonhou-se do que tinha pensado. Eles não teriam ido tão longe.

– Não sei. Eu só tinha quatro anos. Só vi o enterro.

– Então, todo aquele papo de que Fenella era uma vagabunda que tinha abandonado o filho pequeno e tudo mais era apenas...

– Era o que a congregação queria acreditar – disse Adão. – E acreditaram. As mães malvadas são sempre uma boa história para eles.

– Talvez seja melhor chamar a CorpSeCorps – disse Zeb. – Recomendando que tragam pás.

– Eu não me arriscaria – disse Adão. – Há poucos petrobatistas na força, e muitos figurões das OilCorps nos bancos da igreja. Há muita coisa envolvida por conta dos benefícios para ambas as partes. Eles são unânimes em esmagar a dissidência. Com suas possessões ameaçadas, as OilCorps blindariam Rev pelo assassinato de esposa, até porque um escândalo poderia ocasionar uma perda de credibilidade. Eles nos acusariam de desequilíbrio mental, nos despachariam para longe e nos entupiriam de drogas pesadas. Ou como disse antes... cavariam duas novas covas debaixo das pedras do jardim.

– Nós somos filhos dele! – Zeb soou para si mesmo como um menininho de dois anos de idade.

– Acha que isso o deteria? – disse Adão. – O sangue é mais fraco que o dinheiro. Ele ouviria a voz de Deus, a mais conveniente, sugerindo o sacrifício do filho para um bem maior. Lembre-se de Isaac. Cortaria nossa garganta e atearia fogo em nós, isso porque dessa vez Deus não mandaria uma ovelha.

Zeb não conseguiu se lembrar de já ter visto Adão tão sombrio.

– Então... – A respiração faltou sem que ele sequer tivesse se mexido. – Por que está me falando isso agora?

– Porque se sua atividade de desvio de dinheiro está sendo bem-sucedida, a ponto de já ter acumulado o bastante, o desvio pode ser flagrado pela igreja – disse Adão. – Hora de cair fora enquanto ainda podemos. Logo, logo eles o mandarão para a morte nos poços de piche – acrescentou. – Isso seria um acidente. Claro.

Zeb se comoveu. Adão se preocupava com ele. Adão sempre pensava mais à frente que ele.

Eles esperaram até o dia seguinte, quando Rev teria uma reunião de diretoria e Trudy estaria no Círculo de Oração das Senhoras. Depois, pegaram um táxi solar para comprar um bilhete na estação do trem-bala, trocando informações falsas para os ouvidos ligados do motorista. Quase todos aqueles caras eram espiões, formais ou informais. Segundo o roteiro combinado, Adão estava de volta para a Spindletop e Zeb o estava levando até a estação. Nada de anormal nisso.

No café da estação, Zeb limpou a conta secreta de Rev na Grand Cayman enquanto Adão se mostrava indiferente aos circundantes mais curiosos. Já com os fundos de Rev garantidos e transferidos, Zeb enviou algumas mensagens para a gônada infectada, utilizando um atalho flutuante para atrasar possíveis cibercaçadores pelo maior tempo possível. Invadiu as axilas de um homem no vídeo de um anúncio de desodorante, clicou no umbigo do resplandecente torso depilado – já havia passado por aquele *pixel wormhole* antes – e depois pulou para um site de casa e jardim apropriado às circunstâncias, onde escolheu uma espátula de pedreiro. Só então enviou as mensagens.

Disse na primeira mensagem: "Nós sabemos quem está debaixo das pedras. Não nos siga." Na segunda, apresentou os detalhes dos furtos dos donativos que Rev recebia da Igreja PetrOleum e fez outro aviso: "Se sair da cidade, isso se tornará público. Fique onde está e aguarde instruções." Isso faria o velhaco caquético pensar que logo entrariam em contato a fim de chantageá-lo, só podia ser por esse motivo, e ele ficaria à espera.

– Isso deve bastar – disse Adão, mas Zeb não resistiu à tentação de adicionar uma terceira mensagem: uma cópia detalhada das transações de Rev no site háptico Feel-iT. Lady Jane Grey era a favorita: ele a decapitara pelo menos quinze vezes.

– Eu gostaria de ver a cara dele – disse Zeb quando os dois estavam no trem. – Quando abrir a caixa de e-mail. Melhor ainda, quando descobrir que o dinheiro malocado no banco da Cayman já era.

– Regozijar-se é uma falha de caráter – disse Adão.

– Foda-se – disse Zeb.

Ele passou a viagem observando o cenário que passava pela janela: comunidades fechadas iguais à que eles tinham deixado para trás, campos de soja, instalações petrolíferas, parques eólicos, pilhas de pneus de caminhões, amontoados gigantescos de cascalho, pirâmides de vasos sanitários de cerâmica descartados. Pessoas catando sobras em montanhas de lixo; cidades-favela da plebelândia, barracos feitos de tudo que era descartado. As crianças nos telhados

dos barracos e nas pilhas de lixo e de pneus ou agitavam bandeiras de sacos plásticos coloridos e pipas rudimentares ou mostravam o dedo do meio para Zeb. Um estranho drone sobrevoava os locais em suposta supervisão do tráfego, registrando as idas e vindas sabe-se lá de quem. Essas coisas eram sempre notícias ruins se o estivessem caçando especificamente: ele aprendera muito com as fofocas da web.

Rev, no entanto, ainda não estaria procurando por eles. A essa altura ainda estaria em almoço de negócios, engolindo entradas de carnes sintéticas e tilápia de cativeiro.

Hacker-hack, no track da via férrea,
Mamãe tá no jardim, não olhe mais pra trás

Zeb cantarolava na esperança de que a morte de Fenella tivesse sido repentina, sem nenhuma obsessão nojenta de Rev envolvida.

Adão dormia ao lado, parecia mais pálido e mais franzino do que quando acordado, como uma estátua idealista de uma irritante figura alegórica: Prudência. Sinceridade. Fé.

Zeb estava ligado demais para dormir. E nervoso, a despeito dele próprio: eles tinham atravessado uma linha de arame farpado de grande espessura, eles tinham roubado o ogro, eles tinham fugido com o tesouro do ogro. Fúria no horizonte. Ele então se mantinha em guarda.

Quem matou Fenella?
Um cara pra lá de mau.
Arrebentou a cabeça dela,
Foi uma violenta pancada,
Tudo escureceu,
E fez dela uma alma penada.

Alguma coisa escorreu pelo seu rosto. Ele enxugou com a manga da camisa. Não chore, pensou. Não dê essa satisfação a ele.

...

Adão e Zeb resolveram se separar em San Francisco.
— Ele não vai esperar sentado — disse Adão. — Ele tem um monte de contatos; vai lançar um alerta vermelho; vai usar a rede Oil-Corps. Juntos, somos visíveis demais.

Era mais do que verdade: os dois eram díspares. Escuro e claro, robusto e franzino, anomalias memoráveis. E Rev descreveria os dois juntos e não um de cada vez.

Zeb cantarolou para si mesmo: Mutt e Jeff. Mudo e Furto. Beleza e Astúcia.

— Sem essa de musiquinha — disse Adão. — Isso atrai atenção para nós. Além do mais, você é monocórdio. — Um ponto para ele. Dois pontos.

No mercado cinza da plebelândia, em certa loja que alugava metamorfoses por hora, Zeb preparou novas identidades para eles — de papelão, não suportariam um exame minucioso, sensíveis ao tempo, mas boas para a próxima etapa da viagem. Adão seguiu para o norte e Zeb, para o sul, ambos camuflados.

Os dois tinham combinado de usar um dropbox no espaço virtual. Era a rosa mais no alto, entre os sopros dos zéfiros, de uma reprodução da tela *O nascimento de Vênus*, de Botticelli, postada em um site de turismo italiano muito visitado. Zeb optara pelo mamilo do seio esquerdo da Vênus, mas Adão o dissuadiu: óbvio demais, disse. Assim como seria óbvio demais se comunicarem em menos de seis meses, acrescentou: Rev era vingativo e àquela altura também estaria apavorado.

Zeb ponderou as prováveis consequências do medo e da ânsia de vingança. O que ele próprio faria se seus dois filhos, dos quais não gostava, diga-se de passagem, tivessem divulgado seus segredos sujos? Raiva. Traição. Depois de tudo que tinha feito por Adão. E também por Zeb: os castigos físicos infligidos na melhor das intenções não eram em prol do desenvolvimento espiritual do rapaz? O cara provavelmente ainda se enganava com baboseiras como essas.

Entre outras coisas, Rev contrataria alguns DORCS: especialistas digitais de captura rápida on-line. Cobravam uma fortuna, mas eram famosos pelos resultados. Já tinham criado um algoritmo de busca que detectava prováveis perfis em jogos on-line. Então, quanto mais distantes do mundo digital, melhor. Sem navegar. Sem comprar. Sem socializar. Sem bancar o esperto. Sem pornô.

– É só não agir como você age. – Foi o conselho de Adão ao se despedir.

Nos subterrâneos da plebelândia

Depois de cortar o cabelo em San Francisco, Zeb deixou o bigode crescer e comprou lentes de contato modernosas no mercado cinza--escuro que mudaram a cor dos seus olhos, agora com um toque de astigmatismo e íris falsa. Mas ainda que isso pudesse fazê-lo passar por uma eventual checagem digital, não era bom correr o risco de um exame mais minucioso, e suas impressões digitais falsas também compradas eram risíveis em qualquer sentido profissional, de modo que era melhor não se arriscar com o trem-bala novamente. Além do mais, os maquinistas que ainda acreditavam na letra da lei e na retidão da ordem quase sempre faziam questão de reportar aos superiores tudo que havia de suspeito.

Ele então se arriscou nas rodovias. Seguiu para o sul até San Jose, pedindo carona nos comboios da Truck-A-Pillar e tentando parecer mais velho do que era. Alguns motoristas insinuaram boquete como pagamento, mas um grandalhão como ele nunca seria forçado a fazer isso.

Outro perigo eram as prostitutas dos bares de estrada. Mas até então a única experiência de sexo que ele tinha era via on-line, nos sites hápticos de masturbação, de modo que ainda não estava pronto para a comunhão carnal propriamente dita. Sem falar que mesmo o contato ligeiro com outras pessoas o deixava cabreiro; afinal, quem poderia garantir se estavam ou não negociando informações para o outro lado? Algumas dessas profissionais do sexo eram bem--vestidas demais e não pareciam mortas de fome.

E ainda havia as doenças. A última coisa de que precisava era que o mantivessem preso em algum hospital, caso sua ID passasse pela inspeção, ou que o levassem a trabalhos forçados em algum

HospitalCorps de segurança, caso não passasse pela inspeção, o que era mais provável. Se descobrissem sua verdadeira identidade, Rev seria chamado. E depois despachariam ordens de dispensa ou o mandariam de volta algemado para enfrentar uma conhecida cantilena. *Vou ensiná-lo a me respeitar, tenho autoridade sobre você, Deus odeia você, você é moralmente inútil, arrependa-se de joelhos, beba nessa vasilha, apoiado no chão, passe-me a vara, você pediu, vou fazer você gritar,* e assim por diante, a conhecida e pervertida litania heavy--metal e sadorreligiosa. Uma diversão antes da hora de dormir.

Depois que Rev tivesse acabado neurologicamente com Zeb agora destruído, indefeso e trêmulo, seria hora de colocá-lo sob as pedras do jardim; mas antes ele seria forçado a acessar o atalho digital até Adão para plantar algumas iscas e instruções on-line, incluindo a necessidade de não levar as infrações fiscais e sexuais de Rev a público e a necessidade urgente de um encontro pessoal em que tudo seria explicado. Zeb não tinha ilusões sobre sua capacidade de suportar o tratamento que Rev e seus asseclas lhe infligiriam.

E a opção hospital, caso ele pegasse uma doença venérea? A alternativa rumo ao hospital também não era atraente. Pau purulento, broxa, pênis putrefato: os assustadores sites da internet sobre o assunto geravam pesadelos verde-amarelados. Mais do que suficientes para que ele se esquivasse das acolhedoras sereias das paradas da Truck-A-Pillar, sem se importar com as coxas roliças e durinhas por dentro das calças vermelhas de couro sintético, e muito menos com os sapatos altos de plataforma de couro de crocodilo artificial, as tatuagens de dragão e de crânio cujas incisões eram suportadas com bravura e as metades de melões bioimplantados que irrompiam dos tops de cetim preto como massa a crescer. Ele nunca tinha visto massa de pão crescida de pertinho, mas já tinha assistido a vídeos sobre o assunto. Para ser honesto, vídeos retrô dos tempos que as mães faziam isso quase o levavam às lágrimas. Será que a falecida Fenella preparava massa? Trudy, com certeza, não.

Então, quando uma boca pintada de batom com olhos apertados e uma bunda de tirar o fôlego disse: "Ei, garotão, que tal uma rapidinha atrás do balcão de donuts?", ele não disse: *Já vou,* e também não disse: *Encontro você no céu quando estiver morto,* e também não disse: *Você pirou?* Ele não disse nada.

Além do fator doença, ele ainda não sabia navegar pelos caminhos escuros e sombrios da plebelândia; ele não queria topar com uma desconhecida e vagar às cegas por becos e motéis desprezíveis ou por casas de banho duvidosas para sair numa maca ou num saco preto de cadáver, se tanto. Provavelmente o jogariam em algum terreno baldio para que ratos e urubus cuidassem dele. E agora que cada vez mais os serviços de segurança públicos eram privatizados, os enterros dignos para vagabundos como ele eram impossíveis, e também as apreensões – eles gostavam da palavra *apreensão* – de crápulas que poderiam esfaquear qualquer um por algum trocado no bolso.

A estatura e o bigode que despontava não eram suficientes para protegê-lo. Zeb era madeira verde, alvo fácil; eles perceberiam isso de cara e pulariam em cima dele. A plebelândia estava longe dos recreios escolares de sua adolescência, em que o tamanho realmente importava. "Quanto maior, pior é a queda", costumavam dizer os galinhos de briga. "Pois é, mas quanto menor, mais frequente é a queda", ele rebatia e desfechava um golpe rápido, nem era um soco, que os fazia cair.

Mas nos domínios sombrios da plebelândia não haveria preliminares verbais. Nem chocalhos de cascavel de alerta nem fanfarronices, apenas uma facada ou uma navalhada rápida, ou então o disparo de uma arma de fogo ilegal e obsoleta. De acordo com a internet, a gangue Linthead era especialmente cruel. E a Blackened Redfish. E a Fusão Asiática. E a Tex-Mexicana, com suas ações na guerra das drogas – pilhas de cabeças, corpos sem pernas dependurados em velhas marquises de cinema. Talvez a Tex-Mexicana estivesse controlando o caminho sul da estrada Truck-A-Pillar, que ficava perto do território deles.

Apesar da reserva, ou para ser mais honesto, apesar da súbita covardia, ele sabia que sua grande esperança de cobertura, em curto prazo, era a parte pior da cidade. Gastança de dinheiro atrairia os chacais; ele era malandro o bastante para saber disso. Enfim, ele se manteve discreto em San Jose, longe de bares e se misturando com a subclasse que girava em torno das camadas mais baixas da plebe, como ratos disputando tudo que podiam pegar no lixão.

Zeb trabalhou por um tempo com produtos similares à carne da SecretBurgers. Eram dez horas de trabalho e salário menor que o mínimo. Embora tivesse que usar a camiseta da empresa e um boné ridículo, a SecretBurgers não era muito exigente com identidades. Oferecia proteção aos funcionários das cabines contra gangues de rua e pagava olheiros oficiais e oficiosos, então ninguém o incomodava. Ele sentia pena das funcionárias: recebiam menos que os rapazes e tinham que usar camisetas apertadas e rechaçar as propostas dos clientes. Lidavam com tudo isso enquanto circulavam com viseiras de plástico nos peitos.

Mas sua pena não o impediu de finalmente adquirir experiência carnal ao vivo com uma garota da SecretBurgers chamada Wynette, uma morena de grandes olhos escuros, redondos e sedentos. Além de ter uma personalidade sedutora – um eufemismo, agora ele admitia, para a pegada medíocre da garota, o que realmente o fascinava, e ele pede desculpas por isso; mas como acontece com todo adolescente macho encharcado de hormônios, um plano da natureza, ele achou que estava apaixonado, então foda-se – ela propiciava a vantagem de um quartinho.

A maioria das garotas da SecretBurgers não se dava a esse luxo; elas dividiam apartamentos superlotados ou invadiam casas caindo aos pedaços, isso porque se prostituíam para sustentar um filho ou um parente drogado ou um cafetão. Mas Wynette era cautelosa, frugal e não desperdiçava, e podia pagar por um pouco de privacidade. Era um apartamentinho situado em cima de uma loja de esquina que vendia bebidas com gosto de mijo e removedor de tinta, mas naquela época Zeb não era muito exigente e ele então se valeu de uma garrafa para convencer Wynette a fazer sexo, isso porque ela mesma tinha dito que o álcool ajudava a relaxar.

– Foi tão bom assim? – pergunta Toby.
– Foi tão bom o quê? Tão bom quanto o quê?

– O sexo com Wynette. Tão bom quanto decapitar lady Jane Grey.
– Maçãs e laranjas – diz Zeb. – Não faz sentido compará-las.
– Ora, pelo menos tente – diz Toby.
– Tudo bem. O sexo com lady Jane Grey era sempre igual. Na verdade, não. E já que você perguntou, às vezes ambos eram bons. De qualquer forma, outras vezes eram decepcionantes.

O PROGRESSO DO HOMEM DAS NEVES

Lençóis florais

Ela acorda com a luz do sol entrando pela janela do cubículo. Canto de pássaros, vozes de crianças crakers, balido de Mo'Hairs. Nada infeliz.

Levanta-se, tentando lembrar que dia é hoje. Dia do Banquete de Cianofita? *Obrigada, ó Senhor, por criar as cianofitas, essas humildes algas verde-azuladas tão esquecidas por muitos, pois através delas, há muitos milhões de anos, um tempo que a Vossos olhos não passa de um piscar de olhos, é que nossa atmosfera se fez rica em oxigênio, sem o qual não se conseguiria respirar nem, aliás, poderiam existir outras zooformas tão variadas, tão lindas e tão novas que nelas podemos ver e intuir Vossa Graça...*

Mas talvez seja o Dia de Santa Jane Goodall. *Obrigada, ó Senhor, por abençoar a vida de santa Jane Goodall, amiga destemida dos amigos da selva de Deus, ela enfrentou muitas situações de risco e mordidas de insetos para alcançar as diferentes espécies, e com seu amor e trabalho com nossos primos próximos chimpanzés nos levou a compreender o valor dos polegares oponíveis e dos dedões dos pés, e também nossa profunda...*

Nossa profunda o quê? Toby tenta se lembrar da frase seguinte. Escorrega; deveria escrever essas coisas. Fazer um diário, como fez quando estava sozinha no AnooYoo Spa. Talvez até pudesse ir mais longe, registrando costumes e palavras dos Jardineiros de Deus desaparecidos, para o futuro, para as gerações ainda por nascer, como diziam os políticos à caça de mais votos. Quer dizer, se ainda houver gente no futuro, e se essa gente souber ler, o que pensando bem são dois grandes *ses*. E mesmo que a leitura sobreviva, o futuro se interessaria pelos feitos de um obscuro e depois proibido e depois dissolvido culto ecorreligioso?

Se você agir como quem acredita no futuro, talvez isso ajude a criá-lo; esse é o tipo de coisa que os jardineiros costumavam dizer. Ela não tem uma única folha de papel, mas Zeb poderá trazer alguns cadernos na próxima expedição de coleta, caso encontre algum que não esteja úmido, ou mordiscado pelos ninhos de rato, ou comido pelas formigas. Ah, e lápis também, ela vai acrescentar. Ou canetas. Ou lápis de cor. Só então ela poderia começar.

De todo modo, é difícil se concentrar na ideia de um futuro. Ela está imersa no presente: o presente contém Zeb e o futuro pode não conter.

Ela anseia por esta noite, ela anseia por atravessar o dia que mal começou e mergulhar de cabeça na noite, como se na piscina, uma piscina com a lua refletida. Ela deseja nadar no luar líquido.

Mas é perigoso viver para a noite. O dia se torna irrelevante. Você pode se descuidar, você pode ignorar os detalhes, você pode perder o controle. São nesses dias que ela se flagra de pé, no meio do quarto, com uma sandália na mão, se perguntando como chegou até lá dentro; ou até lá fora, debaixo de uma árvore, observando o movimento das folhas, e depois dizendo para si mesma: *Mexa-se. Agora, mexa-se. Você precisa...* Mas o que ela precisa fazer exatamente?

Não é só ela e não é só a vida noturna que leva que geram isso. Ela reparou que também está acontecendo com os outros. Ficar parada sem nenhuma razão, ouvindo sem que ninguém fale. Depois, sacudindo-se de volta ao tangível, à custa do próprio esforço. Ocupando-se com a horta, a cerca, a energia solar, a expansão da cabana... É tentador estar à deriva, assim como os crakers. Eles não têm festivais, não seguem calendários, desconhecem prazos. Sem metas de longo prazo.

Toby ainda se lembra do humor flutuante ao longo do mês que passou enfurnada no AnooYoo Spa enquanto esperava pelo fim do vírus da peste que matava todos os outros. Depois – depois não houve mais choro, não houve mais súplicas e batidas na porta, não houve mais corpos tombando no gramado – só houve a espera. Esperar pelo sinal de que ainda havia alguém vivo. Esperar pelo reinício de um tempo significativo.

Ela manteve a rotina diária: alimentar-se e hidratar-se, preencher as horas com pequenas atividades, escrever no diário. Afastar as vozes que insistiam em entrar na cabeça, é o que essas vozes fazem quando você está solitária. Rechaçar a tentação de se afastar, de vagar pela floresta, de abrir a porta para o que quer que pudesse acontecer ou, para ser franca, de dar um fim nela. Um fim.

Era como um transe, um sonambulismo. *Desista de você. Desista. Fundir-se com o universo. Você pode.* Era como o sussurro de algo ou de alguém que a instigava rumo à escuridão: *Vem, vem aqui. Dê um fim. Vai ser um alívio. Vai ser a completude. Não vai machucar muito.*

O que ela quer saber é se esse tipo de sussurro também soa nos ouvidos dos outros. Os eremitas ouviam essas vozes no deserto, e também os prisioneiros nas masmorras. Mas talvez ninguém esteja ouvindo agora: isto aqui não é o AnooYoo Spa, não é uma solitária; eles têm uns aos outros. Mesmo assim, ela se dá conta de que precisa contar as cabeças a cada manhã, como garantia de que todos os maddadamitas e ex-jardineiros ainda estejam no mesmo lugar, de que ninguém tenha se desviado durante a noite no labirinto de folhas e ramos, na cantoria dos pássaros e do vento, no silêncio.

Soa uma batida na parede ao lado da porta.

– Você está aí dentro, ó Toby? – É a checagem diária do menino Barba Negra. Por alguma razão talvez ele tenha os mesmos temores e não quer que ela desapareça.

– Sim, estou aqui. Espere aí fora – ela diz e se enrola às pressas no lençol do dia. Algo menos austero e geométrico, como de costume, mais floral, mais sensual. Rosas, desabrochadas. Heras, entrelaçadas. Está sendo vaidosa? Não, apenas celebra a renovação da vida, a dela; é sua desculpa. Ela parece ridícula, carneiro vestido de cordeiro? Difícil dizer sem um espelho. O importante é manter os ombros para trás, em passos largos e confiantes para a frente. Ela puxa o cabelo para trás das orelhas, torce-o e faz um nó. Assim mesmo, sem pontas soltas. É melhor parecer discreta.

— Vou levá-la até o Homem das Neves-Jimmy — diz Barba Negra compenetrado depois que ela se aprontou. — Você poderá ajudá-lo. Com as larvas. — Ele se orgulha de ter aprendido essa palavra, e repete. — As larvas. — Sorri radiante. — As larvas são boas. Oryx fez as larvas. Elas não vão nos machucar. — Um olhar rápido para se certificar no rosto dela se ele falou direito, e logo outro sorriso. — E depois o Homem das Neves-Jimmy não estará mais doente. — Ele a pega pela mão e a puxa para a frente. Ele sabe o que fazer, ele é a pequena sombra dela, ele está absorvendo tudo.

Se eu tivesse tido um filho, pensa Toby, seria assim como ele? Não. Não seria assim. Não se aflija.

Jimmy ainda está dormindo, mas a cor melhorou e a febre alta se foi. Ela o faz engolir colheradas de mel e água, junto com elixir de cogumelo. O pé está cicatrizando rapidamente; logo ele não vai precisar mais das larvas.

— O Homem das Neves-Jimmy está caminhando — dizem quatro crakers que estão de plantão nesta manhã, três homens e uma mulher. — Ele está caminhando muito rápido dentro da cabeça dele. Logo estará aqui.

— Hoje? — ela pergunta.

— Hoje, amanhã. Em breve — respondem sorrindo.

— Não se preocupe, ó Toby — diz a mulher. — O Homem das Neves-Jimmy está seguro agora. Crake vai mandá-lo de volta para nós.

— E Oryx também — diz o homem mais alto, possivelmente Abraham Lincoln. Ela precisa guardar os nomes deles de uma vez por todas. — Ela também vai mandá-lo de volta.

— Ela pediu para os filhos que não o machucassem — diz a mulher. A imperatriz Josefina?

— Se bem que a urina dele está fraca e a princípio eles não entenderam que não poderiam comê-lo.

— Nossa urina é forte. A urina dos nossos homens. Os filhos de Oryx conhecem essa urina.

— Os filhos de dentes afiados comem quem tem urina fraca.

— Às vezes os filhos com presas também fazem isso.

– Os filhos parecidos com um urso grande com garras. Ainda não vimos um urso. Zeb comeu um, ele sabe o que é um urso.
– Mas Oryx disse que eles não podiam fazer isso.
– Que eles não podiam comer o Homem das Neves-Jimmy.
– Crake mandou o Homem das Neves-Jimmy para cuidar de nós. E Oryx também fez isso.
– Sim, Oryx também. – Os outros assentem. Um deles começa a cantar.

Coisas de garotas

A mesa do café está animada nesta manhã.
   Depois de limpar os pratos, Ivory Bill, Manatee, Tamaraw e Zunzuncito fazem um debate profundo sobre epigenética. Quanto se herda do comportamento craker, quanto é cultural? Eles realmente produzem o que chamamos de cultura, contradizendo o que os genes expressam? Ou são mais como formigas? E o canto? Certamente é uma forma de comunicação, se bem que territorialista, como o canto dos pássaros, ou pode ser chamado de arte? Arte certamente que não, diz Ivory Bill. Crake não contava com isso e não gostou, diz Tamaraw, mas a equipe ainda não tinha conseguido eliminar isso sem produzir indivíduos insensíveis que não sentissem calor e não durassem muito tempo.
   Obviamente, o ciclo de acasalamento é genético, diz Zunzuncito, e também as alterações na pigmentação abdominal e genital feminina que acompanham o estro, e o equivalente masculino, gerando atos polissexuais. O que é chamado de cio nos cervos ou nas ovelhas, diz Ivory Bill, mas nos crakers esses fenômenos variam de acordo com as circunstâncias? Lá na cúpula Paradice não se teve chance de testar isso, o que foi uma pena, todos concordam. Eles poderiam ter feito algumas variações, mais estudos, diz Manatee. Mas Crake governava com mão de ferro, diz Tamaraw, e era muito dogmático, nunca dava ouvidos a possíveis aprimoramentos além daqueles que ele próprio cogitava. E certamente não queria o seu precioso experimento arruinado pela introdução de segmentos possivelmente inferiores, diz Zunzuncito, já que os crakers seriam um megagerador de dinheiro. Pelo menos era o que ele alegava, diz Tamaraw.
   – É claro que ele nos sacaneou o tempo todo – diz Zunzuncito.

– É verdade, mas conseguiu resultados – diz Ivory Bill.
– Para o preço que eles valem – diz Manatee. – Aquele filho da puta.
– A questão é mais *por que* e menos como – diz Ivory Bill, olhando para o céu, como se Crake realmente estivesse lá em cima e pudesse mandar uma estrondosa resposta para baixo. – Por que ele fez isso? O vírus letal contido nas pílulas BlyssPluss? Por que ele queria levar a raça humana à extinção?
– Talvez apenas porque estivesse superconfuso – diz Manatee.
– Só para argumentar, e para fazer justiça a ele, talvez ele tenha pensado que tudo o mais estava em extinção – diz Tamaraw. – Com a biosfera se esgotando e a temperatura se elevando rapidamente.
– E se os crakers eram a solução, ele provavelmente pensou que os tinha que proteger de nossos gostos, de nossas agressivas, se não assassinas, maneiras – diz Ivory Bill.
– Isso é o que os megalomaníacos desgraçados como ele sempre pensam – diz Manatee.
– Sem dúvida alguma ele concebia os crakers como povos indígenas – diz Ivory Bill. – E o *Homo sapiens sapiens* como gananciosos e vorazes conquistadores. E em certos aspectos...
– Bem, nós produzimos um Beethoven – diz Manatee. – E as grandes religiões do mundo e outras coisas, você sabe. Já com esse bando, sem chance de qualquer coisa parecida.

White Sedge observa-os atentamente ao lado, mas provavelmente sem ouvir. Se alguém ali ouvia vozes, pensa Toby, esse alguém só poderia ser ela, uma garota bonita, talvez a mais bonita das maddadamitas. Um dia antes ela havia proposto um grupo matinal de ioga e meditação, mas ninguém se interessou. Ela agora veste um lençol cinza com lírios brancos estampados e tem o cabelo preto amarrado em coque.

Ainda pálida e apática, Amanda está na extremidade da mesa; Lotis Blue e Ren se agitam ao redor na tentativa de fazê-la comer.

Rebecca bebe uma xícara daquilo que todos concordaram em chamar de café. Ela se vira quando Toby se senta.

– Presunto de novo – diz para Toby. – E panquecas de *kudzu*. Ah, se você quiser, ainda tem um pouco de Choco-Nutrino.

– Choco-Nutrino? – repete Toby. – Onde conseguiu isso? – O Choco-Nutrino resultara de uma garfada desesperada no saboroso cereal do desjejum das crianças após o fracasso na colheita mundial de cacau. Diziam que continha soja queimada.

– Zeb e Rhino pegaram de algum lugar – diz Rebecca. – E Shackie. Nada que você pediria outra vez, nem ouse perguntar pelo prazo de validade, é melhor comê-lo agora.

– Acha mesmo? – diz Toby. Os Choco-Nutrinos estão dentro de uma tigela. São como pequenos seixos de aparência amarronzada e alienígena, grânulos de Marte. As pessoas comiam esse tipo de coisa o tempo todo, ela pensa. Tinham isso como garantido.

– Última chance para o café – diz Rebecca. – Um tipo de viagem nostálgica. Sim, antes eu achava que era nojento demais, mas não é tão ruim quanto o leite de Mo'Hair. De um jeito ou de outro, é enriquecido de vitaminas e sais minerais. É o que diz na caixa. Portanto, teremos que comer lama por um tempo.

– Lama? – diz Toby.

– Pelos oligoelementos – responde Rebecca. Às vezes Toby não sabia se ela estava brincando.

Toby escolhe presunto e panquecas de *kudzu*.

– Onde estão os outros? – pergunta, mantendo a voz neutra. Rebecca faz a contagem: Crozier comeu e foi cuidar das Mo'Hairs no pasto. Beluga e Shackleton estão com ele, cobrindo a retaguarda com uma pistola. Black Rhino e Katuro ficaram de sentinela ontem à noite, e agora estão dormindo.

– E Swift Fox? – pergunta Toby.

– Descansando – responde Rebecca. – Tirando um cochilo. Ouvi os ruídos que ela fez nos arbustos na noite passada. Junto com um ou dois cavalheiros. – Ela sorri como se querendo dizer: *Exatamente como você*.

Nenhum sinal de Zeb. Toby se contém para não observar os arredores à vista dos outros. Ele também está tirando um cochilo?

Quando Toby termina aquele café amargo, Swift Fox se junta ao grupo, vestindo uma peça de gaze desbotada, short e um chapéu flexível em tom pastel de verde e rosa. Seu cabelo trançado com presilhas de plástico Hello Kitty a faz parecer uma colegial; no passado ela nunca sairia assim, pensa Toby. Ela era uma artista de genética altamente qualificada e teria medo do ridículo e da perda de status, e vestia-se como um adulto que se promove pela posição que tem. Mas a posição e o status tinham ido pelo ralo, então que tipo de publicidade ela faz agora?

Não seja tão dura com ela, pensa Toby. Afinal, ela correu um grande risco; era uma informante maddadamita disfarçada, antes de ser sequestrada por Crake que a tornou uma escrava cerebromaníaca de pele branca na cúpula Paradice, junto com os outros maddadamitas sequestrados. Ele pegou a maioria deles.

Mas não pegou Zeb; Crake nunca o encurralou. Zeb sabia cobrir as próprias pistas.

– Oi, pessoal – diz Swift Fox, erguendo os braços, levantando os peitos e apontando-os para Ivory Bill. – Ah, bem que eu poderia voltar para a cama! Espero que tenham dormido bem. Porra, eu não! Precisamos resolver o problema dos mosquitos.

– Temos repelente em spray – diz Rebecca. – Ainda temos alguns cítricos.

– Já está fraco – diz Swift Fox. – Ou seja, os mosquitos mordem e você acorda e ouve as pessoas conversando etc. Parece um daqueles motéis sem nome e com paredes de papelão. – Ela sorri de novo para Ivory Bill, ignorando Manatee, que a observa de boca apertada. É um olhar desaprovador ou de extrema luxúria? Toby não sabe ao certo. Com alguns homens é difícil estabelecer a diferença.

– Acho que precisamos ter um toque de recolher das cordas vocais – continua Swift Fox, olhando de soslaio para Toby. *Ouvi você*, diz o olhar. *Se precisa mesmo fazer um sexo de meia-idade ridículo e sem graça, pelo menos abafe o som.* Toby se sente ruborizar.

– Cara senhora – diz Ivory Bill. – Acredito que nossas discussões noturnas por vezes acaloradas não a despertam. Manatee e Tamaraw e eu...

– Ora, não foram vocês, não foi uma discussão – diz Swift Fox. – Ainda tem aqueles Choco-Nutrinos? Uma vez vomitei uma bacia disso, na época em que eu ainda tinha ressacas.

Amanda se levanta, tapa a boca com a mão e sai apressada, seguida por Ren.

– Tem algo errado com essa garota – diz Swift Fox. – Ela parece descerebrada ou algo assim. Ela sempre foi tão esquisita?

– Você sabe muito bem como ela era – diz Rebecca, franzindo a testa.

– Sim, claro, mas ela precisa sair dessa. Fazer algum trabalho como todos nós.

Toby sente uma onda de raiva. Swift Fox nunca é a primeira a se apresentar como voluntária para as tarefas, e nunca serviu de prostituta para um painballer, como um robô, amarrada como um cão, praticamente estripada. Amanda vale dez dela. Mas, além disso, Toby sabe que está ressentida pelas insinuações maldosas de Swift Fox dirigidas a ela pouco antes, sem mencionar a peça de gaze e o short bonito. E aquele arsenal de peitos, as tranças de garotinha. Nada disso combina com as recentes rugas, ela se vê dizendo. O bronzeado exige um preço.

Swift Fox sorri novamente, mas por cima dos ombros de Toby. Uma escandalosa exibição de dentes e covinhas.

– Ei – ela exclama de um modo mais suave.

Toby se vira e lá estão Rhino e Katuro.

E Zeb. Claro, claro.

– Bom dia, todo mundo – diz Zeb em tom uniforme: nada de especial para Swift Fox. Nem para Toby: noite é noite, dia é dia. – Alguém quer alguma coisa? Vamos fazer uma varredura rápida no entorno, umas duas horas, só para verificar. Passaremos por algumas lojas. – Ele não especifica o objetivo porque não precisa; todos sabem que estará à procura de sinais dos homens da Painball. É uma patrulha.

– Bicarbonato de sódio – diz Rebecca. – Ou fermento em pó ou o que for. Não sei o que vou fazer quando acabar. Se topar com um pequeno super...

– Você sabia que o bicarbonato de sódio vem dos depósitos de trona em Wyoming? – diz Ivory Bill. – Ou antes vinha de lá.

– Oh, Ivory Bill – diz Swift Fox, favorecendo-o com um sorriso. – Com você por perto, quem precisa de Wikipedia? – Ele abre um quase sorriso, achando que é um elogio.

– Fermento – diz Zunzuncito. – Levedura natural, se ainda tiver farinha. Você pode fazer o fermento dessa forma.

– Espero – diz Rebecca.

– Também vou – diz Swift Fox para Zeb. – Preciso passar numa drogaria. – Uma pausa. Todos olham para ela.

– É só nos dar uma lista – diz Black Rhino, olhando de cara amarrada para as pernas à vista de Swift Fox. – Acharemos para você.

– Coisas de garotas – ela diz. – Você não sabe onde procurar. – Ela olha para Ren e Lotis Blue, que estão limpando Amanda ali por perto. – Pegarei para todas nós.

Outra pausa. Absorventes, pensa Toby. Ela tem razão: o estoque no depósito está cada vez menor. Ninguém quer voltar a usar lençóis rasgados. Ou musgo. Se bem que chegaremos a isso mais cedo ou mais tarde.

– Péssimo plano – diz Zeb. – Aqueles dois sujeitos ainda estão lá fora. Com uma pistola. Eles são painballers na maior parte do tempo, sem nenhuma empatia em seus circuitos. Não seria nada bom se agarrassem você, eles não se preocupariam com formalidades. Você viu o que aconteceu com Amanda. Ela teve sorte de escapar com os rins.

– Concordo totalmente. É um péssimo plano você sair desse nosso pequeno e aconchegante confinamento aqui. Eu vou – diz Ivory Bill, com ar galante. – Se confiar sua lista de compras para mim e...

– Mas você vai estar lá comigo – diz Swift Fox para Zeb. – Para me proteger. – Ela abaixa os cílios. – Ficarei tão segura!

– Tem algum café? Ou essa porcaria que você chama de café? – diz Zeb para Rebecca.

– Tudo bem, eu vou trocar de roupa – diz Swift Fox, alternando o tom com vivacidade. – Posso garantir, não serei arrastada. Você sabe que sei usar uma pistola de spray – ela acrescenta, com um leve sotaque e os olhos descaídos. Logo retoma o atrevimento. – Ei, podemos levar algo para almoçar! Para fazer um piquenique em algum lugar!

– Então, faça isso porque partiremos logo depois que comermos – diz Zeb.

Rhino começa a dizer alguma coisa e se detém. Katuro olha para o alto.

– Acho que não vai chover.

Rebecca olha para Toby e ergue as sobrancelhas. Toby mantém o rosto o mais impassível possível. Swift Fox está de olho nos próprios flancos.

Raposa no nome, raposa por natureza, pensa Toby. Sabe usar uma pistola de spray, sei, conta outra.

O PROGRESSO DO HOMEM DAS NEVES

– Ó Toby, venha, veja! Venha agora! – O menino Barba Negra puxa o lençol dela.
– O que foi? – Toby tenta não parecer irritada. Ela quer ficar ali, quer dizer adeus para Zeb, mesmo que ele se ausente por pouco tempo nas cercanias. Será que ela quer marcá-lo com alguma coisa? Na frente de Swift Fox. Um beijo, um aperto. É meu. Fique longe. Se bem que isso não seria de grande valia. Ela bancaria a tola.
– Ó Toby, o Homem das Neves-Jimmy está acordando! Ele está acordando agora – diz Barba Negra, ansioso e hiperativado, como as crianças soavam quando estavam em desfiles ou em queima de fogos... algo breve e milagroso. Ela não quer decepcioná-lo e se permite ser conduzida. Olha para trás: Zeb, Rhino e Katuro estão sentados à mesa, tomando o café da manhã. Swift Fox arruma as coisas às pressas, ajeita um chapéu estúpido e um short tipo olhe minhas pernas, e depois veste uma camuflagem.
Toby. Controle-se. Isso não é um colégio, diz para si mesma. Mas em alguns aspectos é mais ou menos assim.

Em volta da rede de Jimmy, uma aglomeração, com quase todos os crakers adultos e crianças; parecem felizes com seus olhos animados de sempre. Alguns já começam a cantar.
– Ele está conosco! O Homem das Neves-Jimmy está conosco outra vez!
– Ele voltou!
– Ele vai trazer as palavras de Crake!
Toby abre caminho até a rede. Duas mulheres crakers servem de apoio a Jimmy. Ele está de olhos abertos; parece atordoado.

– Cumprimente-o, ó Toby – diz o homem alto chamado Abraham Lincoln. Todos assistem, todos ouvem atentamente. – Ele esteve com Crake. Ele vai nos trazer palavras. Ele vai trazer uma história.

– Jimmy – ela diz. – Homem das Neves. – Põe a mão no braço dele. – Sou eu, Toby. Eu estava perto da fogueira na praia lá embaixo. Lembra? Com Amanda e aqueles dois homens.

Jimmy olha para ela. Seus olhos estão surpreendentemente claros, o branco ainda mais branco, as pupilas ligeiramente dilatadas. Ele pisca. Sem qualquer sinal de reconhecimento.

– Merda – diz.

– Que palavra é essa, ó Toby? – pergunta Abraham Lincoln. – É uma palavra de Crake?

– Ele está cansado – diz Toby. – Não, essa palavra, não.

– Merda – diz Jimmy. – Onde está Oryx? Ela estava aqui. Ela estava na fogueira.

– Você esteve doente – diz Toby.

– Matei alguém? Um daqueles... Acho que tive um pesadelo.

– Não – ela responde. – Você não matou ninguém.

– Acho que matei Crake – ele diz. – Ele pegou Oryx, ele estava com uma faca, ele cortou... Ó Deus. O sangue jorrou em todas as borboletas cor-de-rosa. E depois eu, depois... Eu atirei.

Toby se alarma. O que ele quer dizer? Mais importante, o que os crakers farão com essa história? Nada, é o que ela espera. Isso não fará sentido algum para eles, soará como jargão, já que Crake vive no céu e não pode estar morto.

– Você teve um pesadelo – ela diz suavemente.

– Não. Eu não. Não sobre isso. – Jimmy se deita e fecha os olhos. – Ó foda.

– Quem é *Foda*? – pergunta Abraham Lincoln. – Por que ele está falando com esse Foda? Não é o nome de ninguém aqui.

Toby leva algum tempo para entender. Jimmy disse "ó foda" em vez de um simples "foda", e eles acharam que é uma expressão dirigida a alguém como "ó Toby". Como explicar para eles o que significa "ó foda"? Eles nunca acreditariam que a palavra para cópula pudesse significar alguma coisa ruim: uma expressão de nojo, um insulto, um fracasso. Para eles, caso ela consiga explicar, é um ato de pura alegria.

– Vocês não podem vê-lo – ela diz um tanto atordoada. – Só Jimmy, só o Homem das Neves-Jimmy pode vê-lo. Ele é...

– Foda é amigo do Crake? – pergunta Abraham Lincoln.

– Sim – ela diz. – E amigo do Homem das Neves-Jimmy.

– Foda o está ajudando? – pergunta uma das mulheres.

– Está – diz Toby. – Quando algo dá errado, Homem das Neves--Jimmy pede ajuda a ele. – O que de certa forma é verdade.

– Foda está no céu! – exclama Barba Negra triunfante. – Com Crake!

– Gostaríamos de ouvir a história de Foda – diz Abraham Lincoln educadamente. – E de como ele ajudou o Homem das Neves-Jimmy.

Jimmy arregala os olhos e aperta-os. Olha para a colcha que o cobre, estampada com motivos infantis. Acaricia o gato, o violino e a lua sorridente.

– O que é isso? Vaca do caralho. Cérebro de espaguete. – Ele ergue a mão para bloquear a luz.

– Ele quer que vocês se afastem um pouco para trás – diz Toby, inclinando-se para poder bloquear tudo que Jimmy dissesse em seguida.

– Fiz a maior cagada, não fiz? – ele diz. Felizmente, quase sussurrando. – Onde está Oryx? Ela estava bem aqui.

– Você precisa dormir – diz Toby.

– Aqueles porcões do caralho quase me comeram.

– Você está seguro agora – diz Toby. Nada incomum em alguém acordar de um coma e sofrer alucinação. Mas como explicar "alucinação" para os crakers? *É quando você vê alguma coisa que não está aqui. Mas se não está aqui, ó Toby, como você pode vê-la?*

– O que quase comeu você? – ela pergunta pacientemente.

– Os porcões – responde Jimmy. – Os porcos gigantes. Acho que comeram, desculpe. Tudo virou espaguete. Na minha cabeça. Quem eram aqueles sujeitos? Aqueles em quem não atirei.

– Você não precisa se preocupar com nada agora – diz Toby. – Você está com fome? – Eles terão que começar com pequenas quan-

tidades, é melhor após um jejum. Se ao menos houvesse algumas bananas...
— Crake do caralho. Deixei que ele me fodesse. Porra, eu estou fodido. Que merda.
— Está tudo bem — diz Toby. — Você fez bem.
— Não está, não — diz Jimmy. — Posso beber alguma coisa?
Os crakers que estavam respeitosamente a certa distância se movem para a frente.
— Vamos ronronar, ó Toby — diz Abraham Lincoln.
— Vamos fortalecê-lo. Tem algo confuso na cabeça dele.
— Você está certo — diz Toby. — Tem algo confuso.
— É por causa do sonho. E da caminhada até aqui — diz Abraham Lincoln. — Vamos ronronar agora.
— Depois ele nos conta as palavras de Crake — diz a mulher ébano.
— E as palavras de Foda — diz a mulher marfim.
— Vamos cantar para Foda.
— E para Oryx.
— E para Crake. Bom e gentil...
— Vou dar um pouco de água fresca para ele — diz Toby. — E um pouco de mel.
— Tem alguma bebida? — pergunta Jimmy. — Merda. Estou me sentindo um merda.

Ren, Lotis Blue e Amanda estão sentadas no muro baixo de pedra perto de uma bomba-d'água ao ar livre.
— Como está Jimmy? — pergunta Ren.
— Já acordou — diz Toby. — Mas não está muito lúcido. Isso é normal quando se fica apagado por muito tempo.
— O que ele disse? — pergunta Ren. — Ele está chamando por mim?
— Você acha que conseguiria vê-lo? — diz Lotis Blue.
— Ele disse que a cabeça dele parece espaguete — diz Toby.
— Diga-se de passagem que a cabeça dele sempre foi cheia de espaguete — diz Lotis Blue. Ela ri.

– Você o conheceu? – pergunta Toby, sabendo que havia uma conexão antiga entre Jimmy e Ren, e depois entre Jimmy e Amanda. Mas Lotis Blue?
– Sim, imaginamos isso – diz Ren. – Ela o conheceu.
– Éramos parceiros de laboratório na HelthWyzer High – explica Lotis Blue. – Na Bio. Introdução ao *splicing* genético. Só depois é que peguei o trem-bala rumo oeste com minha família.
– Wakulla Price me disse que Jimmy era apaixonado por você!
– diz Ren. – E também disse que você partiu o coração dele. Mas você nunca teve nada com ele, ou teve?
– Ele era um grande babaca – responde Lotis Blue em tom apaixonado, como se Jimmy fosse uma criança travessa, porém adorável.
– E depois ele partiu meu coração – diz Ren. – Só Deus sabe o que ele disse para Amanda depois que me largou. O mais provável é que tenha dito que parti o coração *dele*.
– Acho que ele não queria compromisso – diz Lotis Blue. – Conheci alguns tipos assim.
– Ele gostava de espaguete – diz Amanda.
Toby não ouvia tantas palavras de Amanda desde a noite com os caras da Painball.
– No colégio gostava de iscas de peixe – diz Ren.
– Vinte por cento de peixe de verdade, lembra? – retruca Lotis Blue. – Quem sabe o que havia realmente naquilo. – Ambas riem.
– Não eram tão ruins assim – diz Ren.
– Uma gororoba aquela carne de laboratório – diz Lotis Blue.
– Mas o que sabíamos? Ei, nós comíamos aquilo.
– Eu não me incomodaria de comer aquilo agora – diz Ren. – E um Twinkie. – Ela suspira. – Era um *revival* tão retro-nouveau!
– Era como se a gente estivesse comendo um estofamento – diz Lotis Blue.
– Vou até lá – diz Amanda. Ela se levanta, ajeita o lençol e empurra o cabelo para trás. – Vou cumprimentá-lo e ver se ele precisa de algo. Ele já passou por muita coisa.
Finalmente, pensa Toby, um sinal da velha Amanda, a garota que ela havia conhecido nos jardineiros, com a mesma energia e a

mesma desenvoltura: durona, como a chamavam. Amanda é que tinha sido a iniciadora, a transgressora de fronteiras. Naquela época até os garotos maiores abriam espaço para ela.

– Nós também vamos – diz Lotis Blue.
– Vamos dizer *surpresa*! – diz Ren. Ambas riem.

Um excesso para corações partidos, pensa Toby: Ren não parece ter mais nada fraturado dentro dela, pelo menos em relação a Jimmy.

– Talvez seja melhor esperar um pouco – ela diz. Como ficará o estado de espírito de Jimmy se ele abrir os olhos e der de cara com três ex-amadas debruçadas em cima como as três Moiras? Exigindo-lhe amor eterno, desculpas e sangue dentro de um pires de gato? Ou pior: paparicando-o, embalando-o, sufocando-o com bondade? Mas talvez ele até gostasse disso.

Ela nem precisava ter se preocupado, pois quando se aproximam Jimmy está de olhos fechados. Ele dorme embalado pelo ronronar.

A equipe de busca segue ao longo da rua, ou aquilo que antes era uma rua. Zeb à frente, seguido por Black Rhino, Swift Fox mais atrás e Katuro na retaguarda. Eles se movem lenta e cuidadosamente, abrindo caminho por entre os escombros. Fora da mira de possíveis emboscadas, sem correr riscos.

Toby quer sair correndo atrás, como uma criança deixada para trás. *Esperem! Esperem! Deixem-me ir com vocês! Eu tenho um rifle!* Mas isso não faria sentido.

Zeb não tinha perguntado se ela queria que ele trouxesse alguma coisa. Se ele tivesse perguntado, o que ela teria dito? Um espelho? Um buquê de flores? Pelo menos poderia ter pedido papel e lápis. Mas ela não pediu nada.

E agora eles estão fora de vista.

O dia prossegue. O sol viaja cruzando o céu, as sombras se alongam, a comida que surge é comida, as palavras são ditas; à mesa do jantar, objetos reunidos e lavados. Sentinelas se revezam. A parede da cabana principal está um pouco mais alta, a cerca que a circunda ganha uma volta de arame a mais, as ervas daninhas são removidas da

horta, a roupa suja é lavada. As sombras voltam a se alongar, as nuvens da tarde se reúnem. Jimmy é carregado para dentro, e chove chuva, com trovões impressionantes. Em seguida o céu clareia, as aves retomam suas competições, as nuvens avermelham no oeste.
Nada de Zeb.
As Mo'Hairs e seus pastores retornam. Crozier, Beluga e Shackleton, três machos entupidos de hormônios, juntam-se ao grupo. Crozier zanza em torno de Ren, Shackleton cerca Amanda, Zunzuncito e Beluga estão de olho em Lotis Blue: as intrigas de amor se desdobram entre os jovens, como de costume, e o mesmo acontece entre os caramujos na alface e os besouros verdes brilhantes que afligem os pés de couve. Murmúrios, encolher de ombros, um passo à frente, um passo atrás.

Toby realiza as tarefas como se estivesse em um mosteiro, de forma constante e obediente, contando as horas.

Ainda nada de Zeb.

O que teria acontecido com ele? Ela apaga as imagens. Ou tenta apagá-las. Animal com dentes e garras. Vegetal, uma árvore caída. Mineral, cimento, aço, vidro quebrado. Ou humano.

Suponha que de repente ele não estivesse lá. Abre-se um vórtice: ela fecha. Perdas pessoais não importam. E os outros? Os outros seres humanos. Zeb tem habilidades valiosas, tem um conhecimento insubstituível.

Eles estão em número tão reduzido, e são tão necessários um para o outro. Às vezes aquele acampamento parece um acampamento de férias, mas não é. Eles não estão escapando da vida cotidiana. Este lugar é onde vivem agora.

Toby diz para os crakers que não contará histórias naquela noite, porque Zeb deixou a história de Zeb dentro da cabeça dela, mas algumas partes são difíceis de entender e ela precisa colocá-las em ordem antes de contar para eles. Eles perguntam se um peixe ajudaria, mas ela diz que naquele momento não ajudaria. E depois ela vai se sentar sozinha na horta.

Você perdeu, diz para si mesma. Você perdeu Zeb. A essa altura Swift Fox o tem preso nos braços e nas pernas e em todos os orifícios a que possa recorrer. Ele jogou Toby no lixo, como um saco de papel vazio. Por que não? Promessas não foram feitas.

A brisa fenece, o calor emana úmido da terra, as sombras se misturam. Os mosquitos se lamentam. Olhe a lua, não mais tão cheia. Retorno da hora da mariposa.

Nenhum movimento de luz se aproxima, nada de vozes. Sem ninguém.

À meia-noite ela dá uma passada no cubículo de Jimmy para observá-lo, para checar a respiração dele. As imagens da colcha infantil balançam e inflam sob a luz de uma única vela. A vaca sorri, o cachorro sorri. O prato foge com a colher.

ROMANCE NA DROGARIA

De manhã Toby evita o grupo à mesa do café. Está sem disposição para palestras sobre epigenética, ou para olhares curiosos, ou para especulações sobre como ela encara a deserção de Zeb. Ele poderia ter dito um não firme para Swift Fox, mas não o fez. Foi uma mensagem clara.

Ela vai até o barraco da cozinha e serve-se de carne de porco fria e raiz de bardana do dia anterior que murcha sob uma tigela virada; Rebecca não gosta de jogar alimentos fora.

Ela senta-se à mesa e observa os arredores. Ao fundo, as Mo'-Hairs ruminam à espera de Crozier que as soltará para pastarem no mato ao longo das vias. Lá vem ele no seu traje bíblico de lençol, com um longo cajado na mão.

Ao longe, próximos a um balanço, Ren, Lotis Blue e Jimmy caminham de um lado para outro, um estranho conjunto de seis pernas. Jimmy não está com um bom tônus muscular, mas ele vai ganhar força rapidamente; sob aquela aparência avariada, ele ainda é jovem. Amanda está sentada em outro balanço; alguns crakers observam intrigados, porém sem medo, enquanto mordiscam as onipresentes videiras de *kudzu*.

De longe, uma cena bucólica, embora com notas destoantes: a Mo'Hair que escapou ainda está foragida ou desaparecida, Amanda abaixa os olhos apaticamente, os ombros tensos de Crozier e o jeito com que se voltam para Ren mostram que ele está com ciúmes do paparico que ela dispensa para Jimmy. A própria Toby é uma nota destoante, embora com uma aparência serena aos olhos do observador. É melhor manter-se assim, pelo tempo de formação que teve com os jardineiros, ela sabe como compor um rosto liso e um sorriso gentil.

Mas onde está Zeb? Por que ainda não chegou? Será que ele encontrou Adão Um? Se Adão estivesse ferido, teria que ser carregado. Isso os atrasaria. O que está acontecendo naquela cidade em ruínas que ela não pode ver? Se ao menos os celulares estivessem funcionando. Mas as torres estão todas derrubadas; se houvesse alguma fonte de energia, ninguém ali saberia consertar essa tecnologia. Até o rádio de comunicação à mão deixou de funcionar.

Desse jeito teremos que reaprender a fazer sinais de fumaça, ela pensa. Um para ele me ama, dois para ele não me ama. Três para raiva latente.

Ela passa o dia trabalhando no jardim, talvez isso possa acalmá-la. Se ao menos tivesse algumas colmeias para cuidar. Poderia dividir as notícias do dia com as abelhas, como costumava fazer com Pilar no terraço-jardim dos Jardineiros de Deus, antes de Pilar morrer. Peça um conselho às abelhas. Peça que voem para longe em exploração, e que depois voltem para informar tudo, como se fossem ciberabelhas.

Hoje honramos são Jan Swammerdam, o primeiro a descobrir que a abelha rainha não reina, e que todas as abelhas operárias de uma colmeia são irmãs; e honramos são Zózimo, patrono oriental das abelhas que levou uma vida monástica e altruística no deserto, tal como nós que também fazemos isso à nossa maneira; e honramos são C. R. Ribbands, por suas meticulosas observações sobre os estratagemas de comunicação das abelhas. E agradecemos ao Criador pelas abelhas, pelos presentes do mel e do pólen, pelo inestimável trabalho de fertilização de nossas frutas e nozes e de nossos legumes floridos, e ainda pelo conforto que as abelhas nos trazem nos momentos de estresse, como escreveu Tennyson uma vez, o murmúrio de inúmeras abelhas...

Foi Pilar que ensinou para Toby a esfregar um pouco de geleia real na pele antes de trabalhar com as abelhas; dessa maneira, em vez de considerá-la uma ameaça, elas andarão pelos braços e o rosto com o suave toque de seus pezinhos como pestanas, como uma nuvem passando pelo corpo. As abelhas são mensageiras, dizia Pilar.

Carregam notícias de um lado para outro entre o mundo visível e o mundo invisível. Quando um ente querido cruza o limiar da sombra, as abelhas informam.

De repente, surgem dezenas de abelhas no jardim, ocupando-se entre as flores dos pés de feijão. Talvez haja um novo enxame selvagem nos arredores. Uma abelha pousa na mão de Toby, gosto salino. Zeb está morto? Ela pergunta em silêncio. Fale-me. Mas a abelha decola sem responder.

Será que um dia ela acreditou mesmo em tudo aquilo? Será que tudo não passava de crendice da velha Pilar? Não, realmente não, ou não exatamente não. Talvez Pilar não tivesse acreditado tanto assim, mas era uma história reconfortante: os mortos não estavam totalmente mortos, eles estavam vivos de um jeito diferente, um jeito nebuloso, certamente, em algum lugar de penumbra. Mas ainda capazes de enviar mensagens, caso as mensagens pudessem ser reconhecidas e decifradas. As pessoas precisam de histórias assim, disse Pilar uma vez, pois por mais que tudo esteja escuro, uma escuridão com vozes é melhor que um vazio silencioso.

Ali pelo final da tarde as trovoadas cessam e a equipe de pilhagem retorna. Toby avista-os ziguezagueando por entre caminhões e carros solares abandonados na rua, iluminados pelo pôr do sol, de modo que ela reconhece as silhuetas antes mesmo de identificá-las. Sim, lá estão os quatro. Ninguém faltando. Se é que alguém não se incorporou a eles.

Ao aproximarem-se da cerca ao redor da cabana, Ren e Lotis Blue correm ao encontro do grupo, seguidas por uma legião de crianças crakers. Amanda também corre, mas sem a rapidez dos outros. Toby caminha.

– Foi intenso! – diz Swift Fox quando se põe à vista. – Mas pelo menos encontramos a drogaria. – Ela está corada, um pouco suada; suja, exultante. Abre a mochila no chão. – Vejam só o que consegui!

Zeb e Black Rhino parecem abatidos; Katuro, menos.

– O que houve? – pergunta Toby para Zeb, sem dizer: eu estava morta de preocupação. Claro que ele sabe disso.

– É uma longa história – responde Zeb. – Conto mais tarde. Preciso de um banho. Algum problema?
– Jimmy acordou – ela diz. – Está meio fraco. E magro.
– Ótimo – diz Zeb. – Vamos engordá-lo e colocá-lo de pé. Bem que poderíamos ter um pouco mais de ajuda por aqui. – Ele se afasta em direção aos fundos da cabana.

Toby é tomada por uma onda de raiva dos pés à cabeça. Passaram-se dois dias e isso é tudo que ele tem a dizer? Ela não é esposa, ela não tem direitos de esposa, mas é impossível reprimir as imagens: Zeb e Swift Fox perambulam nos corredores de uma drogaria deserta e de repente ela tira a roupa de camuflagem em meio a condicionadores e xampus para tingir, mais de trinta tonalidades emocionantes; ou eram outros corredores, perto dos preservativos e das pomadas refrescantes? Talvez tenham se agarrado ao lado da caixa registradora ou dos produtos de bebê – finalizado com uma caixa inteira de lenços umedecidos. Foi algo assim que aconteceu, a julgar pelo olhar complacente de Swift Fox.

– Esmaltes, analgésicos, escovas de dentes! Olhem, pinças! – diz Swift Fox.

– Pelo visto você fez uma limpa no lugar – diz Lotis Blue.

– Não restava muita coisa – diz Swift Fox. – Já tinham saqueado quase tudo, talvez interessados em produtos farmacêuticos. Oxy, pílulas BlyssPluss, qualquer coisa com codeína.

– Sem muita procura pelos produtos de cabelo? – pergunta Lotis Blue.

– Pois é. E pelas coisas de garotas... não levaram nada disso – diz Swift Fox, descarregando pacotes de absorventes, tampões, cremes para o corpo e emagrecedores. – Fiz os rapazes carregarem alguns nas suas próprias mochilas. Eles também encontraram cerveja. Foi um pequeno milagre, e como foi.

– Por que demoraram tanto tempo? – pergunta Toby.

Swift Fox abre um sorriso nada cínico. Pelo contrário, mostra-se muito simpática, muito inocente, como uma adolescente que passou da hora imposta pelos pais.

– Ficamos presos – responde. – Fizemos a coleta de coisas percorrendo a região, mas ali pela tarde, justamente quando nos preparávamos para voltar, apareceu uma manada daqueles porcos enormes... iguais àqueles que só pararam de tentar invadir a horta depois que atiramos em alguns.

"Primeiro eles apenas se colocaram à nossa espreita, mas depois que acabamos de pegar as coisas na drogaria e saímos investiram contra nós. Corremos de volta para a drogaria, mas a fachada estava quebrada e não os deteve lá fora. Conseguimos chegar ao telhado através de um pequeno alçapão no teto do almoxarifado e eles não conseguiram subir."

– Eles pareciam esfomeados? – pergunta Ren.

– Como pode dizer isso dos porcos? – responde Swift Fox.

Eles são onívoros, pensa Toby. Comem de tudo. Mas, esfomeados ou não, matam a despeito de qualquer coisa. Ou então por vingança. Nós tínhamos que tê-los comido.

– Então? – diz Ren.

– Ficamos em cima do telhado durante algum tempo – continua Swift Fox. – Logo os porcos saíram da drogaria e perceberam que estávamos em cima do telhado. Eles arrastaram uma caixa de batatas fritas e fizeram uma festa lá fora, e de olho em nós o tempo todo. E ainda exibiam as batatinhas, talvez sabendo que estávamos com fome. Zeb sugeriu que fizéssemos uma contagem porque eles poderiam se separar em grupos, alguns nos distraindo e outros prontos para nos emboscar. Até que eles partiram rumo oeste, não andando, em trote, como se tivessem um objetivo determinado. Enquanto observávamos notamos alguma coisa naquela direção. Era fumaça.

De vez em quando algum ponto na cidade pega fogo. Uma conexão elétrica ainda ligada a uma unidade de energia solar; uma pilha de orgânicos úmidos que entra em combustão espontânea; um galão de óleo de carbono abandonado e aquecido pelo sol. Enfim, nada de novo na fumaça, diz Toby em voz alta.

– Essa era diferente – retruca Swift Fox. – Era mais fina, como de uma fogueira de acampamento.

– Por que vocês não atiraram nos porcos? – pergunta Lotis Blue.

– Zeb disse que seria perda de tempo porque havia muitos. E não queríamos que as pistolas ficassem com pouca munição. Zeb achou

que seria melhor dar uma olhada no lugar, mas já estava escurecendo. Por isso passamos a noite na drogaria.
— No telhado? — pergunta Toby.
— No almoxarifado — diz Swift Fox. — Nós bloqueamos a porta com alguns caixotes. Mas nada aconteceu, a não ser um monte de ratos. Só de manhã é que seguimos até o lugar onde avistáramos o fogo. Zeb e Black Rhino deduziram que eram os painballers.
— Vocês os viram? — pergunta Amanda.
— Só vimos os restos da fogueira deles — diz Swift Fox. — Cinzas. Pegadas de porcos por todos os lados. E também o que restara da nossa Mo'Hair. Lembram, aquela de tranças vermelhas? Foi comida por eles.
— Oh, não — exclama Lotis Blue.
— Os painballers ou os porcos? — pergunta Amanda.
— Ambos — responde Swift Fox. — Mas não vimos os dois caras. Segundo Zeb os porcos talvez os tenham perseguido. Encontramos um leitão morto mais adiante; morto por uma arma de spray, disse Zeb. Estava sem uma perna. Ele sugeriu que voltássemos mais tarde para pegar o leitão porque era pouco provável que topássemos de novo com aqueles porcos no caminho, uma vez que um dos porquinhos tinha sido morto; enfim, depois teríamos mais de uma travessa de carne de porco. Mas ouvimos os rosnados daqueles cães ferozes e malucos modificados geneticamente, talvez por isso tenhamos que lutar com eles pelo porquinho. Está um zoológico lá fora.
— Se realmente está um zoológico, haverá cercas — diz Lotis Blue.
— Roubaram a Mo'Hair, certo? Ela não escapou. Esses dois caras devem ter estado bem perto de nós e ninguém viu nada.
— Isso é assustador — diz Ren.
Swift Fox não escuta.
— Olhem só o que tem mais aqui — diz. — Testes de gravidez, como aquelas varetas onde se faz xixi. Acho que todas nós vamos precisar disso. Ou pelo menos algumas. — Ela sorri, mas sem olhar para Toby.
— Não contem comigo — diz Ren. — Quem seria maluca de trazer um bebê a esse mundo de agora? — Ela estende o braço para a cabana e as árvores, um minimalismo. — Sem água corrente? Quer dizer...

– Não tenha tanta certeza de que terá essa opção – diz Swift Fox. – No longo prazo. De qualquer forma, devemos isso à raça humana. Não acha?
– Quem seriam os pais? – Lotis Blue mostra algum interesse.
– Faça a sua escolha – diz Swift Fox. – A fila está à esquerda. É só escolher quem tem a língua mais comprida pendurada para fora.
– Nesse caso, suponho que você vai ficar com Ivory Bill – diz Lotis Blue.
– Falei a língua mais comprida? – diz Swift Fox. Ela e Lotis Blue soltam uma risadinha; Ren e Amanda, não.
– Vejamos essas varetas de xixi – diz Ren.

Toby esquadrinha a escuridão. Será que ela deve ir atrás de Zeb? A essa altura ele teria terminado o banho: os banhos na cabana nunca são longos, exceto o de Swift Fox, que gasta toda a água aquecida pelo sol. Mas Zeb não está à vista.

Ela se mantém acordada no cubículo, só por precaução. Seus olhos prateados de luar. As corujas apaixonadas chamam pelos seus pares. E nada do homem que ela deseja.

Erva daninha

Nada de Zeb durante toda a manhã. Ninguém o menciona. Toby não faz perguntas.

Sopa no almoço, com algum tipo de carne – cão defumado? – e *kudzu* ao alho. Bagas que podiam estar mais maduras. Salada de verduras.

– Precisamos descobrir um jeito de obter vinagre – diz Rebecca. – Só assim poderei fazer um molho decente.

– Primeiro teríamos que fazer o vinho – diz Zunzuncito.

– Estou à disposição – diz Rebecca, adicionando sementes de rúcula para um efeito picante na salada. Ela planeja fazer uma salina, uma panela de evaporação, na praia lá embaixo. Caso o litoral esteja seguro, ela comenta. Caso os painballers estejam sob controle.

Após o almoço, é hora de ficar dentro de casa para se proteger do clima. O sol a pino queima, as nuvens de tempestade ainda não se formaram. A umidade torna o ar pegajoso.

Toby permanece no cubículo, tentando tirar uma soneca; em vez disso, mau humor. Sem essa de mau humor, diz para si mesma. Sem essa de lamber ferida. Sem sequer cogitar que há uma ferida para lamber. Mas ela se sente ferida.

Ao final da tarde, após a chuva. Ninguém por perto, exceto Crozier e Manatee, que estão de sentinela. Ajoelhada na horta, Toby extermina as lesmas. Uma atividade que no passado a fazia se sentir culpada – *Pois as lesmas também são criaturas de Deus*, dizia Adão Um, *com o mesmo direito de respirar o ar, conquanto que o façam em algum lugar que seja agradável para elas e não seja no nosso terraço*

-jardim do Edencliff. Agora, porém, exterminá-las é uma saída. Uma saída para o quê? Ela não quer pensar no assunto.

E o pior é que ainda faz um edital consigo mesma. *Morra, lesma malvada!* Joga cada lesma dentro de uma lata com cinzas de madeira e água. Antes eles usavam sal, mas sobrou muito pouco sal. Talvez um golpe rápido com uma pedra seria mais gentil para as lesmas – madeira, cinzas, isso deve ser doloroso. Mas ela não está a fim de pesar a relação de bondade nos métodos de execução das lesmas.

Ela arranca uma erva daninha. *Que maneira mais impensada de rotularmos e descartarmos a santa erva daninha de Deus! Mas erva daninha é apenas um nome que damos a uma planta que nos irrita porque se põe no caminho de nossos planos humanos. Considere o fato de que muitas são úteis, comestíveis e deliciosas!*

Pois é. Não esta aqui. Ambrosia, pelo aspecto. Ela atira a erva na pilha das descartáveis.

– Ei, você aí, Esquadrão da Morte – diz uma voz. É Zeb sorrindo para ela.

Toby se levanta, sem saber o que fazer com as mãos sujas. Ele estava dormindo até agora ou o quê? Ela não pode perguntar se houve ou não houve um casinho com Swift Fox; recusa-se a soar como uma megera.

– Estou feliz por você voltar são e salvo – diz. E está feliz, mais até do que é capaz de dizer, se bem que a voz soa falsa até para ela mesma.

– Eu também – ele diz. – Que jornada, mais do que o esperado. Acabou comigo, dormi como um tronco, talvez eu esteja envelhecendo.

Isso é uma desculpa? Deve ficar muito desconfiada?

– Senti sua falta – ela diz. Na lata. Foi tão difícil assim?

Ele sorri ainda mais.

– Eu sabia – diz. – Trouxe uma coisa para você. – É um estojo de pó compacto, com um espelhinho redondo.

– Obrigada – ela diz, esboçando um sorriso. É um presente de culpa, um pedido de desculpas? Rosas para a esposa depois de uma escapada furtiva do marido com a colega de trabalho do escritório? Mas nem esposa ela é.

– Também peguei papel para você. Cadernos escolares, a drogaria ainda tinha alguns, claro que a criançada da plebe não podia pagar pelos tablets Wi-Fi. Algumas canetas hidrográficas, lápis. Marcadores de feltro.

– Como sabia que eu queria isso? – ela pergunta.

– Já trabalhei com um leitor de pensamentos – ele diz. – Não é uma habilidade corrente entre os jardineiros? Imaginei que você gostaria de se manter em curso com os dias. Ei, que tal um abraço?

– Estou toda enlameada – ela diz cedendo, sorrindo.

– Eu tenho estado mais sujo.

Como ela poderia não se jogar de braços abertos para ele, mesmo com as mãos gosmentas de lesmas?

E o sol resplandece e as abelhas por entre as flores amarelas dos pés de abóbora.

– Sabe do que realmente preciso? – Ela faz a pergunta olhando para a barba cinzenta de Zeb. – Óculos de leitura. E uma colmeia.

– Considere-os seus. – Uma pausa. – Quero que você olhe isso.

Ele puxa um sapato de dentro da manga: uma sandália. Feita à mão de materiais reciclados: pneu, correias de bicicleta, fita adesiva prateada. Não está muito desgastada, embora esteja manchada de terra.

– De jardineiro – diz Toby. Ela se lembra muito bem da moda, ou melhor, da ausência da moda. Depois, se justifica. – Talvez seja. Não que as outras pessoas não fizessem isso, acho eu.

Ela já tem uma imagem na cabeça: Adão Um e os jardineiros sobreviventes agachados em um dos buracos no Ararat – nas velhas adegas de cultivo de cogumelo, por exemplo – enquanto trabalhavam à luz de velas com suas sandálias artesanais de elfos, mordiscando favos de mel e petiscos de soja enquanto lá em cima as cidades ardiam em chamas e desabavam e a raça humana se derretia por nada. Ela deseja de coração que isso seja verdadeiro.

– Onde encontrou isso? – pergunta.

– Perto do leitão morto – responde Zeb. – Eu não quis mostrar para os outros.

– Você acha que isso tem a ver com Adão. Acha que ele ainda está vivo. Acha que ele deixou isso para você... ou para algum outro... de propósito. – Não são propriamente perguntas.
– E você também – diz Zeb. – Você também acha isso.
– Não tenha muita esperança – diz Toby. – A esperança pode arruiná-lo.
– Tudo bem. Você está certa. Mas não diga nada.
– Se você estivesse certo, Adão não o estaria procurando? – ela diz.

LUZ NEGRA

A história de Zeb e Foda

Você não precisa contar uma história todo dia para eles. Em vez disso, venha comigo. Você pode pular uma noite.
 Eu já pulei uma noite. Eu não posso decepcioná-los demais. Eles podem sair daqui e ir para a praia, onde seriam presas fáceis. Aqueles sujeitos da Painball poderiam... Eu nunca me perdoaria se...
 Tudo bem. Mas ao menos pode encurtá-las?
 Eu não sei se isso é possível. Eles fazem um monte de perguntas.
 Peça para que não encham o saco.
 Eles não entenderiam. Pensariam que saco é uma coisa boa. Como *foda* – eles acham que existe uma entidade invisível chamada Foda. Um ajudante fiel de Crake disposto a ajudá-lo nos momentos de necessidade. E também de Jimmy, só porque o ouviram dizer "ó foda".
 Eu estou com eles. Porra! Foda é uma entidade invisível! Ajuda na hora de necessidade! Certíssimo!
 Eles querem ouvir uma história sobre Foda. Na verdade, sobre Foda e você. Suas aventuras de meninos. Vocês dois são as estrelas do momento. Eles estão me enlouquecendo com isso, querendo essa história.
 Posso ouvir?
 Não. Você riria.
 Está vendo esta boca? Fita adesiva virtual! Se houvesse um pouquinho de supercola Krazy, eu colaria... Eu colaria minha boca na sua...
 Não seja pervertido.
 A vida é pervertida. Só estou em sincronia.

...

Muito obrigada pelo peixe.

Vejam, estou usando o boné vermelho, e ouvi a coisa brilhante e redonda que está no meu braço.

Hoje à noite contarei a história de Zeb e Foda para vocês. Conforme me pediram.

Depois que Zeb saiu de casa, onde seu pai e sua mãe não eram gentis com ele, Zeb vagou no meio do caos. Ele não sabia para onde ir, e não sabia onde estava seu irmão Adão, seu único amigo e ajudante.

Sim, Foda também era seu amigo e ajudante, mas Foda não podia ser visto.

Não, não é um animal atrás do arbusto no escuro. É Zeb. Ele não está rindo, ele está tossindo.

Então, Adão, o irmão de Zeb, era seu único amigo e ajudante que podia ser visto e tocado. Se Adão se perdeu? Se o roubaram? Zeb não sabia, e isso o deixava triste.

Mas Foda o acompanhou e o aconselhou. Foda vivia no ar e sobrevoava como um pássaro, só assim ele podia estar com Zeb em um minuto, e depois, com Crake, e depois, com o Homem das Neves-Jimmy. Foda podia estar em muitos lugares ao mesmo tempo. Se você estivesse em apuros e o chamasse – *ó Foda!* –, ele apareceria justamente quando você mais precisava. E assim que dizia o nome dele, você se sentia melhor.

Sim, Zeb tem uma tosse ruim. Mas por enquanto vocês não precisam ronronar para ele.

Sim, seria bom ter um amigo e ajudante como Foda. Eu também gostaria de ter um.

Não, Foda não é meu ajudante. Eu tenho uma ajudante diferente chamada Pilar. Ela morreu e virou uma planta, e agora vive com as abelhas.

Sim, converso com ela, mesmo sem poder vê-la. Mas ela não é assim tão... tão abrupta como Foda. Ela não se parece com um trovão, se parece mais com uma brisa.

Em outro momento contarei a história de Pilar para vocês.

Então, Zeb vagou por mais e mais lugares perigosos, onde um grande número de homens maus fazia coisas cruéis e dolorosas. Até que ele chegou a um lugar onde cozinhavam e comiam os filhos de Oryx, e ele sabia que isso era errado. E quando chamou Foda para ajudá-lo, Foda aconselhou que ele saísse daquele lugar. E depois Zeb viveu em algumas casas com água ao redor, e acabou por conhecer uma cobra. Mas também lá era perigoso e ele então disse: ó Foda! E Foda chegou voando pelo ar e conversou com Zeb e disse que o ajudaria a fugir com segurança.

É o suficiente da história por hoje à noite. Vocês já sabem que Zeb fugiu com segurança porque ele está sentado bem ali, não é? E está muito feliz por poder ouvir essa história. Por isso ele está rindo agora, e não está mais tossindo.

Obrigada pelo boa noite. Fico feliz em saber que vocês desejam que eu tenha um sono tranquilo, sem pesadelos.

Boa noite para vocês também.

Sim, boa noite.

Boa noite!

Isso é o suficiente. Já podem parar de dizer boa noite.

Muito obrigada.

Mundo Flutuante

Um dia Zeb acordou ao lado de Wynette, uma funcionária da SecretBurgers, e sentiu que ela cheirava a grelhados e óleo de cozinha velho. Como certamente também ele, mas era diferente porque sempre é, diz Zeb, quando se trata do seu próprio cheiro. Se bem que não é esse cheiro que você quer no seu objeto de desejo. Isso é algo primevo, é básico, já fizeram os testes. Pergunte a qualquer biogeek maddadamita daqui.

E as cebolas, não se esqueça das cebolas, e aquele horrível molho vermelho em frascos de plástico pelos quais os clientes tanto ansiavam e que tanto apertavam que geralmente os rachavam. Às vezes as coisas esquentavam e durante a briga alguém pegava o frasco de molho vermelho e o esguichava para todos os lados. Logo o molho se misturava ao sangue vertido de um couro cabeludo, e você não sabia dizer se alguém estava sangrando gravemente ou estava lambuzado com o molho vermelho esguichado.

Essa mistura de cheiros que se infiltrava nas roupas e nos cabelos e até mesmo nos poros do corpo era inevitável naqueles que trabalhavam onde eles dois trabalhavam. Não se podia lavar o fedor nem quando havia água no chuveiro, e o fedor piorava quando Wynette esfregava um perfume barato no corpo para neutralizá-lo; Delilah, era o nome, em loção ou colônia, era difícil suportá-lo, era como atravessar um mar de lírios murchos ou um grupo de idosos beatos, como os que povoavam a Igreja PetrOleum. Os dois cheiros – da SecretBurgers e da colônia Delilah – eram perfeitos, se você estivesse com muita fome, ou com muito tesão, ou com ambos. Além do mais, nem era tão doce assim.

Que merda, pensou Zeb ao inalar aquela mistura horrorosa quando despertou de manhã. Não há futuro nisso. Se havia futuro, era negativo, pois além do cheiro esquisito Wynette estava ficando bisbilhoteira. Alegando amor e desejo de conhecê-lo melhor, ela queria explorar as profundezas do eu de Zeb, no sentido figurado. Queria retirar a tampa dele. Se Wynette bisbilhotasse muito – se desembrulhasse uma após outra as frágeis histórias que ele inventava e que não tinham sido construídas com cuidado, ele percebeu e jurou que faria melhor da próxima vez que enganasse alguém –, ela não encontraria nada muito convincente por baixo. E se ela continuasse com isso, talvez fizesse algumas suposições a respeito de onde ele teria vindo, e depois seria apenas uma questão de tempo para que o enganasse a fim de arrecadar alguma recompensa oferecida no mercado cinza, isso ocorria no boca a boca nas redes dos ratos da plebelândia.

A Zeb não restava dúvida de que havia essa recompensa. Talvez baseada em alguns dos seus dados biométricos que circulavam, como fotos de suas orelhas, silhuetas animadas de seu andar e impressões digitais dos seus tempos de colégio. Até onde ele sabia, Wynette não tinha conexões com nenhuma gangue, e felizmente era pobre demais para comprar um PC ou um tablet. Mas durante as férias havia internet barata disponível nos cibercafés, e de repente ela poderia fazer uma pesquisa de identidade na rede, caso ele a irritasse demais.

Ela já começava a emergir do coma induzido por sexo que ele criara pela magia do seu primeiro contato com os velozes e gonádicos filhotes alienígenas. Os rapazes mais jovens não têm lá muito gosto em assuntos sexuais, não discriminam. São como os pinguins que deixaram os vitorianos chocados, se enfiam em qualquer coisa com um buraco, e no caso de Zeb a beneficiária era Wynette. Sem querer se vangloriar, durante aquelas jornadas noturnas os olhos da garota rolavam tanto para cima que ela parecia um zumbi quase o tempo todo, e os gritos amplificados de roqueira que ela dava faziam tremer a loja de bebidas do andar térreo e o ninho dos pobres escravos assalariados no andar de cima.

Mas agora ela confundia a energia animalesca de Zeb com algo mais profundo. Ela queria conversar depois de trepar. Ela queria a essência de ambos compartilhada em nível espiritual. Ela começava a perguntar coisas: seus seios eram grandes o suficiente? Ela ficava bem de verde-limão? Por que eles não trepavam mais duas vezes por noite como faziam no início? Eram perguntas que o pegavam de qualquer maneira que respondesse. Os interrogatórios noturnos já estavam ficando cansativos. No fim das contas, concluiu Zeb, talvez os meus sentimentos por Wynette não sejam amor de verdade.

– Não me olhe assim. Eu era muito jovem. E não se esqueça de que eu tinha sido indevidamente socializado – diz Zeb.
– Olhar assim como? – diz Toby. – Está mais escuro que dentro de uma cabra. Você não pode me ver.
– Mas posso sentir o seu olhar glacial de pedra.
– Só sinto pena dela, isso é tudo – diz Toby.
– Você não sente, não. Se eu tivesse ficado com ela, não estaria aqui com você, certo?
– Tudo bem. É verdade. Sem essa de pena. Mesmo assim.

Mas Zeb não foi um merda completo. Deixou uma grana e um bilhete de adoração eterna para Wynette, cujo P.S. dizia que ele tinha a vida ameaçada por conta de um negócio sujo – não disse de que tipo – e que a ideia de colocá-la em perigo era insuportável para ele.
– Usou mesmo essa palavra? – pergunta Toby. – Perigo?
– Ela gostava de romance – responde Zeb. – De cavaleiros e coisas do gênero. Ela, aliás, tinha alguns livros antigos de bolso que já estavam no quarto quando o alugou. Caíam aos pedaços.
– E você não quis fazer o papel de cavaleiro?
– Não para ela – diz Zeb, beijando a ponta dos dedos de Toby. – Para você, espadas ao amanhecer ou a qualquer hora.
– Não consigo acreditar nisso – ela diz. – Você acabou de me mostrar que é um mentiroso!
– Pelo menos assumo isso para você – diz Zeb. – A mentira é mais trabalhosa do que a verdade nua e crua. Pense nisso como um galanteio. Estou envelhecendo, estou usado e rasgado e não tenho

um pênis gigante e azul como o dos nossos amigos crakers lá fora, então preciso usar minha esperteza. O que restou dela.

Zeb pegou a estrada rumo sul, na rota da Truck-A-Pillar, e só descansou nas ruínas de Santa Monica. O mar tinha varrido as praias, e os hotéis de luxo e os condomínios do passado estavam quase inundados. Algumas ruas tinham virado canais e a vizinha Venice fazia jus ao seu nome. O distrito como um todo era conhecido como Mundo Flutuante, e realmente flutuava a maior parte do tempo, especialmente quando a lua cheia trazia a maré de sizígia.

Nenhum dos proprietários originais residia naquele lugar. Impossibilitados de coletar o seguro – o que era a invasão do mar senão um ato de Deus? –, procuraram lugares mais altos. Embora invasores e hóspedes temporários de todos os tipos lá estivessem instalados, não restara qualquer serviço municipal: sem mais sistema de esgoto e adutoras e com a eletricidade cortada algum tempo antes.

Mas o distrito adquirira um toque de decadência classuda, e os apostadores de meia-idade das elegantes propriedades mais acima dispunham-se a se aventurar naquele Mundo Flutuante para uma dose ímpar e emocionante de boemia, navegando pelas ruas inundadas em pequenos táxis aquáticos movidos a motores solares precários e barulhentos. Chegavam para o jogo, o tráfico ilegal de substâncias e as garotas, mas também para as atrações carnavalescas que ocorriam em tempo real de um edifício em ruínas para outro edifício em ruínas, e também para o movimento das lojas quando a região estava muito alagada ou quando o litoral e as propriedades tinham sido varridos por uma violenta tempestade.

Em termos lucrativos eram muitas ofertas no Mundo Flutuante, uma vez que nenhum operador pagava aluguel ou imposto. Rolavam jogos de azar da manhã à noite, com um grupo rotativo de gamers de olhos turvos insatisfeitos com os jogos on-line e em busca da viciosa adrenalina de um perigo em potencial. Afora isso, eles queriam a liberdade do anonimato; achavam que a internet estava entupida de espias, como qualquer motel da Truck-A-Pillar, e não queriam deixar vestígio algum de DNA virtual para trás.

Havia uma loja de bonecas, onde se misturavam garotas de verdade e prostitutas robôs, o que dependia da quantidade de interação pré-programada que você quisesse, se bem que era impossível apontar a diferença entre elas. Havia um grupo de acrobatas de rua que se apresentava com tochas acesas em cordas altas sobrepostas às ruas alagadas, se bem que às vezes eles quebravam alguma parte do corpo, como o pescoço. A possibilidade de lesão ou de morte era um forte atrativo: uma vez que o mundo on-line tornava-se cada vez mais pré-editado e polido, e até mesmo os chamados *reality sites* levantavam questões sobre a autenticidade na mente dos espectadores, o mundo físico, bruto e sem polimento assumia um fascínio místico.

Uma das atrações carnavalescas era um mágico de olhos tristes de uns cinquenta anos que vestia um terno folgado e talvez furtado de um brechó: o que ele fazia era ilimitado. Montava um palco improvisado no mezanino bolorento de um antigo hotel de primeira classe, onde além de ler mentes manipulava cartas, moedas e lenços e serrava mulheres ao meio, fazendo-as desaparecer de armários. Eram prazeres banidos da televisão e da internet porque tais demonstrações de habilidade não eram tangíveis no mundo digital e, portanto, despertavam desconfiança; como é que se poderia garantir que não passavam de efeitos especiais? Mas quando o mágico do Mundo Flutuante enfiava um punhado de agulhas na boca, você podia ver que eram agulhas de verdade, e quando elas retornavam com uma linha, você podia tocar na linha; e quando ele jogava um baralho de cartas para o ar e o ás de espadas se prendia no teto, você via isso acontecer em tempo real, bem na frente dos seus olhos.

O mezanino estava sempre lotado nas sextas-feiras e sábados à noite, dias dos shows do mágico do Mundo Flutuante. Ele se denominava Mão de Slaight, inspirado em Allan Slaight, historiador do século XX das artes herméticas. Mas grande parte do público ignorava isso.

Zeb, no entanto, não ignorava, pois encontrou trabalho com Mão de Slaight. Fazia o papel de Lothar, o assistente musculoso que vestia um traje feito de pele de leopardo artificial. Era ele que erguia o armário e o virava de cabeça para baixo para mostrar que estava vazio, e colocava a linda assistente dentro da caixa onde ela seria serrada. De vez em quando ele se fazia passar por espectador, pegando informações para o ato de leitura da mente ou expressando espanto para distrair a atenção do público. Durante o dia fazia compras fora do Mundo Flutuante, em lugares onde havia pequenos supermercados e pessoas que acordavam pela manhã.

– Aprendi muito com o velho Mão de Slaight – diz Zeb.
– A serrar mulheres ao meio?
– Isso também, embora ninguém possa serrar mulheres ao meio. O truque era fazer o público sorrir enquanto você fazia isso.
– Talvez tivesse espelhos – diz Toby. – E fumaça.
– Jurei guardar segredo. A melhor coisa que aprendi com o velho Slaight foi apontar para a direção errada. Fazer o público olhar para outra coisa que não era o que você realmente fazia, e você pode fazer desaparecer muita coisa. Slaight chamava as lindas assistentes de Miss Direção. Era o nome genérico delas.
– Talvez porque ele não conseguia distinguir uma da outra?
– Talvez não. Ele não se interessava pelas garotas dessa maneira. Mas elas precisavam ter boa aparência e lantejoulas, não muitas lantejoulas. A Miss Direção do momento era Katrina Wu, uma híbrida fusão asiática com olhos de lince de Palo Alto. Fiz de tudo para me aproximar de Katrina WooWoo; eu a chamava assim... Fiquei impetuoso depois que Wynette, a funcionária da SecretBurgers, me abriu um mundo de possibilidades. Mas WooWoo, a Miss Direção, não sentia o mesmo. Nos fins de semana eu a tinha nos braços enquanto a colocava nas caixas e nos armários, onde ela era serrada e desaparecia, e a apertava de um jeito estranho quando a colocava na mesa onde ela levitava; isso era uma dica de segundas intenções, mas ela sorria e sibilava para mim: *Pare com isso agora*.
– Você sibila direitinho. Claro que serrada ao meio ela perdia todos os fluidos vitais.
– Não. Um dos acrobatas trapezistas cuidava muito bem desses fluidos. Ela aprendia dança de trapézio com esse cara nos dias em que não trabalhava para Mão de Slaight; eles eram uma atração na

corda bamba. Ela usava dois tipos de roupa, uma de pássaro, outra, de cobra. Na atração da cobra ela se apresentava com uma serpente de verdade que parecia uma jiboia lobotomizada. Era chamada de March porque segundo Miss WooWoo março era o mês da esperança e aquela jiboia encarnava a esperança.

"Ela parecia gostar da coisa; deixava a cobra fazer contorções em volta do seu pescoço durante alguns espetáculos. Fiz amizade com March, pegando ratos para ela. Achei que aqueles ratos aterrorizados seriam um caminho até o coração de WooWoo, mas sem chance."

– Que ideia é essa de mulheres e cobras? – pergunta Toby. – Ou de mulheres e pássaros.

– A ideia é que vocês são animais selvagens – diz Zeb. – Debaixo dos ornamentos.

– Você quer dizer estúpidas? Ou subumanas?

– Calminha. Quero dizer ferozmente fora de controle, no bom sentido. Uma mulher escamosa, emplumada, é uma poderosa atração. Leva uma vantagem, como uma deusa. Risco. Extremo.

– Tudo bem, é melhor acabar com essa diferença. E o que aconteceu depois?

– *Aconteceu* que um dia Katrina WooWoo e o cara da corda bamba se mandaram. E levaram a jiboia March junto. Isso me incomodou, nem tanto pela cobra, muito mais pela srta. WooWoo. Já estava infectado pelo dardo purulento de Cupido. Confesso que fiquei um trapo.

– Não consigo imaginá-lo deprimido – diz Toby.

– Mas fiquei, como se tivesse levado um pé na bunda. Como ninguém notou, só doeu mesmo na minha bunda. O que se dizia na rua era que Katrina e o trapezista tinham viajado para o leste a fim de fazer fortuna. Alguns anos depois descobri que eles tinham usado a tal ideia de "cobra e pássaro" para abrir um negócio chamado Scales & Tails. Começou pequeno e logo se tornou uma franquia. Só depois disso é que a Corps assumiu o comércio de sexo.

– Como a Scales do Buraco Fundo, perto do terraço-jardim do Edencliff? Divertimento para adultos?

— Isso mesmo. Onde os jardineiros recolhiam as sobras de vinho para fazer vinagre. Mesma franquia. De qualquer forma, salvou a minha bunda num momento crucial, mas falarei disso mais tarde.

— Será sobre você e a mulher-cobra? Será que finalmente você marcou um ponto? Mal posso esperar para ouvir. A jiboia também está na história?

— Fica fria. Estou tentando manter a ordem cronológica. E se quer saber, nem tudo gira em torno da minha vida sexual.

Toby quer dizer que muito disso já foi longe demais, mas se abstém; não é justo exigir toda a história e depois opor-se a tudo, ela deixa isso transparecer.

— Tudo bem — diz.

— Depois que Katrina WooWoo desapareceu do Mundo Flutuante, o velho Mão de Slaight saiu em busca de outra Miss Direção e de um espaço de exibição esteticamente mais atraente que não estivesse quase dentro d'água. Eu já estava desempregado mesmo, o que provavelmente era mais do que bom porque passei a cogitar um destino melhor para mim, e de olhos abertos e orelhas em pé acabei notando dois sujeitos que estavam por perto, fazendo um esforço danado para se mostrarem encaixados no ambiente, dando uma de ralé. Você sabe quando um homem está usando pela primeira vez um rabo de cavalo gorduroso, um bigode desleixado, joias berrantes e fazendo caretas demais. Eles vestiam calças erradas e, se não cometiam o erro de usá-las ainda novas, como Chuck, os rasgos e as manchas eram artificiais demais. Pelo menos foi essa a minha avaliação. Enfim, eu já estava perto da Truck-A-Pillar e poderia pegar uma carona.

"Dessa vez percorri o México de ponta a ponta. Pois por mais que Rev estendesse os seus tentáculos, ele não poderia me alcançar naquela distância."

Hackeria

No México, inúmeros traficantes de drogas paranoicos presumiram que Zeb também fosse um traficante paranoico, cujos interesses se confrontavam com os deles. Após alguns incidentes em que uns sujeitos – com tatuagens enigmáticas e cortes de cabelo com tulipas desenhadas à navalha – o peitaram de cara feia, e uns quase acidentes com facas para deixar as coisas claras, ele desceu pelo mapa, mudando de identidade durante o caminho. Para evitar problemas, ele pagava em dinheiro vivo para não deixar ciber-rastros com suas outras identidades, fosse como John, Roberto ou Diaz.

Depois de sair de Cozumel, ele atravessou as ilhas do Caribe e chegou à Colômbia. Embora tivesse aperfeiçoado a habilidade de beber com estranhos em bares, sobrevivendo a essas lições e a outras mais, nada em Bogotá lhe propiciou novas possibilidades, sem falar que ele se sobressaía demais.

No Rio foi outra história. O apelido da cidade era então Hackeria; isso antes de os ataques de minidrones e os atos de sabotagem à rede elétrica despacharem os operadores realmente sérios – os que sobreviveram – para as selvas do Camboja, onde se estabeleceram novamente. Naquela época, no entanto, o Rio estava no seu apogeu e era apregoado como o Velho Oeste da web, cheio de jovens cibermarqueteiros vigaristas de todas as nacionalidades. Havia uma horda de clientes em potencial: empresas que espionavam para outras empresas, políticos que montavam redes para outros políticos, e a isso se seguiram os interesses militares que pagavam melhor do que todos os outros, embora fizessem uma quase perfeita checagem de segurança dos candidatos a funcionários. E Zeb não queria isso. Mas no geral o Rio era um mercado do vendedor: mãos rápidas eram contratadas, nada de perguntas, e não importava a sua aparência, você acabaria se misturando desde que tivesse uma cara estranha.

Zeb já não tinha a mesma destreza no teclado, considerando o tempo que passara preparando hambúrgueres, auxiliando Mão de Slaight, cobiçando Miss Direção e lutando com a jiboia, mas não demorou para readquirir a flexibilidade de antes. Foi quando saiu à procura de trabalho. Em uma semana encontrou um espaço adequado para o seu talento.

Empregou-se na Ristbones, um grupo especializado em pirataria de urnas eletrônicas. Isso além de ser rentável tinha sido fácil na primeira década do século – ao controlar as máquinas você podia favorecer ou desfavorecer qualquer candidato, caso os votos reais estivessem equiparados. Mas com a indignação fazendo muito alvoroço e a aparência de democracia ainda tida como digna de ser preservada, instalaram-se os firewalls e agora o trabalho era mais complexo.

E também chato – era como um trabalho de crochê através de um rendilhado bastante elementar que servia mais de exibição e menos de prevenção. Você cochilava enquanto tentava se interessar pelo trabalho. Zeb então aceitou sem pestanejar uma oferta da Hacksaw Inc. Embora não estivesse bêbado na ocasião, a vodca esteve envolvida. Isso e um monte de tapinhas nas costas e gargalhadas de camaradagem e elogios. Três sujeitos simpáticos fizeram a seleção, um com mãos grandes e outro com muito dinheiro. O terceiro provavelmente era o eliminador: o cara não falou muito.

Situada dentro de um iate ancorado no Rio, a Hacksaw se fazia passar por um bazar de sexo onde valia tudo. Isso não era apenas uma fachada porque o lugar oferecia de tudo no quesito jogos sexuais, dentro ou além das expectativas. Ele passou quatro semanas nervosas naquela estrela da morte, trabalhando para um bando de russos contrabandistas decadentes de vaginas que, cansados de lamúrias, menstruações e refeições para mercadorias humanas, sonhavam complementar a renda sem preocupações com tecidos macios. Colocaram Zeb para hackear o PachinkoPoker on-line para fins de roubo, e isso era um estresse porque – segundo os outros escravos de códigos – o pessoal da Hacksaw sempre o jogava para escanteio quando achava que você estava demorando demais para desvendar a bordadura digital.

Ou quando você fazia amizade com o software. O mau uso do software era tolerado, mas sem danificar o produto porque o dano era um privilégio reservado aos clientes pagantes. No salário da equipe de hackers incluíam-se cupons semanais de tempo grátis, junto a fichas de jogo e refeições e bebidas como cortesia. Mas ligações sentimentais eram estritamente consideradas como fora dos limites.

O negócio do bazar de sexo da Hacksaw ultrapassava o mau gosto, especialmente quando içavam crianças das favelas, cujo uso tinha um tempo de validade limitado; elas eram viradas do avesso e despachadas para o além em três tempos. O que para Zeb estava muito próximo da prática de Rev na criação dos filhos, e talvez ele tenha deixado isso às claras porque a cordialidade jovial dos seus camaradas logo se arrefeceu. Depois de ter cumprido um mês de contrato, ele surrupiou uma lancha, dividindo algumas vodcas com um guarda russo e depois o abatendo, embolsando a identidade dele e o jogando no mar. Foi a primeira vez que ele matou alguém, e pior para o guarda que era um idiota burro que deveria ter pensado melhor antes de confiar naquele jovem malandro que, se era inexperiente, tinha boa envergadura – por definição, considerando que Zeb trabalhava para a Hacksaw.

Zeb se apropriou de algumas senhas e de algumas linhas do código da Hacksaw. Talvez o material viesse a calhar. Em seguida utilizou os cupons para reservar uma hora do tempo de uma garota, convenceu-a com galanteios a agir como Miss Direção e levou-a para caminhar. Ela então cruzou de camisola transparente com um guarda bebum, sedutora e furtiva apenas o suficiente para fazer aquele cérebro de cocô virar – *aonde você está indo?*

Zeb chegou a pensar em deixá-la no iate, mas sentiu pena dela. Os camaradas acabariam sabendo que a garota tinha servido de chamariz, consciente ou inconscientemente, e sem a menor complacência a esmagariam como uma batata. Ela só estava naquele iate porque tinha sido atraída para longe de sua cidade natal, a velha e desusada Michigan, com seduções espúrias e algumas bajulações de terceira categoria. Foi convencida de que tinha talento; foi convencida de que o trabalho era apenas dançar.

Claro que ele não foi estúpido a ponto de levar a lancha para uma marina conhecida. Os camaradas já teriam notado as duas ausências – três, incluindo a do guarda – e estariam à espreita. Ele atracou num hotel da costa e escondeu a garota atrás de uma fonte ornamental, antes de entrar nos corredores para reservar um quarto com a identidade do guarda. Depois, trabalhou o código mestre e sorrateiramente entrou num quarto bem abastecido, onde conseguiu algumas roupas para ela e uma camisa para ele; era pequena, mas bastava arregaçar as mangas. Ele rabiscou com sabão um recado ameaçador da Miss Direção no espelho do banheiro – *Volto mais tarde. Vingança.* Quase todos os caras que frequentavam lugares como aqueles tinham no mínimo um bandido violento e ressentido no seu passado, de modo que as chances eram de que rapidamente deixariam o hotel sem reclamar das peças que faltavam no guarda-roupa.

Nem das chaves do carro. Nem do carro.

Os dois já estavam distantes quando ele encontrou um cibercafé, onde navegou por um atalho volátil, até chegar a um dos 0,09% dos seus esconderijos secretos, e depois transferiu uma pequena quantia para uma conta diferente, onde ele próprio faria o saque; completada a operação, apagou todos os rastros. Em seguida pegou emprestado outro carro que estava disponível. As pessoas eram descuidadas.

Até então, tudo bem. E a garota? Chamava-se Minta, o nome lembrava uma goma de mascar orgânica. Fresca, verde. A garota tinha se mantido firme durante a fuga, silenciosa e sem perder a coragem. Mas provavelmente também estaria em estado de choque por toda aquela barra-pesada. Algo deteriorava de dentro para fora, mental ou fisicamente, ele não sabia dizer.

Ela ficava bem quando eles estavam à vista, em ruas ou em lojas – ela agia normalmente por períodos curtos, mas quando eles estavam sozinhos, em salas ou em quartos ou até em carros, ziguezagueando rumo norte e oeste, ela se dedicava a duas únicas especialidades: chorar copiosamente e olhar para o vazio. Ela não se distraía nem com televisão nem com sexo. Compreensivelmente, não deixava que Zeb a tocasse, mas como gratidão e como forma de pagamento se ofereceu para qualquer coisa que estivesse ligada à masturbação.

– E mesmo assim você a pegou? – diz Toby em tom leve. Como sentir ciúmes de um espectro destroçado?

– Não, por uma questão prática – diz Zeb. – Isso não seria divertido. Eu poderia contratar uma prostituta-robô punheteira em qualquer shopping. Foi mais divertido para mim dizer que isso não era necessário. Depois disso, ela me deixava abraçá-la. Eu pensava que poderia acalmá-la, mas só a fazia estremecer.

Minta começou a ouvir coisas – passos furtivos, respiração pesada, ruídos metálicos estrepitosos. Ficava assustada cada vez que saía dos quartinhos de hotel onde se hospedavam. Embora Zeb tivesse grana para hospedagens de mais classe, era melhor se ocultar nos subterrâneos da plebelândia, nas sombras.

É triste dizer, Minta acabou pulando de uma sacada em San Diego. Zeb não estava no quarto, estava comprando café na rua, mas avistou uma aglomeração e ouviu uma sirene. Ou seja, ele teria que deixar a cidade às pressas para evitar uma investigação, caso houvesse, o que significava que ele poderia entrar no topo da lista como suspeito de assassinato, caso as autoridades decidissem levar o caso adiante, o que se fazia cada vez menos. De um jeito ou de outro, por onde eles começariam? Minta estava sem identidade. Ele não tinha deixado nada para trás – ele sempre carregava tudo quando saía de um quarto. Mas haveria câmeras de segurança nos arredores? Nas sombras da plebelândia, provavelmente não, sem bem que isso nunca se sabia.

Zeb seguiu para Seattle, onde deu uma olhadela no atalho dos zéfiros, no *Nascimento de Vênus* que dividia com Adão. Encontrou uma mensagem: "Confirme se você ainda está no corpo." Às vezes Adão ecoava o padrão de linguagem de Rev de um modo assustador.

"Em que corpo?", postou Zeb em resposta.

Foi como a velha piada que ele fazia, tirando sarro do comentário piedoso e fúnebre de Rev em relação ao ato de sair do corpo. Fazia essa piada de um modo que Adão soubesse que era realmente ele e não algum imitador chamariz. Mas talvez Adão tivesse plantado essa questão do corpo de propósito. Pois sabia que Zeb não resistiria a uma resposta peculiar e que um Zeb falso daria uma resposta direta. Adão geralmente estava muitos passos à frente da curva.

O próximo passo o levou até Whitehorse. Ele tinha ouvido falar de Bearlift em algum bar no Rio, e achou que seria um bom lugar para se esconder porque ninguém imaginaria que ele estivesse lá. Não a Hacksaw, que teria um acerto de contas diferente: eles o procurariam em outros pontos de hackers, como Goa. E muito menos Rev: Zeb nunca demonstrara o menor interesse pela vida selvagem.

– Foi assim que acabei no deserto das montanhas Mackenzie, vestindo uma pele de urso e pulando em cima de um motoqueiro para fugir e sendo confundido com o Pé-Grande – diz Zeb.

– Compreensível – diz Toby. – Talvez eles tivessem pensado o mesmo sem a pele de urso.

– É um sarcasmo?

– É um elogio.

– Vou pensar a respeito. Enfim, a virada das coisas não me deixou triste.

De novo às pressas para Whitehorse: lá estava ele então lavado, vestido e em sã consciência, caso isso houvesse. Evitava a sede da Bearlift e os buracos habituais dos biriteiros porque aquela gente achava que ele estava morto, e por que ele sacrificaria as vantagens que a inexistência poderia trazer? Assim, passou grande parte do tempo dentro de um quarto de motel, mastigando petiscos de amendoim artificial e pedindo pizza e assistindo ao *pay-per-view* enquanto arquitetava o próximo movimento. Para onde ir depois de Whitehorse? Como sair? O que escolheria para sua próxima encarnação?

Além disso, ele se perguntava: quem tinha mandado Chuck enfiar aquela agulha nele? Qual dos diversos grupos que tinham interesse em abatê-lo usaria um idiota inepto como Chuck para lançar o dardo envenenado?

Prato frio

Zeb existia em dois estados: no modo camuflado daquele momento, um rosto qualquer com um nome falso, e no disfarce anterior, frito como batata frita num acidente de tóptero. Coitado, diriam alguns, mas isso era conveniente para os outros. E conveniente para ele também.

Mas Adão não podia pensar que ele estava morto – ocorrera um longo hiato de comunicação entre ambos durante a estadia na Bearlift. Zeb então precisava fazer contato antes que vazasse outro tipo de notícia.

Depois de juntar todas as roupas, incluindo o quepe de aviador, a jaqueta estofada com penas artificiais de ganso e os óculos escuros, Zeb fez uma incursão em um dos dois cibercafés locais, um estabelecimento limpo chamado Cubs'Corner que servia bebidas de soja orgânica túrgida e muffins gigantes mal-assados. Ele pediu as duas coisas, a preferência pelos alimentos locais era uma questão de princípio. Em seguida pagou em dinheiro vivo por meia hora de tempo na net e enviou uma mensagem para Adão via atalho zéfiro. "Alguns idiotas tentaram me matar. Todo mundo acha que estou fodi... morto."

Recebeu a resposta dez minutos depois: "Renunciar aos palavrões melhora a digestão. Continue morto. Procure um trabalho. Siga até a área ASAP de Nova Nova York e conecte-se comigo de lá."

"Tudo bem, você me consegue ID para trabalho?", ele enviou de volta.

"Sim. Aguarde", respondeu Adão. Onde ele estaria? Nenhuma pista dele. Talvez tivesse desembarcado em algum lugar onde se sentiu seguro ou o mais seguro possível. Zeb sentiu-se aliviado.

Perder Adão seria como perder um braço e uma perna. E a parte superior da própria cabeça.

Ele retornou ao quarto de motel e começou a pensar na logística para chegar à Nova Nova York. Como um morto, recomposto por nova identidade, de modo que poderia pegar o trem-bala, se conseguisse pegar uma carona na Truck-A-Pillar até Calgary, digamos.

Mas o enigma principal ainda o incomodava. Quem teria usado Chuck para acabar com ele? Ele tentou esmiuçar. Antes de tudo, quem teria descoberto onde ele estava? E o encontrado na Bearlift? Na ocasião ele se chamava Devlon, e antes, Larry, e antes, Kyle. Ele não tinha cara de Kyle, mas às vezes era melhor assumir um tipo oposto. E antes ele tinha usado pelo menos uns seis nomes.

Grande parte das identidades tinha sido comprada na zona mais cinzenta do mercado cinza, e aqueles sujeitos não teriam qualquer vantagem em entregá-lo: eles tinham seus negócios para administrar, tinham que manter a confiança do cliente, e de qualquer forma não tinham como identificá-lo para um comprador. Zeb era apenas outro caloteiro em fuga de dívidas impagáveis, ou de esposas vorazes, ou de peculatos na Corp, ou de roubo de IP, ou de roubo de loja de conveniência, ou de assassinatos psicopatas envolvidos com transformismos e pés de cabra; e eles não se importavam com nada disso. Eles tinham feito perguntas preliminares, fingindo-se de ordeiros e éticos – não de amadores filhos da puta –, e Zeb tinha respondido com travessas de besteiras requentadas que eram uma boa merda para as duas partes. Mas era educado trocar esse tipo de mesuras, de modo que quando eles diziam "Estamos felizes por ajudar" e assim por diante, isso significava "Vamos ver o dinheiro".

Então, se algum ciberdetetive quisesse remover os inúmeros disfarces de Zeb, isso demandaria um dispêndio de recursos considerável. Ele tinha uma trilha muito bem acobertada, a menos que se soubesse exatamente para onde olhar. E para isso seria necessária muita motivação.

A Ristbones acabou descartada, o que ele teria feito cujo vazamento pudesse causar confusão? A pirataria nas urnas eletrônicas era um segredo aberto, mas a despeito dos rumores midiáticos, ninguém queria voltar para o velho sistema de cédulas de papel, e a

Corp, proprietária das urnas, escolhia os vencedores e recebia as propinas de quem tinha feito um trabalho lunar de relações públicas. Além do mais, os opositores contumazes eram difamados como comunistas porque estragavam a diversão de todos, até mesmo daqueles que não se divertiam. Eles poderiam estragar a diversão mais tarde. A diversão nas alturas.

Enfim, ele não era uma ameaça para a Ristbones, e mesmo que tentasse fazer um acordo do tipo pão dormido, comum na sociedade civil da ralé, atribuiriam a ele um caso terminal de herpes cerebral. Se ele fosse maluco, teria tentado invadir as máquinas – código do senado virtual ou algo assim – como uma demonstração de que era fácil.

– Mas você não era maluco – diz Toby.

– Eu poderia ter feito isso por uma boa causa, se tivesse tempo. Seria como uma daquelas brincadeiras efêmeras utilizadas pelos gênios do teclado, como eu, para sinalizar objeções ineficazes ao sistema.

– Então, com a Ristbones fora... – diz Toby. – Seria a Hacksaw?

– Eles tinham um motivo para dar o troco – diz Zeb. – Eu tinha matado o guarda, roubado a lancha, raptado espetacularmente uma de suas donzelas em perigo, e pior, eu os tinha mostrado como desleixados. Pude vê-los querendo me transformar em exemplo público... me amarrariam em alguma ponte ou algo assim, sem uma perna e sem todo o sangue, e me exibiriam como uma cartilagem. Mas para capitalizar em cima da publicidade, eles teriam que revelar o que eu tinha feito e acabariam entrando pelo cano.

"De qualquer forma, não pude vê-los me rastreando até a Bearlift, em Whitehorse. Ficava muito longe do Rio, e eles provavelmente concluiriam que seria um lugar coberto de neve e iglus, se é que pensariam a respeito. Mais do que isso, aqueles caras não contratariam um almofadinha como o Chuck. Eu sequer os imaginava juntos no mesmo bar. Aqueles tipos da Hacksaw precisavam estar com você em algum bar antes de contratá-lo, e Chuck não combinava. Ele tinha o guarda-roupa errado. Ninguém da Hacksaw correria o risco de contratar um cara que vestisse aquelas calças ridículas."

Quanto mais ele pensava em Chuck, no aspecto nojento e limpinho de Chuck, mais achava que ali estava a chave. A bajulação amistosa, a genialidade dos falsos dentes brancos... Poderia ser alguém da Igreja PetrOleum. Rev e seus comparsas, de jeito nenhum, nem mesmo comparsas profissionais contratados poderiam rastrear Zeb em todas as suas voltas e reviravoltas. De jeito nenhum.

Ele percebeu que não estava olhando direito para o todo. Rev e toda a igreja, e suas ramificações religiosas como os Frutos Conhecidos, e seus amigos políticos – todos odiavam ecomaníacos. A publicidade ecológica mostrava coisas como uma linda garota loura ladeada por espécies ameaçadas e particularmente repulsivas, como o sapo do Suriname ou o grande tubarão-branco, estampando uma pergunta: *Isto? Ou isto?* O que significava que todas aquelas lindas garotas louras poderiam ser degoladas para que os sapos do Suriname pudessem sobreviver.

Por extensão, quem gostasse de cheirar margaridas e de ter margaridas para cheirar, e quem comesse peixe sem mercúrio e se opusesse a dar à luz crianças com três olhos pelo consumo do lixo tóxico da água era um assecla satânico possuído pelas trevas que teimava em sabotar o estilo americano de ser e o Óleo Sagrado de Deus, ambos eram a mesma coisa. E apesar de sua lógica distorcida e de seu desajeitado sistema de entrega, a Bearlift situava-se em uma área geográfica onde era possível extrair mais petróleo, ou canalizá-lo com as habituais avarias, derrames e encobrimentos.

Logicamente, Rev e seu círculo teriam tentado se infiltrar na Bearlift, a qual, por sua vez, não era lá muito exigente em relação aos contratados. Chuck seria um beato da PetrOleum enviado para ficar de olho e informar os malefícios tramados pelos biofodedores. Ele não estaria atrás de Zeb em particular, mas o teria reconhecido quando os dois deram de cara. Chuck teria se aproximado de Rev e compartilhado fotos de família. *O filho ingrato. Mas você... o filho que eu gostaria de ter tido.* Suspiro. Sorriso melancólico. Mão no ombro. Tapinha viril no ombro. Algo assim.

O que teria se seguido: relatório com delações de Chuck, instruções de Rev, aquisição da seringa com veneno, tentativa frustrada no tóptero. E os destroços em chamas.

Isso enraiveceu Zeb novamente.

...

Ele juntou todas as roupas novamente e saiu para enviar outro lote de mensagens. Dessa vez, em outro cibercafé da cidade, Presto-Thumbs, um reduto miserável dentro de um pequeno shopping. Ficava ao lado de um remoto empório háptico de sexo interativo chamado Sensação Real: "Sensação Real! Troca Real! Segurança Total! Excitações, Ejaculações, Sem Micróbios!" Ele resistiu à nostalgia ao passar pela Sensação Real e conectou-se na Thumbs.

Primeiro, enviou uma mensagem para o Ancião da Igreja Petr-Oleum, anexando dados sobre o desfalque de Rev e informando que o dinheiro em espécie não estava mais na conta bancária Canary Islands Grand Cayman, onde realmente estava, mas em forma de ações dentro de uma caixa metálica enterrada sob as pedras do jardim de Trudy. Aconselhou ao Ancião que não levasse apenas seis homens com pás, mas também uma equipe de segurança armada porque Rev estava armado e podia ser perigoso. Assinou a mensagem como "Argus". O gigante de cem olhos da mitologia grega cujas fotos estavam no mesmo site que sediava *O nascimento de Vênus*. Claro que uma centena de olhos não o tornava atraente do ponto de vista estético. Nesse site também havia uma deusa com uma centena de mamas, o que ilustrava que mais nem sempre é melhor.

Já tendo arruinado – era o que ele esperava – a noite de Rev que estava por vir, ele limpou a conta secreta de Rev na Cayman. Vez por outra a espionava durante as viagens, apenas para se certificar de que Rev seguia as instruções e o deixava em paz. Sim, tudo ainda estava lá. Ele transferiu o montante para uma conta aberta para Adão sob o nome de Rick Bartleby, para quem também elaborou uma identidade convincente: Rick era um agente funerário em Christchurch, Nova Zelândia. Enviou uma mensagem para Adão, dizendo-lhe que acessasse o mamilo direito de Vênus, onde encontraria o número de uma conta e uma senha e teria uma grande surpresa. Foi um prazer imaginar que finalmente Adão clicaria num mamilo.

Zeb também achou que devia enviar uma mensagem para a Bearlift, fazendo-os saber que tinham sido infiltrados por Chuck e sugerindo que seria melhor se fizessem uma varredura dos antecedentes de almofadinhas que apareciam do nada, especialmente os que vestiam roupas novas com muitos bolsos; alertou-os ainda para o fato de que nem todos os consideravam biofodedores charmosos como eles próprios se consideravam. Assinou a mensagem como "Pé-Grande", isso o levou a se arrepender assim que clicou em Enviar: era quase uma pista.

Em seguida ele retornou para aquele motel fuleiro e sentou-se no bar, onde tinha uma TV de tela plana, e aguardou as notícias do Rev-O-Rama Show. Claro, a descoberta dos ossos e restos de Fenella agitou os telejornais da noite em todo o país. Lá estava Rev, cobrindo o rosto ao ser preso; lá estava Trudy, doce como um milk-shake, enxugando os olhos e declarando que não fazia ideia de nada e que se aterrorizava só de pensar que tinha vivido todos aqueles anos com um assassino implacável.

Jogada inteligente, pontos para Trudy; não poderiam acusá-la de nada. A essa altura Trudy já devia saber sobre o estoque secreto de dinheiro do Rev – os anciãos a teriam interrogado sobre os fundos desviados – e teria concluído que ele já planejava uma cova para ela. E planejava escapar para uma casa segura do outro lado do mar, onde poderia pegar um sol e acariciar os filhos menores, ou esfolá-los; enfim, o que lhe viesse à cabeça no momento. Isso porque claro que ela sabia, claro que ela sabia que o tempo todo ele tinha sido infiel a ela. Mas ela optara por não saber.

Ele vestiu as roupas de inverno novamente e caminhou até o Cubs' Corner, de onde mandou outra mensagem para Adão – curta, apenas o endereço da página onde estava a notícia sobre a detenção. Adão certamente se sentiria feliz: com Rev preso ou ao menos cerceado nos movimentos, os dois irmãos poderiam respirar um pouco mais.

Mas Zeb precisava deixar Whitehorse imediatamente. Os homens da justiça criminal, ou algo do gênero, talvez estivessem tentando rastrear a mensagem enviada para o Ancião da PetrOleum, e se conseguissem isso começariam a peneirar em Whitehorse, um lugar que não era grande. Os homens não procurariam Zeb por esse nome – ele estava morto –, mas qualquer olhadela seria ruim e não demoraria muito para que o encontrassem. Talvez isso já estivesse acontecendo; ele ficou com um mau pressentimento sobre o assunto.

E por isso não retornou para o motel. Pelo contrário, saiu correndo até a parada de caminhão mais próxima da Truck-A-Pillar e pegou uma carona. Só em Calgary é que conseguiu relaxar no assento do trem-bala, e depois de algumas mudanças, e antes que pudesse pensar em dizer para si mesmo *talvez eu só tenha feito uma coisa muito estúpida,* ele estava em Nova Nova York.

– Uma coisa muito estúpida? – pergunta Toby.

– Passar a perna em Rev e pegar todo o dinheiro dele talvez não tenha sido muito inteligente – diz Zeb. – Ele já devia ter sacado que eu não estava realmente morto. Você conhece o ditado sobre a vingança... é um prato que se come frio, ou seja, você não pode fazer isso com raiva porque senão acaba fodendo com tudo.

– Mas você não fodeu com tudo – diz Toby.

– Foi por pouco. Mas tive sorte – diz Zeb. – Olhe, a lua. Isso é romântico para algumas pessoas.

Com certeza, a lua, acima das árvores, rumo leste, quase cheia, quase vermelha.

Lua. Por que é sempre uma surpresa? Mesmo quando sabemos que ela está chegando, pensa Toby. Cada vez que a vemos, ela nos faz parar e silenciar.

Lanterna de luz negra

Nova Nova York ficava no litoral de Jersey, ou o que restara do litoral. Algumas pessoas ainda viviam na Velha Nova York, mesmo depois de oficialmente declarada como zona interdita, ou seja, uma zona sem aluguéis porque poucos ainda se dispunham a se arriscar em edificações destruídas, alagadas e abandonadas. Mas Zeb não tinha pés de pato nem desejo de morte; Nova Nova York podia não ser um paraíso, mas era mais habitada e, portanto, oferecia pano de fundo e cobertura, uma multidão onde poderia se misturar.

Depois de lá chegar, ele entrou num cibercafé de má qualidade infestado de pretzels e enviou uma mensagem de checagem para Adão – *Plano A, ok, qual é o Plano B?* E depois esfriou os calcanhares enquanto esperava pela resposta, onde quer que Adão estivesse enfurnado e fosse qual fosse a merda que estivesse fazendo. Ele tinha sido conciso na última comunicação, *Vejo vc breve*.

Zeb instalou-se no Starburst, um complexo que antes era um condomínio de alto padrão, com piscinas e outras comodidades – era um nome talvez inspirado em fogos de artifício, mas agora sugeria detritos interestelares carbonizados. Starburst conseguira sobrevida algum tempo antes: os elegantes portões com arabescos de ferro de outrora serviam agora sobretudo como estação de abrigo, e os edifícios cheios de mofo e vazamentos eram agora unidades de locação de espaço dividido, aninhando um ecossistema de recifes de coral com traficantes, viciados, golpistas, bêbados, prostitutas, junto a um esquema piramidal de trambiqueiros, capachos, jogadores e vigaristas de aluguel, um parasitismo generalizado.

Enquanto isso, os proprietários do Starburst se esquivavam dos reparos necessários, à espera de um próximo ciclo. Primeiro, chegaram os artistas atraídos pelo aluguel barato, com o ímpeto da juventude, o ressentimento e a ilusão de que poderiam mudar o mundo. Depois, chegaram os designers iniciantes e as empresas gráficas em busca de inspiração naquele banho de miséria. Seguiram-se as questionáveis vitrines dos comerciantes de genes e os cafetões da moda e as falsas galerias e as inaugurações de restaurantes modernos, uma fusão de misturas moleculares que envolvia gelo seco, carne de laboratório, proteína vegetal e guarnições reduzidas e ousadas de espécies em extinção: o patê de língua de estorninho não passara de moda passageira nesses redutos. Os proprietários do Starburst eram provavelmente um bando de sujeitos que tinham obtido alguns trocados de alguma SuperCorp e que queriam brincar no setor imobiliário. Após o estrondoso sucesso da fase do patê de língua, eles derrubaram a decadente unidade de aluguéis e erigiram um lote inteiro de novos condomínios muito na moda de permanência temporária.

Mas o Starburst ainda não estava nem perto desse ponto doce, de modo que Zeb estaria seguro naquele lugar, se ficasse na dele e se mostrasse trôpego para os olhares sugestivos de que ele era apenas outro drogado de cérebro danificado. Ele então se manteve longe de todos e de tudo para não atrair possíveis infiltrados como Chuck.

Ele soube pela mídia que Rev ainda aguardava o julgamento, mas em liberdade sob fiança e declaração de inocência; ele era vítima dos contrarreligiosos e da AntiOleum, uma falange de esquerda que sequestrara e assassinara Fenella, sua santa primeira esposa, e que maliciosamente depois espalhara o boato de que ela fugira para uma vida imoral, e o pior é que ele sofrera uma tortura constante quando passou a acreditar nisso. Enfim, essa conspiração covarde é que tinha plantado Fenella no jardim de Rev, com o único propósito de enlamear o nome dele e de manchar a reputação do próprio Sagrado Oleum.

E agora Rev estava em casa sob fiança e assim teria acesso ao site da Igreja PetrOleum – tanto aos beatos *genuínos* que sem dúvida o evitavam por causa das acusações de desvio de dinheiro como à ala mais cínica que estava próxima a ele por causa do dinheiro. Além disso, entupido do sentimento frio e rancoroso de vingança, ele já teria fortes suspeitas em relação aos que o tinham delatado por ter transformado os ossos de Fenella em nutrientes sob as pedras de seu jardim.

Enquanto isso, Trudy, o grande trunfo, acabava de vender uma autobiografia e concedia inúmeras entrevistas on-line. Ela declarava que tinha sido enganada por Rev porque ele a tinha convencido antes do casamento de que era um pobre viúvo dedicado a um bem maior, e ela então desejou de coração ser parceira daquelas obras piedosas e mãe do filho de Fenella, o pequeno Adão. E não era de espantar que ainda não o tivessem encontrado porque aquele jovem era muito sensível e odiava o brilho da publicidade tanto quanto ela. Quão devastador era despertar para a realidade da natureza assassina de Rev! Logo que soube de tudo ela passou a orar pela alma de Fenella, pedindo-lhe perdão, mesmo sem saber o que realmente tinha acontecido. Pois como todo mundo ela também tinha acreditado na história de que Fenella tinha fugido com algum vagabundo, um cucaracho ou outro qualquer. Ela morria de vergonha de si mesma por ter sido injuriosamente julgada.

E agora até os próprios membros de sua igreja – gente que ela considerava como irmãos e irmãs – se recusavam a se dirigir a ela, acusando-a de cumplicidade nas atividades sangrentas e criminosas de Rev. Somente a fé a sustentava naquele momento de teste e provação; e ela então só queria um vislumbre de Zebulon, seu amado filho perdido que se desviara do caminho, o que não a surpreendia pelo tipo de pai que ele tinha. Mas ela orava por ele, onde quer que ele estivesse.

O tal amado filho perdido planejava permanecer totalmente perdido, se bem que era grande a tentação de invadir uma das lamúrias on-line de Trudy para denunciá-la sob o disfarce de uma voz fantasmagórica do espírito. Ele herdara uma ótima cepa de DNA: pai psicopata e vigarista e mãe mentirosa e egoísta, com um amor obsessivo pelo dinheiro. Ele então só podia esperar que além de narcisista e gananciosa, Trudy também tivesse corneado o marido com um estranho qualquer no barracão do jardim. Se isso tivesse acontecido, provavelmente teria sido com o verdadeiro e anônimo pai de Zeb – um artista e operário itinerante propenso a transar com as mulheres dos clientes de alto nível – do qual ele teria herdado os seus talentos mais duvidosos: charme, habilidade para se esgueirar para dentro e para fora das janelas reais ou virtuais, discrição e cautela, e uma capa de invisibilidade nem sempre confiável.

Talvez por isso o ódio de Rev por Zeb; o cara sabia que Trudy o tinha traído com um estranho, mas não podia acusá-la diretamente por conta das atividades de escavação compartilhadas por ambos. Ou ele a mataria ou suportaria aquela puta. Se ao menos Zeb tivesse roubado amostras de DNA do Rev – fios de cabelo ou raspas de unha –, ele já teria feito os testes e tranquilizado a mente. Ou não. Mas de um jeito ou de outro teria certeza de sua filiação. Por outro lado, não havia dúvida quanto a Adão, cuja semelhança com Rev era visível, embora refinada pela contribuição de Fenella, é claro. Provavelmente a pobre moça fazia o tipo crente – mãos lavadas, unhas sem esmalte, penteado puxado para trás, calcinha branca comum – e só desejava praticar o bem e ajudar as pessoas. Uma autêntica otária. O Honorável Pervertido não deve ter titubeado em convencê-la de que ela seria uma preciosa companheira e que isso era um chamado superior, embora ela tivesse que renunciar aos prazeres e alegrias a serviço dele e da missão. Zeb se perguntou se o problema de Rev não seria impaciência com o orgasmo feminino. Aqueles dois deviam ter um sexo de merda, em quaisquer que fossem as condições.

Isso pensou Zeb durante o dia enquanto assistia à TV na umidade daquele covil no Starburst, com o corpo largado sobre um colchão imundo e cheio de calombos e ouvindo os gritos e tumultos que ocorriam do outro lado da porta bem trancada. Espíritos animalescos, euforia induzida pelas drogas, o ódio, o medo e a loucura. Os gritos soavam em gradações. Os que se detinham no meio é que eram preocupantes.

Finalmente, Adão se comunicou. Endereço de encontro, horário e instruções sobre o que vestir. Nada de vermelho, nada de laranja, camiseta marrom, se possível. Nada de verde, uma cor politicamente carregada de *vendetta* contra os ecomaníacos.

O endereço era um Happicuppa anódino em New Astoria, a certa distância dos edifícios semissubmersos e perigosamente instáveis à beira-mar. Zeb espremeu-se atrás de uma das mesinhas orientais do Happicuppa, e sentou-se numa cadeira baixinha que lembrava as do Jardim de Infância, onde não se encaixava tanto quanto não se encaixou na de agora. Depois de tomar um happicappuccino, fortaleceu-se com meia Joltbar enquanto conjeturava sobre o tipo de doideira que Adão estava prestes a disparar no caminho. Se não estivesse cogitando um trabalho em parceria com Zeb, ele não teria proposto um encontro. Mas que tipo de trabalho? Catador de minhoca? Vigia noturno de um moinho de filhotes? Que tipo de contatos Adão teria feito, onde quer que tivesse estado?

Adão deixara entender que um intermediário seria o mensageiro na reunião, e Zeb preocupou-se com a segurança: ambos sempre tiveram reservas em confiar em quem quer que fosse, exceto um no outro. Claro, Adão seria cauteloso. Mas ele era metódico e a metodologia podia jogar qualquer outro para o alto. A única camuflagem garantida era a imprevisibilidade.

De sua cadeira apertada Zeb observou os clientes que entravam para identificar o mensageiro. Será aquele hermafrodita louro com top de lantejoulas e cocar de três chifres? Ele esperava que não. Aquela mulher gorda de short creme com cinto retrô apertado que está mascando chiclete? Parecia muito vazia, se bem que uma cabeça vazia era um disfarce quase infalível, pelo menos para as garotas. Será aquele garoto com cara de nerd que pelo tipo entraria de metralhadora em punho dentro de um auditório lotado de colegas de classe cheios de espinhas? Não, ele também não.

Mas de repente, surpresa: lá estava o próprio Adão. Zeb levou um susto quando alguns segundos antes Adão se materializou na cadeira vazia oposta a ele. Ectoplasma, podia-se dizer.

Adão parecia uma foto de passaporte de si mesmo esmaecida à luz e à sombra. Parecia retornar dos mortos, com um globo ocular brilhante. Estava com uma camiseta bege sem estampas e um boné de beisebol. Comprou um happimocha para fazer parecer que dois velhos amigos faziam uma pausa no trabalho nerd, ou então para discutir sobre uma empresa fadada a implodir como um dirigível submerso. Adão e happimocha não combinavam; Zeb ficou curioso para ver se ele realmente beberia aquela coisa... tão impura.

– Não levante a sua voz. – Foram as primeiras palavras de Adão. Apenas dois segundos na vida de Zeb e ele já dava ordens.

– Pensei em dar a porra de um grito – disse Zeb, esperando um conselho sobre o uso de palavrões, mas Adão não mordeu a isca. Ele parecia diferente. Os olhos ainda eram redondos e azuis, mas o cabelo estava desbotado. Embranquecendo? E ele tinha uma nova barba também desbotada. – Também é bom ver você – acrescentou Zeb.

Adão sorriu, um lampejo de sorriso.

– Você irá para HelthWyzer West, perto de San Francisco – disse. – Como analista de dados. Já arranjei tudo. Quando sair daqui, pegue a sacola de compras ao lado do seu joelho esquerdo. Tudo que você precisa está nela. Pegue os scans e prints inseridos no ID... coloquei o endereço para isso. E se desfaça do antigo ID; exclua qualquer coisa on-line. Mas nem preciso lhe dizer isso.

– Seja como for, onde você esteve? – perguntou Zeb.

Adão sorriu daquele seu velho jeito ensandecido e santo. A manteiga não derreteria; nunca tinha derretido.

– Segredo – ele disse. – Outras vidas envolvidas.

Esse era o tipo de coisa que no passado fazia Zeb deixar um sapo na cama do irmão.

– Certo, pode me dar uma palmada. Tudo bem, que coisa é essa de HelthWyzer West e o que deverei fazer lá?

– É um conglomerado – disse Adão. – Pesquisa e inovação. Drogas do tipo médico; suplementos vitamínicos enriquecidos; materiais para processamento transgênico e melhoramento genético, especificamente misturas e simuladores hormonais. É uma poderosa Corp. Os melhores cérebros estão lá.

– Como você me fez entrar? – perguntou Zeb.

– Eu tenho algumas novas amizades – disse Adão, continuando a demonstração de sei-bem-mais que esse seu sorrisinho. – Eles cuidarão de você. Você estará seguro. – Ele olhou por cima do ombro de Zeb e depois para o relógio. Ou pareceu olhar para o relógio. Zeb reconheceu um toque dissimulado; Adão esquadrinhava o ambiente; procurava sombras.

– Corte o papo furado – disse Zeb. – Quer que faça alguma coisa para você.

Adão conteve o sorriso.

– Você será uma lanterna de luz negra – disse. – Seja extremamente cuidadoso quando estiver on-line naquele lugar. Ah, para isso terá um novo site e um novo gateway. E não acesse mais o site do zéfiro, talvez esteja comprometido.

– O que é uma lanterna de luz negra? – perguntou Zeb. Mas Adão já estava de pé e ajeitando a camiseta bege a meio caminho da porta. Como não tinha bebido o happimocha, Zeb bebeu por ele. Os que não consumiam happimocha faziam as sobrancelhas se erguerem nos redutos da plebelândia como aquele, onde apenas os cafetões tinham grana para queimar.

Zeb esperou para retornar ao Starburst. Ficou com a nuca arrepiada durante todo o caminho, na absoluta certeza de que estava sendo observado. Mas ninguém tentou assaltá-lo. Já dentro do quarto, procurou a tal "lanterna de luz negra" no celular barato e descartável que acabara de adquirir. "Luz negra" era uma novidade nas primeiras décadas do século, informou-se: isso o faz enxergar no escuro ou o faz enxergar algumas coisas no escuro. Globos oculares. Dentes. Lençóis brancos. Brilho em gel de cabelo escuro. Névoa. "Lanternas", dizia-se que eram vendidas em lojas de bicicletas e fornecedores de artigos para acampamento. Isso não significava que se acampasse em outros lugares senão no interior dos edifícios abandonados.

Adão, obrigado pela pilha, pensou Zeb. Isso é tão instrutivo.

Ele abriu a sacola de compras de Adão. Lá estava uma nova pele para ele, tudo nitidamente à disposição. E agora o que tinha a fazer era pegar a Truck-A-Pillar ao longo de San Francisco e depois rastejar até aquele lugar.

Intestinal Parasites, o videogame

Os preparativos de Adão estavam completos. Havia um bilhete tipo queime depois de ler esta lista e um grande envelope recheado de dinheiro. Isso porque Zeb teria que pagar ao comerciante do mercado cinza designado para falsificar os passes. Também havia um cartão de crédito para aquisição de roupas mais convenientes para Zeb. Inclusive com descrições: terno casual geek, com calças marrons, camisetas em cores neutras e camisas xadrez em tons de marrom e cinza, e óculos redondos de lentes sem grau. Quanto aos calçados, eram tênis com tantas tiras traspassadas que deixariam Zeb parecendo um dançarino de Morris gay ou um fugitivo de uma sessão cosplay de Robin Hood. Chapéu-coco steampunk dos anos 2010: estavam de volta em grande estilo. Mas como Adão sabia disso? Já que nunca demonstrara interesse algum em vestuários, mas nenhum interesse também era interesse. Claro que Adão observava o que as outras pessoas usavam para ele não usar.

O nome atribuído a Zeb era Seth. Uma piadinha bíblica de Adão: Seth significava "o nomeado", como ambos sabiam de cor depois que tiveram os crânios perfurados por uma chave de fenda imaginária e gravados com as histórias e os nomes bíblicos mais importantes. Seth era o terceiro filho de Adão e Eva, designado para tomar o lugar de Abel, o qual não estava totalmente morto porque ainda falava e clamava debaixo da terra. Assim, "Seth" substituía um Zeb evadido e presumidamente morto. Por nomeação, cortesia de Adão. Muito engraçado.

Adão sugeria que Zeb/Seth testasse a nova sala de chat antes de entrar na HelthWyzer, e que entrasse uma vez por semana para sinalizar que ainda caminhava no planeta. Dessa maneira, no dia seguinte, enquanto fazia um tortuoso percurso em busca de um comerciante do mercado cinza para colocar suas impressões digitais e sua íris escaneada nos documentos falsos, ele escolheu um cibercafé aleatoriamente e seguiu o atalho da vitória-régia projetada por Adão. (*Memorize, depois destrua*, dizia o bilhete, como se Zeb fosse um idiota.) O principal gateway era um videogame biogeek de desafio chamado Extinctathon. Monitorado por MaddAddão, dizia o jogo: *Adão deu nome aos animais vivos, MaddAddão dá nome aos mortos. Você quer jogar?* Zeb digitou o codinome entregue por Adão – Espírito do Urso – e a senha "cadarços" e se viu dentro do jogo.

Aparentemente, era uma variante do Animal, Vegetal, Mineral. Utilizando as obscuras pistas fornecidas pelo oponente, você tinha que adivinhar as identidades de várias espécies extintas de besouros, peixes, vegetais, lagartos e outros. Era uma longa lista de seres vivos extintos. Um tédio certificado: até alguém da CorpSeCorps cairia no sono com uma lista assim, sem falar na ausência de pistas para a maioria das respostas. Da mesma forma, para ser justo, Zeb não se saiu bem, apesar de sua longa experiência como funcionário da Bearlift e de seu obscuro sentimento de superioridade. *Você não ouviu falar da vaca-marinha de Steller? Mesmo?* Sorrisinho de autossatisfação.

Cinco minutos dentro do Extinctathon e qualquer homem da Corps que se prezasse sairia correndo aos gritos atrás de uma birita. Um jogo chato e quase tão eficaz quanto um olhar vazio e disfarçado de prudência; e mais, eles nunca pensariam que havia algo escondido dentro de coisas em campo aberto e tão obviamente ecomaníacas. Pelo contrário, vasculhariam anúncios de implantes e sites onde se atirava em animais exóticos on-line sem sair da cadeira do escritório. Pontos e mais pontos para Adão, pensou Zeb.

Será que o próprio Adão projetara esse game? Com seu próprio nome como monitor? Logo ele que nunca mostrava interesse em animais? Mas pensando bem, ele mostrava um leve desprezo pela interpretação de Rev do Gênese, segundo a qual Deus fez os animais para o bel-prazer e uso do homem; portanto, poderiam ser exterminados por capricho. Seria o Extinctathon uma pequena insurgência de Adão contra Rev? Será que de alguma forma ele se aliara aos ecomaníacos? Talvez tivesse sido um momento de conversão enquanto ele inalava algum alucinógeno prejudicial ao cérebro sob a égide de uma fada das plantas. Isso era improvável, até porque Zeb é que tinha sido usuário de substâncias ativas e não Adão. Mas com certeza Adão se aliara a alguém; ele nunca seria capaz de sair com uma coisa dessas por conta própria.

Zeb seguiu ao longo da via. Clicou em *Sim* para continuar e o jogo o redirecionou. *Bem-vindo, Espírito do Urso. Você quer um jogo geral ou quer jogar o Grandmaster?* A escolha seria a segunda opção, diziam as instruções de Adão, de modo que Zeb clicou nela.

Bom. Encontre sua playroom. Lá, MaddAddão irá encontrá-lo.

O caminho até a playroom era complicado, ziguezagueava de uma coordenada para outra, por entre pixels localizados em sites inócuos aqui e ali: a maior parte de propaganda, sendo que alguns eram listas: OS DEZ MAIS ASSUSTADORES COELHINHOS DA PÁSCOA, OS DEZ FILMES MAIS ATEMORIZANTES DE TODOS OS TEMPOS, OS DEZ MONSTROS MARINHOS MAIS ATERRORIZADORES. Zeb encontrou um portal através dos dentes salientes de um coelho de pelúcia roxo enlouquecido que tinha uma criança apavorada sobre o joelho, de onde seguiu até uma lápide, com uma parada na *Noite dos mortos-vivos*, o original, e por fim, até o olho de um celacanto. Em seguida ele parou numa sala de chat.

Bem-vindo à playroom de MaddAddão, Espírito do Urso. Você tem uma mensagem.

Zeb clicou em *Ler mensagem.*

Olá, dizia a mensagem. *Como você pode ver, isso funciona. Aqui estão as coordenadas para a sala de chat da próxima semana. A.*

Sodomita minimalista, pensou Zeb. Ele não vai me dizer nada.

Zeb comprou o vestuário sugerido, pelo menos a maior parte: óculos redondos decididamente descartados, assim como os tênis. Observou as calças e as camisas – derramou comida em cima, desgastou-as um pouco e lavou-as algumas vezes. Em seguida, jogou as roupas anteriores em diferentes lixeiras e limpou os biorrastros naquele quarto vagabundo do Starburst o máximo possível.

Depois de pagar o Starburst – se podia evitar, não fazia sentido deixar rastreadores na sua cola –, ele atravessou o continente até San Francisco. E depois se dirigiu à HelthWyzer West e, conforme instrução, apresentou os documentos fraudulentos e submeteu-se a um minueto de acolhidas: *Oi, amigo. Feliz por você estar aqui. Nós vamos ajudá-lo a se sentir em casa.* Ninguém o espantou. Ele era esperado e o aceitaram. Moleza.

No interior da HelthWyzer West o designaram para a unidade de solteiros, no condomínio da torre residencial. Nada a reclamar das instalações: bonito paisagismo ao redor do caminho de entrada, piscina na cobertura, encanamento e parte elétrica em funcionamento, se bem que o design interior era um tanto espartano. E ainda uma cama de casal, sinal otimista. Pelo visto, solteiro não implicava celibato no mundo da HelthWyzer West.

No ambiente de trabalho, uma cafeteria onde ele registrava o consumo com um cartão magnético: todos tinham descontos a serem usados para qualquer item do menu. O alimento era de verdade, ao contrário da gororoba vagabunda que era servida na Bearlift. As bebidas continham álcool, o que era o mínimo que se esperava de uma bebida.

As mulheres da HelthWyzer eram duronas e além de trabalhar não perdiam tempo com conversa-fiada e não toleravam aqueles que não pareciam ter boa linhagem, ele se deu conta e não se incomodou; mas embora tivesse prometido se abster de envolvimentos pessoais pelas perguntas que isso poderia gerar, ele não era feito de pedra. Algumas garotas observaram o nome *Seth* no crachá dele – os crachás eram declaração de moda na HelthWyzer – e uma delas perguntou se ele era novo ali porque não se lembrava de tê-lo visto antes, mas claro que ela também era uma novidade.

Seriam uma insinuação aquela viradinha de ombros, o bater de pálpebras? *Marjorie,* ele não demorou para ler no crachá pendurado no peito de proporções normais da garota: os implantes visíveis não eram comuns dentro das muralhas da HelthWyzer. Marjorie tinha nariz gorducho, rosto aquiescente e olhos castanhos, como os de um spaniel, e em circunstâncias normais ele teria dado em cima dela na mesma hora, mas preferiu dizer que esperava encontrá-la de novo. Uma esperança que não era a esperança no topo de sua lista de esperanças – ele estava naquele lugar para não ser capturado –, mas também não era a última esperança da lista.

Descrição do trabalho de Seth: uma rotina de um cara de baixo custo da Tecnologia da Informática (TI), alguns trocados. Introdução de dados e utilização de software maçante, embora útil, concebido para gravar e comparar os diversos factoides e baldes de dados dos cerebromaníacos da HelthWyzer que chegavam. Secretário digital glorioso, isso era tudo que ele devia ser.

Não eram tarefas desafiadoras: ele fazia o trabalho com dois dedos de uma só mão em muito menos tempo que o solicitado. Os gerentes de projeto da HelthWyzer não supervisionavam muito, só queriam que ele se mantivesse atualizado com o que era introduzido. Enquanto isso ele fuçava tranquilo o banco de dados da HelthWyzer. Aplicava por conta própria os testes de segurança TI para ver se piratas tentavam entrar; em caso afirmativo, essa informação seria útil.

Embora ainda não tivesse identificado qualquer sinal indicativo, durante um dos seus mergulhos profundos acabou identificando o que parecia ser um túnel enigmático. Entrou no programa, pondo-se fora do alcance das barreiras de proteção da HelthWyzer, e depois seguiu um caminho flutuante de vitórias-régias até a sala de chat do Extinctathon. Uma mensagem esperava por ele: *Use apenas quando necessário. Não gaste muito tempo. Limpe todas as pegadas. A.* Saiu rapidamente do site e apagou a trilha. Ele teria que construir outro portal porque o usuário daquele túnel poderia concluir que alguém mais o tinha percorrido.

Ele decidiu tornar Seth conhecido como gamemaníaco, de modo que a entrada no Extinctathon não chamaria a atenção de nenhum bisbilhoteiro. Era uma razão operacional, mas ele também queria testar os jogos para ver se era fácil brincar durante o expediente sem ser repreendido – a equipe não podia perder tempo ou pelo menos muito tempo dessa maneira – e se era fácil enganar. Isso para manter a mão.

Alguns games em oferta eram padrão – armas, explosões e assim por diante. Outros, no entanto, eram postados pela equipe da Helth-

Wyzer West: os biogeeks eram tão geeks quanto qualquer outro geek, pois projetavam naturalmente os próprios jogos. O Spandrel era um dos melhores: você podia conceber recursos extras e funcionalmente inúteis para uma bioforma, depois os ligava a uma seleção sexual e dava um fast-forward para ver o que a máquina da evolução mostraria. Gatos com cristas de galo na testa, lagartos com lábios inflados e pintados de batom vermelho, homens com enormes olhos esquerdos – a escolha feminina era favorecida e você podia manipular o mau gosto delas nos atributos masculinos, como na vida real. Você jogava predadores contra presas. Os spandrels supersensuais prejudicariam as habilidades de caça ou retardariam a fuga? Quando o seu cara não era muito sexy, ele não transava com ninguém e você se extinguia; quando era muito sexy, ele era comido e você se extinguia. Sexo versus jantar: um bom equilíbrio. Os pacotes de mutações aleatórias podiam ser comprados a preços módicos.

O Weather Monsters era um game bem interessante: apresentava eventos climáticos extremos para o jogador – um avatar humano insignificante de um gênero ou de outro – e você o manipulava de modo a fazê-lo sobreviver a tudo. Com pontos ganhos, você comprava ferramentas para o seu avatar: botas que o faziam correr mais rápido e saltar mais alto, roupas à prova de raios, pranchas flutuantes para inundações e tsunamis, lenços umedecidos para cobrir o nariz durante incêndios e Joltbars para quando estivesse soterrado pela neve de uma avalanche. Pá, fósforos e machado. Quando o avatar sobrevivia a um gigantesco deslizamento de terra – um evento assassino –, você ganhava uma caixa de ferramentas completa e mil pontos extras para o próximo jogo.

O que Zeb mais gostava era de um game chamado Intestinal Parasites – uma porcaria desagradável e hilariante para biogeeks. Os hediondos parasitas intestinais não tinham olhos e tinham ganchos afiados em torno da boca, ora você os bombardeava com pílulas tóxicas, ora implantava um arsenal de nanorrobôs ou de inseticidas que os impediam de injetar milhares de ovos em você, ou de rastejar no seu cérebro e nos seus canais lacrimais, ou de se regenerarem em outros segmentos que transformavam o interior do seu corpo em massa purulenta. Eles seriam reais ou uma produção dos biogeeks? Pior, estariam sendo geneticamente processados agora mesmo como parte de um projeto de bioarmamento? Impossível saber.

Intestinal Parasites, jogue muito e garantimos o seu pesadelo, dizia o anúncio do game. Zeb assim o fez e teve muitos pesadelos.

Isso não o impediu de bolar um apelido para o game e de reprogramar uma das bocas horrendas, fazendo-a funcionar como um portal. Gravou o código num pendrive triplamente bloqueado por segurança e depois o escondeu no fundo da gaveta da escrivaninha do supervisor, no meio de um emaranhado de elásticos, lenços de papel usados e pastilhas de tosse deixadas de lado. Ninguém procuraria ali.

CAVERNA DE OSSO

Cursivo

Toby se debruça no diário. Embora esteja sem energia para isso, Zeb enfrentou tantos problemas para trazer o material que certamente notaria se ela não o usasse. Ela escreve em um dos cadernos escolares baratos da drogaria. Na capa, um sol amarelo brilhante, margaridas cor-de-rosa, um menino e uma menina, e figuras rudimentares que as crianças gostavam de desenhar. Isso quando havia crianças humanas – há quanto tempo? Parecem séculos desde que a peste varreu o mundo. E passaram-se pouco menos de seis meses.

O menino veste short azul, boné azul e camisa vermelha; e a menina com tranças, saia triangular vermelha e top azul. Ambos têm olhos escuros e lábios grossos e vermelhos; ambos sorriem como se prontos para matar.

Prontos para morrer. São apenas crianças no papel, mas agora parecem mortas, como todas as crianças reais. Toby não consegue olhar direito para a capa do caderno porque isso dói.

Melhor se concentrar nas tarefas a fazer. Sem choro e sem lamento. Viver um dia de cada vez.

São Bob Hunter e a Festa dos Guerreiros do Arco-Íris, ela escreve. Talvez não seja a data precisa – talvez esteja defasada por um ou dois dias. Mas isso precisa ser feito, como verificar? Não existe mais uma autoridade central para os dias do mês. Rebecca poderia saber. Havia receitas especiais para festivais e banquetes. Talvez ela tenha memorizado; talvez tenha se mantido a par.

Lua: lua crescente. Tempo: nada de anormal. Nada digno de nota: grupo de porcos agressores. Evidência dos caras da Painball avistados pela expedição de Zeb: leitão baleado e uma parte cortada. Encontrada uma tira de sandália de pneu, possível pista de Adão. Sem sinal definitivo de Adão Um e dos jardineiros.

Ela reflete e acrescenta: *Jimmy está consciente e cada vez melhor. Crakers continuam amigáveis.*

– O que está fazendo, ó Toby? – O menino Barba Negra entra sem se deixar ouvir. – O que são essas linhas?
– Venha aqui – ela diz. – Não vou mordê-lo. Olhe. Estou *escrevendo*: são essas linhas. Vou mostrar para você.
Ela mostra o básico. *Isto é papel, é feito de árvores.*
Se isto machuca as árvores? Não, porque as árvores já estão mortas quando se faz o papel – uma mentirinha, mas tudo bem, não importa. *E isto é uma caneta. Escorre um líquido preto aqui dentro que é chamado de tinta, mas você não precisa de uma caneta para escrever.* Ainda bem, ela pensa, as hidrográficas logo acabarão.
Você pode usar muitas coisas para escrever. Pode fazer tinta com suco de bagas de sabugueiro, pode fazer uma caneta com pena de pássaro, pode escrever sobre a areia molhada com uma vareta. Você pode usar todas essas coisas para escrever.
– Agora – ela continua –, você desenha as letras. Cada letra possui um som. E depois você junta essas letras e elas formam palavras. E as palavras que você coloca no papel podem ser vistas e ouvidas por outras pessoas.
Barba Negra olha para Toby e aperta os olhos de espanto e incredulidade.
– Ó Toby, mas isso não pode falar – diz. – Vejo as marcas que você colocou aí. Mas não estão dizendo nada.
– Você é que é a voz do que está escrito – ela diz. – Ao *ler*. Quando você *lê* essas marcas viram sons. Olhe, vou escrever seu nome.
Ela rasga uma das últimas páginas do caderno com todo cuidado e escreve: BARBA NEGRA. E depois emite o som de cada letra.
– Viu só? – Isso significa você. Seu nome. – Ela coloca a caneta na mão dele, faz com que ele a segure entre os dedos e orienta a mão e a caneta: uma letra *B*.
– Seu nome começa com esta letra – diz. – B. Como borboleta. É o mesmo som. – O que ela pretende? Que uso ele terá para isso?

– Isso não sou eu – diz Barba Negra, franzindo a testa. – Também não é borboleta. Isso são só marcas.
– Leve este papel para Ren – diz Toby sorrindo. – Peça para que ela leia, depois volte e me diga se ela disse o seu nome.

Barba Negra a encara, desconfiado do que ela disse, mas depois segura o pedaço de papel, como se estivesse revestido com veneno invisível.

– Você me espera? – pergunta. – Aqui mesmo?
– Claro – ela diz. – Estarei aqui. – Ele sai de costas para a porta como sempre faz, mantendo os olhos nela até virar para um dos lados.

Toby se volta para o diário. O que mais escrever além da crônica insossa que ela começou? Que tipo de história – que tipo de história afinal seria útil para pessoas que ela não sabe se ainda existem, para um futuro que não pode prever?

Zeb e o Urso, ela escreve. *Zeb e MaddAddão. Zeb e Crake.* Eram histórias a serem desenvolvidas. Mas por quê? Para quem? Somente para ela porque assim pode se concentrar em Zeb?

Zeb e Toby, ela escreve. Claro, isso será apenas uma nota de rodapé.

Não tire conclusões precipitadas, diz a si mesma. Ele chegou à horta com presentes na mão. Talvez você estivesse interpretando mal a relação com Swift Fox. Mas se estivesse certa, então o quê? Curta o momento. Não feche portas. Seja grata.

Barba Negra desliza para dentro do quarto outra vez, carregando a folha de papel à frente como um escudo. Seu rosto está radiante.

– Aconteceu, ó Toby – ele diz. – O papel disse o meu nome! Ele disse o meu nome para Ren!

– Viu? – ela diz. – Isso é *escrita*.

Barba Negra meneia a cabeça, pesando as possibilidades.

– Posso ficar com isso? – pergunta.

– Claro – responde Toby.

– Mostre de novo. Com a coisa preta.

Mais tarde, após a chuva, após o final da chuva, ela o encontra na caixa de areia. Ele segura uma vareta e o papel. O nome dele está escrito na areia. As outras crianças assistem. Todas cantam.

O que fiz agora?, ela pensa. Abri uma lata de minhocas? São tão rápidas essas crianças: vão pegar isso e transmitir para todos os outros.

O que virá depois? Regras, dogmas, leis? Testamento de Crake? Quanto tempo até que eles sintam que devem obedecer a textos antigos que se esqueceram de como interpretar? Será que os arruinei?

Enxame

No café da manhã, *kudzu* e outras verduras forrageiras sortidas, bacon, um pão estranho com sementes não identificadas e bardana ao vapor. Café a partir de uma mistura de raízes tostadas: dente-de-leão, chicória e algo mais. No fundo do café, um sabor de cinzas. Eles já estão ficando sem açúcar e acabou o mel. Mas há leite de Mo'Hair. Uma ovelha de cabelo azul deu gêmeos à luz, um louro e outro moreno. Rolaram piadinhas sobre ensopado de cordeiro, mas ninguém se deu a esse trabalho porque seria difícil abater e ingerir um animal com cabelo humano, sobretudo um cabelo humano semelhante em brilho e estilo aos anúncios de xampu de outrora. Cada vez que uma Mo'Hair se agita é como se reapresentasse uma propaganda sobre a beleza dos cabelos: brilho, ondulação sensual e leveza. Fica-se na expectativa, pensa Toby, de que a qualquer momento elas apareçam com a lengalenga do produto. *Meu cabelo piorava a cada dia? Meu cabelo estava me deixando louca, mas depois... morri.*

Não seja tão sombria, Toby, é só cabelo. Não é o fim do mundo.

Durante o café discutem-se outras opções de alimentos. Falta variedade de proteína, eles estão de acordo em relação a isso. Rebecca afirma que eles poderiam matar algumas galinhas e manter outras num galinheiro para que houvesse ovos à disposição. Mas onde encontrar galinhas? Talvez haja ovos de aves marinhas no topo das torres abandonadas perto da praia, uma vez que essas aves estão fazendo ninhos por lá. Mas quem vai empreender uma perigosa caminhada até a praia, atravessando o parque Heritage cada vez mais cheio de mato, onde os painballers e um ou dois esquadrões de porcos gigantescos e malévolos podem estar escondidos? E que ninguém pense em subir as escadas internas das torres que já devem estar muito instáveis.

Segue-se o debate. Segundo uma das partes os crakers vagueiam à vontade de um lado para outro, cantando aquela polifonia deles. Frequentam uma base perto da praia, um amontoado de blocos ocos de cimento. Eles a protegem contra os animais, fazendo xixi em círculo porque acreditam que os porcões, os lobocães e os felinos peludos não poderão cruzá-lo. Eles pescam o peixe ritual para que Toby possa cuidar do Homem das Neves-Jimmy e contar histórias para eles. Nenhum animal tem molestado os crakers nos passeios pela mata ou em outros cantos. Quanto aos painballers, talvez já estejam muito longe, a julgar pela localização do último sinal que se teve deles, ou seja, a carcaça daquele leitão morto recentemente.

A outra parte argumenta que provavelmente os crakers possuem meios de repelir a vida selvagem em trânsito no recôncavo, além da mijada defensiva. Talvez o canto? Nesse caso, nem é preciso salientar que isso não funcionaria com seres humanos normais, cujas cordas vocais não são feitas de vidro orgânico ou seja lá o que tenha propiciado aquela sonoridade de teclado digital. Quanto aos painballers, talvez estivessem à espreita nas cercanias, preparando uma emboscada em algum canto entupido de *kudzu*. Enfim, todo cuidado é pouco, melhor prevenir que remediar, e eles não podem se dar ao luxo de sacrificar alguém por conta de alguns ovos de gaivota provavelmente ainda em desenvolvimento e com gosto de tripa de peixe.

Ovo é ovo, dizem os pró-ovos. Por que não mandar os crakers com uns dois humanos? Dessa forma, os crakers protegerão os humanos dos animais selvagens, e os humanos protegerão os crakers dos painballers com as pistolas de spray dos maddadamitas. Sem chance de deixar pistolas com os crakers, nunca se poderia ensiná-los a atirar e matar pessoas. Por não serem humanos eles simplesmente não são capazes disso.

Não se apressem, ainda não comprovamos o fato, diz Ivory Bill.

– Se eles podem se acasalar com a gente, fato comprovado. Mesma espécie. Caso contrário, sem comprovação. – Ele se inclina à frente e olha para a xícara de café. – Tem mais? – pergunta para Rebecca.

– Meia verdade – diz Manatee. – Um cavalo cruza com um burro e gera uma mula, mas isso é estéril. Só saberemos ao certo na próxima geração.
– Só tenho o suficiente para amanhã – diz Rebecca. – Precisamos arrancar raízes de dentes-de-leão. É o que temos utilizado.
– Seria uma experiência interessante – diz Ivory Bill. – Mas claro que seria preciso a cooperação das senhoras. – Ele inclina a cabeça em reverência para Swift Fox que veste um cativante lençol floral, com buquês de flores em rosa e azul presos por fitas também em rosa e azul.
– Já viu o pau deles? – ela pergunta. – É muito mais que bom. Se eu tivesse um pau daqueles na minha boca, ia querer ver se chegaria até o topo da minha cabeça.

Ivory Bill se afasta sem dizer nada, visivelmente chocado e irritado. Risadas de alguns, testas franzidas de outros. Swift Fox gosta de escandalizar, sobretudo os homens, para demonstrar que ela não é apenas um corpo bonito. Ela quer as duas coisas, pensa Toby consigo mesma.

Zeb se põe no outro lado da mesa. Chega atrasado; não se junta ao debate. Parece absorto no pão sírio. Swift Fox olha para ele: o público-alvo? Ele não presta atenção; mas não ousaria, não é mesmo? Isto era o que os blogueiros especialistas em romances extraconjugais costumavam dizer: você pode identificar os culpados pela maneira cuidadosa com que se evitam uns aos outros.

– Esses caras não precisam de cooperação nenhuma – diz Crozier. – Pulam em cima de qualquer coisa com uma boce... desculpe, Toby. Qualquer coisa com uma saia.

– Uma saia! – exclama Swift Fox, sorrindo de novo com os dentes brancos à vista. – Onde você esteve? Já viu alguma de nós vestindo saias? Retalhos de lençol não contam. – Ela movimenta os ombros para trás e para a frente, como se estivesse em um desfile de moda. – Gosta de minha saia? Chega até as minhas axilas!

– Deixe-o em paz, ele é menor de idade – diz Manatee.

Crozier faz uma careta estranha: raiva? Constrangimento? Lança um sorriso tímido para Ren que está sentada ao lado, e põe a mão no braço dela. Ela franze a testa, como uma esposa.

– Os menores de idade são os mais divertidos – diz Swift Fox.
– Ousados. Embalados pelas endorfinas até que suas sequências de nucleotídeos se esvaiam... quilômetros de telômeros deixados para trás.
Ren olha para ela impassível.
– Ele não é menor de idade – diz.
Swift Fox sorri.
Será que os homens à mesa estão vendo isso?, Toby se pergunta. Uma silenciosa tensão no ar? Não, provavelmente não. Eles não estão na onda da progesterona.
– Eles só fazem sob condições certas – diz Manatee. – A cópula grupal. A mulher tem que estar no cio.
– Isso é bom para as mulheres deles – diz Beluga. – Elas deixam claros sinais hormonais, visuais e olfativos. Mas nossas mulheres registram o cio o tempo todo.
– Talvez sempre estejam assim – diz Manatee sorrindo. – Elas simplesmente não admitem isso.
– Esclarecendo: duas espécies diferentes – diz Beluga.
– As mulheres não são cães. Já estou achando essa troca ofensiva. Você não deve se referir a nós dessa maneira – diz White Sedge em tom calmo, mas de coluna empinada.
– Isso é meramente uma discussão científica objetiva – diz Zunzuncito.
– Ei – diz Rebecca. – Só me limitei a dizer que seria legal ter alguns ovos.

Hora de trabalho matinal, o sol ainda não está muito quente. Brilhantes mariposas de *kudzu* cor-de-rosa penduram-se à sombra, borboletas em tons de azul e magenta sobrevoam como pipas no ar, enxames dourados de abelhas polinizam as flores.
De novo encarregada da horta, Toby capina e remove as larvas. Seu rifle está encostado na cerca; ela prefere que fique ao alcance porque nunca é demais se precaver. As plantas crescem nos arredores, tanto as cultivadas como as ervas daninhas. Ela quase pode ouvi-las a se estender por entre o solo, as raízes fuçando por nu-

trientes e amontoando-se nas raízes vizinhas, as folhas liberando nuvens de substâncias químicas no ar.

Santa Vandana Shiva das Sementes, ela escreveu no caderno esta manhã. *São Nikolai Vavilov, Mártir.* Acrescentou a tradicional invocação dos Jardineiros de Deus: *Que sejamos conscientes de santa Vandana e são Vavilov, incansáveis preservadores das sementes antigas. São Vavilov, que recolheu as sementes e preservou-as ao longo do cerco de Leningrado e que depois foi vítima do tirano Stalin. Santa Vandana, guerreira incansável contra a biopirataria, que deu de si mesma para o bem da vida vegetal mundial em toda a sua diversidade e beleza. Inspirem-nos com a pureza de seus espíritos e a força de sua determinação.*

Um flash de memória traz a Toby a época em que ela era Eva Seis entre os jardineiros e recitava essa mesma oração junto com a velha Pilar. Faziam isso antes de iniciar o trabalho nos canteiros de feijão, removendo e realocando as lesmas e os caracóis. Às vezes a saudade daqueles dias é tão forte e tão inesperada que a derruba como uma onda travessa. Se ao menos tivesse uma câmera e um álbum de fotos naquela época, ela agora estaria debruçada nas imagens. Mas os jardineiros não acreditavam em câmeras ou em registros em papel, então só restaram palavras.

E agora não faria sentido algum ser um jardineiro: os inimigos da Criação Natural de Deus deixaram de existir, e os animais e as aves que não se tornaram extintos sob o domínio humano do planeta prosperam sem qualquer controle. Isso sem mencionar a vida vegetal.

Mas talvez pudéssemos fazer uma intervenção com algumas folhas, ela pensa enquanto corta as agressivas trepadeiras de *kudzu* que escalaram a cerca da horta. Essas trepadeiras se espalham por todos os lados. São incansáveis, podem crescer muitos centímetros em doze horas e sobrepor-se a qualquer coisa no caminho, como um tsunami verde. A pastagem das Mo'Hairs limita um pouco a proliferação, os crakers gostam de ruminá-las e Rebecca serve as folhas como espinafre, mas quase ninguém come.

Ela ouviu alguns homens planejando fazer vinho com as plantas, mas nutre um sentimento ambíguo a respeito. Sequer consegue imaginar o gosto – Pinot Grigio cruzado com purê de mato? Pinot Vert com um sopro de compostagem? Apesar disso, eles poderiam se dar ao luxo de ingerir álcool de uma forma ou de outra? Isso entorpece a consciência, e eles estão muito vulneráveis. Aquele pequeno complexo não é bem protegido. Uma sentinela bêbada e logo uma infiltração e uma carnificina.

– Encontrei um enxame para você. – Soa a voz de Zeb. Ela não o viu chegar por trás, o que compromete seu estado de alerta.

Ela gira o corpo e sorri. Um sorriso sincero? Não de todo porque ainda não sabe tudo sobre Swift Fox. Sobre Swift Fox e Zeb. Eles tiveram um caso ou não? E se ele simplesmente encontrou a porta aberta, por assim dizer, se ele não pensou duas vezes, por que não?

– Um enxame? – ela diz. – Sério? Onde?

– Venha comigo até a floresta – ele diz sorrindo como o lobo do conto de fadas e estende a mão-pata. Claro, ela o pega pela mão e o perdoa por tudo. Por enquanto. Embora ainda não haja nada a perdoar.

Eles seguem até a beira do bosque, distante do terreno aberto da cabana. Só agora o terreno parece aberto, sem que os maddadamitas o tivessem aberto. Talvez tenha sido graças ao trabalho de limpeza na vegetação, talvez seja isso que conte.

Faz mais frio sob as árvores. Uma atmosfera mais ameaçadora: o sombreado verde das folhas e ramos bloqueia as linhas de visão. Uma trilha de galhos retorcidos indica o caminho por onde Zeb deve ter passado mais cedo.

– Tem certeza de que é seguro? – pergunta Toby, abaixando a voz e sem pensar muito nisso. Em terreno aberto os predadores são vistos antes de serem ouvidos. Mas por entre as árvores você tem que ouvir porque o predador será ouvido antes de ser visto.

– Acabei de sair daqui, verifiquei – diz Zeb, confiante.

Lá está o enxame, uma grande bola de abelhas do tamanho de uma melancia, pendurada nos galhos mais baixos de um novo pé de sicômoro. A um suave zumbido segue-se uma ondulação da superfície da bola, como uma pele dourada agitada pela brisa.

– Obrigada – diz Toby.
 Ela agora precisa retornar à cabana para pegar um recipiente e depois cutucar o núcleo do enxame para capturar a rainha, o resto do enxame seguirá atrás. Não será preciso defumar as abelhas; elas não picam quando não estão defendendo a colmeia. Mas antes será preciso dizer para as abelhas que elas são muito importantes, e que se espera que sejam nossas mensageiras para a terra dos mortos. Segundo Pilar, a mestra de abelhas nos tempos dos jardineiros, com essas palavras você persuadia um enxame de abelhas selvagens a segui-lo.
 – Talvez seja melhor trazer uma sacola ou algo assim – ela diz.
 – Elas estão em busca de um bom lugar para a colmeia. Logo estarão voando.
 – Quer que eu tome conta delas? – pergunta Zeb.
 – Está tudo bem – diz Toby. O que ela quer é que ele a acompanhe até a cabana para não ter que andar sozinha na floresta. – Pode se esquecer de mim por um minuto? Pode olhar para outro lado?
 – Vai fazer xixi? – ele diz. – Não me importo.
 – Você sabe como isso funciona. Você também foi jardineiro – ela diz. – Preciso conversar com as abelhas. – Essa prática dos jardineiros além de parecer estranha para os outros também parece estranha para ela, isso porque ainda se sente estranha em algum recôndito de si mesma.
 – Claro – diz Zeb. – Faça o seu trabalho. – Ele se põe de lado e observa a floresta.
 Toby ruboriza e puxa uma ponta do lençol para cobrir a cabeça – é essencial, dizia a velha Pilar, senão as abelhas se sentem desrespeitadas.
 – Ó abelhas – ela sussurra para a bola peluda que não para de zumbir. – Saudações à rainha. Quero ser amiga dela e preparar um lar seguro para ela e para vocês, as filhas dela, e levar notícias para vocês a cada dia. Que vocês levem as mensagens dos vivos da terra para as almas que habitam a terra das sombras. Por favor, respondam--me se aceitam a minha oferta.
 Ela espera. O zumbido se intensifica. Logo algumas abelhas guardiãs fazem um voo baixo e pousam no rosto de Toby, exploran-

do a pele, as narinas e os cantos dos olhos dela, como se dezenas de dedinhos a acariciassem. Se houver picadas, a resposta é não. Se não houver, a resposta é sim. Ela inspira para se acalmar. As abelhas são avessas ao medo.

As abelhas guardiães afastam-se em voo espiralado em direção ao enxame e se mesclam à pele dourada em movimento. Toby solta o fôlego.

– Já pode olhar agora – diz para Zeb.

Há um estalo, um ruído, alguma coisa segue em direção a eles em meio à vegetação rasteira. Toby sente o sangue saindo de suas mãos. Que merda, ela pensa. Porco, lobocão? E estamos aqui sem pistola. Deixei o rifle na horta. Ela procura uma pedra para arremessar. Zeb pega um pedaço de pau.

São Dian e são Francisco e são Fateh Singh Rathore, deem-me força e sabedoria. Falem com os animais agora. Que se afastem para longe de nós e busquem sustento em Deus.

Mas não é um animal. É voz: é gente. Sem oração de jardineiros contra as outras pessoas. Os painballers – eles não sabem que estamos aqui. O que devemos fazer? Correr? Não, já estão muito perto. Sair da linha de fogo. Se possível.

Zeb se põe à frente de Toby, empurrando-a para trás com uma das mãos. Ele fica imóvel. Depois sorri.

Caverna de osso

Swift Fox sai de dentro das moitas, ajeitando o lençol floral em rosa e azul, seguida por Crozier, ajeitando um lençol mais discreto listrado em tons de preto e cinza.
— Oi, Toby. Oi, Zeb — ele diz de um modo excessivamente casual.
— Passeando? — pergunta Swift Fox.
— Capturando abelhas — responde Zeb. Ele não parece chateado.

Talvez eu tenha me equivocado, pensa Toby: ele não parece com sentimentos territorialistas em relação a ela, nem parece se importar se ela rolou ou não no mato com Crozier.

Quanto a Crozier, não seria mais lógico que estivesse atrás de Ren? Ou Toby também estava equivocada sobre isso?

— Capturando abelhas? É mesmo? É, pode ser — diz Swift Fox sorrindo. — Nós estávamos forrageando. Cogumelos. Forrageamos e forrageamos. Ficamos agachados, de joelhos, procuramos por todos os lados. Mas não encontramos um único cogumelo, não é, Croze?

Crozier abaixa os olhos, balançando a cabeça em negativa, como se tivesse sido pego de calça arriada, embora esteja sem calça, só está com o lençol listrado.

— Bom ver vocês — diz Swift Fox. — Boa captura de abelhas. — Ela se dirige à cabana e Crozier a segue, como se puxado por uma corda.

— Vamos, abelha rainha — diz Zeb para Toby. — Vamos pegar o suprimento. Vou levá-la para casa.

Em um mundo perfeito, Toby teria uma caixa de colmeia Langstroth completa, com telas firmes e móveis. Ela já devia ter preparado uma para o caso de encontrar um enxame; mas não fez isso por falta de previsão. Sem uma caixa de colmeia adequada, o que faria para atrair as abelhas? Algo com uma cavidade protegida e uma passagem por onde elas possam entrar e sair; seco, fresco e quente.

Rebecca oferece uma velha caixa de isopor; Zeb faz um orifício de entrada no alto de uma lateral, e diversos outros orifícios para ventilação. Ele e Toby seguem até um canto da horta, cercam a caixa com pedras para deixá-la estável e abrigada. Fincam duas tábuas verticais de madeira compensada por entre algumas pedras, elevando-as acima do fundo do isopor. É apenas uma aproximação grosseira de uma colmeia, mas terá que servir por ora e quem sabe até por um longo tempo. O problema é que se as abelhas se estabelecerem na caixa, não gostarão de ser transportadas mais tarde.

Toby improvisa uma fronha como saco de captura e os dois retornam à floresta para recolher as abelhas. Ela estica uma vara longa e faz o núcleo do enxame cair suavemente dentro do saco. A parte mais densa guarda a rainha; como o coração no corpo, ela é invisível.

Eles carregam a fronha até a horta, zumbidos altos e uma nuvem de abelhas soltas atrás. Toby introduz a bola de pólen na caixa de isopor e espera até que todas as abelhas saiam da fronha, e depois espera um pouco mais enquanto as abelhas exploram a nova casa.

Toby sempre é tomada por uma corrente de adrenalina quando lida com as abelhas. Alguma coisa pode dar errado, um dia ela poderia exalar um cheiro estranho e se ver no meio de uma horda ardorosa e raivosa. Às vezes ela sonha em tomar um banho de abelhas, como um banho de espuma, a euforia de quem lida com abelhas é a mesma de quem lida com grandes altitudes ou mergulhos nas profundezas. Seria estúpido tentar um banho assim.

Depois que o enxame se acalma, ela fecha a tampa da caixa de isopor e coloca duas pedras em cima. Logo as abelhas estarão voando para dentro e para fora do orifício de entrada e procurando pólen em meio às flores da horta.

– Obrigada – diz para Zeb.

– Sempre ao seu dispor. – Ele fala como um guarda de trânsito e não como um amante. Mas ainda é dia, ela lembra, ele é sempre um pouco formal durante o dia. Ele sai andando e some de vista atrás da cabana; missão cumprida.

Ela cobre a cabeça.

– Que vocês sejam felizes aqui, ó abelhas – diz para a caixa de isopor. – Já que sou a Eva Seis de vocês, prometo visitá-las todo dia e, se puder, trazer-lhes alguma notícia.

– Ó Toby, podemos fazer escrita novamente? Com as marcas no papel? – A sombra do menino Barba Negra aparece. Depois de subir a cerca da horta, ele se pendura de queixo apoiado nos braços dela. Faz tempo que ele a observa?

– Sim – ela diz. – Talvez amanhã, se você chegar mais cedo.

– Que caixa é essa? Que pedras são essas? O que você está fazendo, ó Toby?

– Estou ajudando as abelhas a encontrar um lar – ela diz.

– Elas vão viver nessa caixa? Por que quer que elas vivam nessa caixa?

Porque quero roubar o mel delas, pensa Toby.

– Porque aí estarão a salvo – diz.

– Você estava falando com as abelhas, ó Toby? Ouvi você falando. Ou estava falando com Crake, como faz o Homem das Neves--Jimmy?

– Eu estava conversando com as abelhas – ela explica. Um sorriso ilumina o rosto de Barba Negra.

– Eu não sabia que você podia fazer isso – ele diz. – Você fala com os filhos de Oryx? Como nós fazemos? Mas você não pode cantar!

– Você canta para os animais? – pergunta Toby. – Eles gostam de música?

Essa simples pergunta parece intrigá-lo.

– Música? – ele diz – O que é *música*? – Um minuto depois ele escorrega por trás do muro para se juntar às outras crianças.

Quando você exala odor de abelhas sem estar com elas acaba atraindo a companhia de insetos indesejáveis, de modo que algumas moscas verdes já tentam investir sobre Toby e algumas vespas se mostram interessadas. Ela então se dirige à bomba-d'água para lavar as mãos, e está fazendo isso quando Ren e Lotis Blue se aproximam.

– Precisamos falar com você – diz Ren. – É sobre Amanda. Estamos realmente preocupadas.
– Tentem mantê-la ocupada. – Toby orienta. – Tenho certeza de que a qualquer momento ela volta ao normal. Ela teve um choque, essas coisas levam tempo. Lembra-se de como você ficou enquanto se recuperava do ataque que sofreu dos painballers? Ela ganhará mais força com um pouco de elixir de cogumelo.
– Não, não é isso – diz Ren. – Ela está grávida.
Toby enxuga as mãos na toalha pendurada ao lado da bomba. Faz isso lentamente, se dando um tempo para pensar.
– Tem certeza? – pergunta.
– Ela fez xixi na vareta – diz Lotis Blue. – Positivo. A porra da coisa mostrou uma carinha feliz.
– Uma carinha cor-de-rosa feliz! Essa vareta é tão cruel! É horrível! – exclama Ren, começando a chorar. – Ela não pode ter esse bebê, não depois do que fizeram com ela! Não o filho de um painballer!
– Ela tem andado por aí como um zumbi – diz Lotis Blue. – Está muito deprimida. Está realmente muito, muito pra baixo.
– Vou falar com ela – diz Toby.
Pobre Amanda. Quem podia esperar que ela tivesse o filho de um assassino de criança? Um filho dos estupradores, dos torturadores dela? Embora seja possível uma paternidade diferente. Toby se lembra das flores, do cantinho, do amontoado entusiasmado de crakers à luz da fogueira naquela caótica noite de santa Juliana. E se Amanda carrega um bebê craker? Será possível? Sim, a menos que eles sejam de uma espécie completamente diferente. Mas, se é assim, não seria perigoso? As crianças crakers possuem um relógio de desenvolvimento diferente, elas crescem muito rápido. E se o bebê crescer demais e com muita rapidez e não conseguir sair?
E agora não existem mais hospitais. Nem médicos. E sem instalações adequadas será como um parto dentro de uma caverna.
– Ela está lá no balanço – diz Lotis Blue.

Sentada no balanço das crianças, Amanda se move lentamente para a frente e para trás. Ela não se encaixa no balanço e o faz abaixar até o solo, o que deixa os joelhos em posição desajeitada. Lágrimas rolam vagarosamente pelo seu rosto.

Três mulheres crakers a rodeiam, acariciando-lhe a testa, o cabelo e os ombros. Todas ronronam. A mulher marfim, a ébano e a ouro.

– Amanda – diz Toby. – Está tudo bem. Todo mundo vai ajudar você.

– Eu preferia estar morta – diz Amanda.

Ren explode em lágrimas e se ajoelha, jogando os braços em volta da cintura de Amanda.

– Não fale assim! – diz. – Nós chegamos até aqui! Você não pode desistir agora!

– Eu quero essa coisa fora de mim – retruca Amanda. – Posso beber um pouquinho de algum veneno? Que tal uns cogumelos?

Pelo menos Amanda está com mais energia, pensa Toby. É verdade, no passado utilizavam plantas para isso. Pelo que lembra, Pilar mencionava diversas sementes e raízes: cenoura-brava, prímula. Mas ela está em dúvida em relação às doses, uma tentativa dessas seria muito arriscada. E se for um bebê craker, de um jeito ou de outro nada poderá funcionar. Eles têm uma bioquímica diferente, pelo menos é o que dizem os maddadamitas.

A mulher marfim craker para de ronronar.

– Esta mulher não está mais azul – diz. – A caverna de osso dela não está mais vazia. Isso é bom.

– Por que ela está triste, ó Toby? – pergunta a mulher ouro. – Sempre ficamos felizes quando nossa caverna de osso está cheia.

Caverna de osso. É assim que eles chamam, uma bela maneira, e precisa, mas de repente tudo que Toby consegue visualizar é uma caverna abarrotada de ossos roídos. É como Amanda deve estar se sentindo: morte em vida. O que Toby pode fazer para amenizar essa história? Não muito. Remover todas as facas e cordas, organizar companhias constantes.

– Toby – diz Ren. – Você não pode...

– Por favor, tente – diz Amanda.

– Não – diz Toby. – Não tenho esse conhecimento. – Na época dos jardineiros, a parteira Marushka é que se encarregava da obstetrícia e ginecologia. Toby só tratava de doenças e ferimentos, de modo que larvas, cataplasmas e sanguessugas não seriam úteis no caso em questão. – Talvez isso não seja tão ruim quanto você pensa – ela continua. – Talvez o pai não seja um painballer. Lembra-se daquela noite de santa Juliana em volta da fogueira, de quando eles pularam sobre... de quando houve um mal-entendido cultural? Talvez seja um bebê craker.

– Ótimo – disse Ren. – Grandes opções! Um ultracriminoso ou um tipo de monstro esquisito modificado geneticamente. De todo modo, ela não é a única a sofrer esse mal-entendido cultural, ou como se queira chamá-lo. Pelo que sei, também carrego um desses Frankenbebês dentro de mim. Só que estou com medo de fazer xixi na vareta.

Toby tenta pensar em algo para dizer – algo otimista e tranquilizador. Os genes não são um destino global? Natureza versus criação, o bem pode advir do mal? Os interruptores epigenéticos precisam ser considerados, talvez os painballers só tenham tido uma péssima orientação? E considere-se também o seguinte: os crakers podem ser mais humanos do que pensamos? Mas nada disso soa muito convincente, nem para ela.

– Ó Toby, não fique triste. – Barba Negra cutuca o flanco dela, e depois a pega pela mão e lhe dá um tapinha. – Oryx vai ajudar, o bebê vai sair da caverna de osso e Amanda vai ficar feliz. Todo mundo fica muito feliz quando um bebê acaba de sair.

Filhotes

– Levante-se, você está deitada em cima do meu braço – diz Zeb. – O que há de errado?
– Estou preocupada com Amanda – diz Toby; embora seja verdade, não é só isso. – Parece que ela está grávida. E não está muito feliz.
– Três vivas – diz Zeb. – O primeiro pioneirinho nascido em nosso bravo novo mundo.
– Alguém já mencionou que às vezes você pode ser insensível?
– Nunca – diz Zeb. – Estremeço de coração. Mas o pai mais provável talvez seja um painballer, a julgar pelo que se passou, o que triplicaria a merda. Nós teríamos que afogar o bebê como um gatinho.
– Sem chance – diz Toby. – Essas mulheres crakers simplesmente amam os bebês. Elas perderiam as estribeiras se você fizesse algo cruel e doloroso com algum bebê.
– Elas são estranhas – diz Zeb. – Isso não que dizer que eu não pudesse ter tido uma mãe protetora, carinhosa e essas coisas.
– Pode ser um híbrido. Metade craker – diz Toby. – Considerando o tumulto durante as festividades de santa Juliana. Mas nesse caso o bebê poderia matá-la. As taxas de crescimento fetal dos crakers são diferentes, eles nascem com cabeças maiores, a julgar pelas crianças que essas mulheres carregam por aí; enfim, o bebê poderia ficar entalado. Não tenho a menor ideia de como fazer uma cesariana. E se houvesse uma incompatibilidade de sangue?
– Ivory Bill e os outros sabem alguma coisa a respeito disso? Material genético de sangue?
– Não perguntei a eles – diz Toby.

– Tudo bem, colocamos isso na lista de crise. Gravidez. Convoque uma reunião do grupo. Mas se os MaddAddãos não souberem quais são as probabilidades, vamos esperar para ver, não acha?
– De qualquer maneira, vamos esperar para ver – diz Toby. – Não podemos fazer um aborto, ninguém aqui tem habilidade para isso, e seria arriscado tentar. Existem algumas ervas, mas podem ser tóxicas se você não sabe o que faz. Não há mais nada a fazer, a não ser que alguém tenha uma sugestão brilhante. Mas antes disso preciso fazer uma consulta.
– Com quem? Nenhum dos nossos cerebromaníacos é médico.
– Não ria do que vou dizer.
– Língua mordida, boca grampeada. Pode dizer.
– Tudo bem, pode parecer loucura, mas falarei com Pilar, que como sabemos está morta.
Uma pausa.
– Como planeja fazer isso?
– Pensei em fazer uma visita a ela, você sabe, onde nós...
– No santuário dela? Como uma santa?
– Algo assim. Farei uma meditação avançada. Onde a enterramos naquele parque? No dia da compostagem dela? Nós entramos vestidos de zeladores do parque e cavamos um buraco no...
– Lembro onde foi. Você vestia um macacão verde de funcionária do parque que roubei para você. Nós plantamos uma muda de sabugueiro em cima da sepultura dela.
– Pois é. Quero ir lá. Sei que isso é meio louco, como diria o Mundo Exfernal.
– Primeiro você fala com abelhas, e agora quer falar com os mortos? Nem os jardineiros foram tão longe.
– Alguns foram. Pense nisso como uma metáfora. Acessarei a minha Pilar interior, como diria Adão Um. Ele certamente estaria a favor disso.
Outra pausa.
– Bem, você não pode fazer isso sozinha.
– Eu sei. – Agora, ela é que faz uma pausa.
Um suspiro.

– Tudo bem, querida, o que você quiser. Sou voluntário. Chamarei Rhino e Shackie. Nós lhe daremos cobertura. Uma pistola, além do seu rifle. Quanto tempo acha que isso vai demorar?
– Farei uma meditação avançada curta. Não quero monopolizar muito tempo.
– Acha que vai ouvir vozes? Só para saber.
– Não faço ideia do que vou ouvir – diz Toby, com sinceridade.
– Provavelmente nenhuma. Mas preciso fazer isso de qualquer maneira.
– É disso que gosto em você. Você topa qualquer coisa. – Alguns sussurros, um movimento. Outra pausa. – Alguma outra coisa está consumindo você?
– Não. – Toby mente. – Estou bem.
– Você está prevaricando? – pergunta Zeb. – Por mim, tudo bem.
– Prevaricando. Que monte de sílabas – diz Toby.
– Deixe-me adivinhar. Você acha que eu deveria dizer se houve alguma coisa no mato com você sabe quem. A pequena Fox. Se eu passei a mão nela ou vice-versa. Se houve algum congresso sexual.
Toby reflete a respeito. Ela quer uma notícia ruim sobre o que tanto teme ou uma notícia boa sobre o que não vai acreditar? Será que ela está se transformando em invertebrado com tentáculos e ventosas?
– Fale-me algo mais interessante – diz.
Zeb ri.
– Essa é boa – diz.
Então. Impasse. Cabe a ele saber e cabe a ela abster-se de descobrir. Ele gosta de criptografia. Embora ela não possa vê-lo no escuro, ela o pressente sorrindo.

Eles saíram ao nascer do sol do dia seguinte. Os abutres no alto das árvores mais altas e ressequidas abrem as asas negras para deixar o orvalho evaporar; só depois que as asas se aquecerem é que alçarão voo em espiral. Os corvos rumorejam, uma sílaba áspera de cada vez. Os pássaros menores agitam-se em pios e trinados; ao leste, acima do horizonte, filamentos de nuvens cor-de-rosa flutuam iluminadas de ouro nas beiradas inferiores. Há certos dias em que o céu mais parece uma antiga pintura celestial, mas sem anjos pairando ao redor, com suas vestes brancas como saias de seculares debutantes e seus rosados dedinhos do pé delicadamente apontados e suas asas aerodinamicamente impossíveis. Mas há gaivotas.

Eles caminham ao longo do que ainda é uma trilha, do que ainda é reconhecível como parque Heritage. Os pequenos caminhos de cascalho estão cobertos de plantas rasteiras, mas as mesas de piquenique e as churrasqueiras de cimento ainda não estão tomadas pelo mato. Se existem fantasmas nesse lugar, são fantasmas de crianças sorrindo.

Os tambores de lixo remexidos e as tampas retiradas. Isso não foi coisa de gente. Foi coisa apressada. Não foram os guaxinins, os tambores de lixo são imunes a eles. A terra em volta das mesas de piquenique está esburacada e lamacenta; alguma coisa pisoteou e chafurdou.

A principal via asfaltada é larga o bastante para um veículo do parque Heritage, aquele mesmo que Zeb e Toby utilizaram para transportar Pilar até o local de sua compostagem. Mas os brotos das ervas daninhas já se disseminam. É impressionante a força que exercem: em poucos anos racham um prédio como se quebra uma noz, e em uma década o reduzem a escombros. E depois a terra engole o resto. Tudo digere, e é digerido. Para os jardineiros isso era motivo de comemoração, mas Toby nunca se convenceu.

Rhino caminha à frente de pistola em punho, com Shackleton na retaguarda e Zeb entre os dois, de olho atento em Toby ao lado. Ele a protege com o rifle porque ela já ingeriu uma pequena dose da mistura para meditação avançada. Felizmente, restavam algumas espécies de *Psilocybe* dos antigos canteiros de cogumelos dos jardineiros, junto com os cogumelos secos que Toby conservou ao longo dos anos e levou consigo do AnooYoo Spa. Ela acrescentou uma pitada de *muscaria* à mistura de sementes moídas e cogumelos secos e hidratados. Somente uma pitada: ela não quer estilhaçar o cérebro, apenas um abalo de baixa intensidade – um enrugamento na cortina que separa o mundo visível do que quer que esteja do outro lado. Já começam os efeitos: oscilações e mudanças.

– Ei, o que está fazendo aqui? – Soa a voz de Shackleton chegando até ela pelo túnel escuro.

Ela se vira e avista Barba Negra respondendo.

– Eu quero ficar com Toby.

– Oh, mas é foda mesmo – diz Shackleton.

Barba Negra sorri feliz e diz:

– E com Foda também.

– Tudo bem – diz Toby. – Deixe-o ir.

– De todo jeito, não pode detê-lo – diz Zeb. – Curto de cérebro, esse aí. Se bem que posso pedir para que ele se foda com o Foda.

– Por favor – diz Toby. – Não o confunda.

– Aonde você vai, ó Toby? – pergunta Barba Negra, estendendo a mão.

Ela o pega pela mão.

– Visitar uma amiga – diz. – Uma amiga que você não pode ver.

Barba Negra não faz perguntas, apenas balança a cabeça.

Zeb olha para a frente, para a esquerda e para a direita. Cantarola para si mesmo, um hábito adquirido desde que Toby o conheceu. Isso geralmente significa que ele está estressado.

Agora, na lama estamos atolados,
Isso é realmente foda,
E por isso estamos ferrados,
Porque não conhecemos foda...

– Mas o Homem das Neves-Jimmy conhece – retruca Barba Negra. – E Crake também conhece. – Ele sorri para Toby e para Zeb, satisfeito consigo mesmo.

– Você está certo, amigo – diz Zeb. – Isso é o que eles conhecem. Todos eles.

Toby é arrebatada pela força da fórmula para meditação avançada. Um halo aparentemente com pontas duplas circunda a cabeça de Zeb contra o sol – bem que ele podia se pentear, mas seria preciso uma tesoura. Para ela aquilo parece uma explosão radiante de energia elétrica no cabelo. Uma morfoborboleta sobrevoa luminescente pelo caminho abaixo. Claro, ela lembra, isso é sempre luminescente, mas agora é azul metálico, como um bico de gás. Black Rhino assoma acima dos próprios passos, como um gigante da terra. Urtigas ladeiam a calçada, com os pelos das folhas translúcidos. Ao redor, sonoridades, ruídos, quase vozes; zumbidos e cliques, derivações, sílabas sussurradas.

De repente, irrompe o sabugueiro plantado na sepultura de Pilar. Já cresceu bastante. Cascatas de flores brancas vertem do alto, uma doçura que preenche o ar. Uma vibração de zangões, abelhas e borboletas grandes e pequenas rodeia a árvore.

– Fique aqui com Zeb – diz Toby para Barba Negra. Ela solta a mão dele, dá uns passos à frente e se ajoelha de frente ao sabugueiro.

Ela observa a desarrumação das flores, e pensa, *Pilar*. Rosto enrugado, mãos morenas, sorriso gentil. Tudo tão real, outrora. Debaixo da terra.

Sei que você está aqui, no seu novo corpo. Preciso de sua ajuda.

Não há voz, mas há espaço. De espera.

Amanda. Ela vai morrer, esse bebê vai matá-la? O que devo fazer?

Nada. Toby se sente abandonada. Mas o que esperava? Não existe magia, não existem anjos. Isso sempre foi uma brincadeira de criança.

De qualquer forma, ela não pode deixar de perguntar. *Envie-me uma mensagem. Um sinal. O que faria no meu lugar?*

– Cuidado. – Soa a voz de Zeb. – Fique quieta. Olhe lentamente para a esquerda.

Toby vira a cabeça. Cruzando o caminho de pedras, um porco gigante. Uma porca e seus filhotes: cinco leitõezinhos enfileirados. Grunhidos suaves da mãe, alvoroço dos filhotinhos. Como são rosadas e brilhantes aquelas orelhinhas, como são cristalinos aqueles cascos, como...

– Faço a cobertura – diz Zeb, erguendo o rifle lentamente.

– Não atire – diz Toby. Sua própria voz está distante em seu ouvido; sua boca, agigantada e anestesiada; seu coração, sereno.

A porca para e vira de lado: um alvo perfeito. Ela olha para além dos olhos de Toby. Os cinco leitõezinhos se reúnem sob a sombra da mãe, sob os mamilos também alinhados como botões de colete.

A porca abre um sorriso, mas ela é feita dessa maneira. Um brilho de luz sobre um dente.

Barba Negra avança. Seu corpo irradia dourado ao sol, seus olhos verdes cintilam e suas mãos se estendem.

– Volte aqui – diz Zeb.

– Espere – diz Toby. Uma força tão grande. Uma bala jamais deteria aquela porca, um tiro de arma de spray não abalaria aquele dente. Ela os esmagaria como um tanque. Vida, vida, vida, vida, vida. Em todo o esplendor, neste minuto. Segundo. Milésimo de segundo. Milênio. Uma era.

A porca não se move. Ela continua de cabeça erguida, as orelhas projetadas para a frente. Orelhas enormes, como lírios. Nenhum sinal desafiador. Os leitões estão quietinhos, olhos vermelhos como morangos e outras frutas vermelhas. Olhos de bagas de sabugueiro.

De repente, um som. De onde vem? É como o vento na folhagem, como os sons dos falcões quando voam; não, é como um pássaro de gelo; não, é como um... Merda, pensa Toby. Estou chapada demais.

É Barba Negra cantando. Voz de menino. Voz de craker inumana.

Um segundo depois a porca e os filhotes desaparecem. Barba Negra se volta para Toby sorrindo.

– Ela estava aqui – ele diz. Isso quer dizer o quê?

– Porra – diz Shackleton. – Lá se vão as costeletas.

Então, pensa Toby, volte para casa, tome um banho, fique sóbria. Já teve sua visão.

VETOR

A história do nascimento de Crake

— Ainda um pouco tonta? — pergunta Zeb em meio às árvores, onde a rede de Jimmy está pendurada e os crakers os aguardam.

É crepúsculo: mais intenso, mais espesso, mais camadas que de costume, mariposas mais luminosas, aromas de flores noturnas mais inebriantes: a curta duração da fórmula de meditação tem esse efeito. A mão de Zeb é como veludo áspero na mão de Toby, é como língua de gato quente, suave, delicada e rouca. Às vezes leva metade de um dia para a química se dissipar.

— Não estou certa se *tonta* é uma palavra adequada para expressar uma experiência mística e quase religiosa — ela diz.

— Foi isso, então?

— Possivelmente. Barba Negra está dizendo para os outros que Pilar apareceu na pele de uma porca.

— Não me diga! E ela era vegetariana. Como ela apareceu?

— Ele está dizendo que ela se meteu na pele do porco do jeito que você se mete na pele do urso. Só que ela não matou nem comeu o porco.

— Que desperdício.

— Barba Negra também está espalhando que ela conversou comigo. Ele está dizendo que a ouviu fazer isso.

— Você também acha isso?

— Não exatamente — diz Toby. — Você conhece o jeito dos jardineiros. Comuniquei-me com minha Pilar interior e ela exteriorizou-se em forma visível, em conexão com facilitadores químicos do cérebro para as ondas do universo; universo no qual, aliás, se bem entendido, não há coincidências. E não se pode afirmar que as impressões sensoriais "causadas" pela ingestão de substâncias psicoativas sejam uma

ilusão. Se as portas são abertas com outras chaves, isso significa que as coisas reveladas pelas portas abertas não estão lá?
– Adão Um realmente fez um bom trabalho em você, não fez? Ele podia falar essas besteiras por horas a fio.
– Se posso seguir a linha de raciocínio dele, eu acho que nesse sentido ele fez um bom trabalho, sim. Mas não tenho a mesma certeza em relação à "crença". Se bem que, como ele próprio dizia, o que é "crença" senão vontade de suspender a negação?
– Claro, certo. Nunca entendi muito bem no que ele realmente acreditava, ou se acreditava a ponto de pôr a mão no fogo por isso. Ele era muito escorregadio.
– Ele dizia que se você agisse de acordo com sua crença, isso seria a mesma coisa. Era como ter a crença.
– Gostaria muito de poder encontrá-lo – diz Zeb. – Mesmo que já esteja morto. De qualquer maneira, gostaria de saber o que aconteceu.
– Eles costumavam chamar isso de "clausura" – diz Toby. – Em algumas culturas o espírito só se liberta quando o corpo tem um enterro decente.
– Coisa velha e engraçada, a raça humana, não é? – diz Zeb. – Então, aqui estamos. Faça o que tem de fazer, Dama da História.
– Não sei se consigo. Não esta noite. Ainda estou um pouco confusa.
– Tente um pouquinho. Pelo menos apareça. Você não quer começar uma revolta.

Obrigada pelo peixe.
Acho que não vou comê-lo agora porque antes tenho algo importante para dizer a vocês.
Ontem ouvi Crake através da coisa brilhante.
Por favor, não cantem.
E Crake disse: é melhor cozinhar o peixe um pouco mais. Até que fique quente o tempo todo. Nunca o deixem ao sol antes de cozinhá-lo. E não o guardem durante a noite. Crake disse que a melhor maneira de cozinhar um peixe é a maneira como o Homem das Neves-Jimmy gosta de cozinhá-lo. E Oryx disse que, se chegou a hora

de os seus filhos comerem peixe, que eles o comam da melhor maneira. Isso significa completamente cozido.

Sim, o Homem das Neves-Jimmy está se sentindo melhor, embora ele esteja dormindo agora no seu próprio quarto lá dentro. O pé não está mais doendo muito. Foi muito bom vocês terem ronronado tanto em cima dele. Ele ainda não pode correr muito rápido, mas todo dia caminha. E Ren e Lotis Blue o ajudam. Amanda não pode ajudá-lo porque está muito triste.
Nós não vamos falar agora por que ela está muito triste.

Hoje à noite não vou contar uma história, por causa do peixe. Por que ele precisa ser cozinhado da melhor maneira. E também estou me sentindo um pouco... Estou me sentindo cansada. Fica mais difícil ouvir a história quando ponho o boné vermelho do Homem das Neves-Jimmy.
Sei que vocês estão decepcionados. Mas amanhã contarei uma história.
Que história vocês gostariam de ouvir?
De Zeb? E de Crake também?
Uma história com os dois. Sim, talvez haja uma história assim. Talvez.
Se Crake nasceu um dia? Sim, acho que sim. O que vocês acham?
Bem, não tenho certeza. Mas ele deve ter nascido porque se parecia com uma... no passado ele se parecia com uma pessoa. Zeb o conheceu naquela época. Por isso, talvez haja uma história com os dois. E Pilar também está nessa história.
Barba Negra? Algo a dizer sobre Crake?
Se ele realmente não nasceu saindo de uma caverna de osso, se ele só ficou dentro da pele de uma pessoa? Se ele a pôs em cima do corpo como uma roupa? Se ele era diferente por dentro? Se ele era redondo e duro como a coisa brilhante? Entendi.
Obrigada, Barba Negra. Você poderia colocar o boné vermelho de Jimmy-Homem das Neves, quer dizer, do Homem das Neves--Jimmy, e nos contar toda essa história?
Não, o boné não vai machucar você. E não vai transformá-lo em outra pessoa. Não, não vai crescer uma segunda pele em você.

E você não vai vestir roupas como as minhas. Você pode manter sua própria pele.
  Tudo bem. Não precisa colocar o boné vermelho. Por favor, não chore.

  – Enfim, aquilo não caiu bem – diz Toby. – Eu não sabia que eles tinham medo... do velho boné vermelho de beisebol.
  – Até eu tinha medo dos Red Sox – diz Zeb. – Quando era menino. Eu já era um apostador, até naquela época.
  – Pelo que parece é um objeto sagrado para eles. O boné. Uma espécie de tabu. Eles podem carregá-lo de um lado para outro, mas não podem vesti-lo.
  – E como culpá-los? Isso está imundo! Aposto que tem piolhos.
  – Estou tentando manter um papo antropológico aqui.
  – Comentei recentemente que você tem uma bunda linda?
  – Não seja complexo – diz Toby.
  – *Complexo* é outro termo para otário patético?
  – Não – diz Toby. – É só que... – Só que o quê? Só que ela não acredita que ele quer mesmo dizer isso.
  – Tudo bem, é um elogio. Lembra? Os elogios que os homens davam para as mulheres? É um movimento de namoro... isso, sim, é antropologia. Então, é só pensar nisso como um buquê de flores. Combinado?
  – Combinado – diz Toby.
  – Vamos começar de novo. Apreciei sua bunda linda no seu caminho de volta, naquele dia da compostagem de Pilar. Quando você tirou aquelas roupas folgadas e vestiu o macacão de jardineira do parque. Fiquei tomado pelo desejo. Mas naquela época você era inacessível.
  – Na verdade, não era. Eu era...
  – Sim, você meio que era. Você era a Senhorita Pureza Total dos Jardineiros de Deus, pelo menos tanto quanto era possível dizer. A moça de Adão Um, dedicada ao altar. Para ser franco, cheguei a me perguntar se você estava tendo um caso com ele. Fiquei muito enciumado.
  – Claro que não – diz Toby. – Ele nunca, nunca...

– Acredito em você. Muitos outros, não. Enfim, na ocasião eu estava ligado em Lucerne.

– Foi isso que o travou? Sr. Magnetizador de Mulheres?

Um suspiro.

– Magnetizei muitas, naturalmente. Nos meus tempos de garotão. É uma coisa hormonal, vem com os colhões. Maravilha da natureza. Mas as mulheres nem sempre se atraíam por mim. – Uma pausa. – De qualquer forma, sou fiel. Com quem estou, se realmente estiver com essa pessoa. Um monogâmico em série, pode-se dizer.

Toby acredita nisso? Ela não tem certeza.

– Mas depois Lucerne deixou os jardineiros – ela diz.

– E você era Eva Seis. Conversando com as abelhas, medindo as viagens da cabeça. Parecia uma madre superiora. Pensei que você me esbofetearia. Atalho Inacessível. – Ele recorre ao velho codinome que ela usava no chat de MaddAddão. – Essa era você.

– E você era o Espírito do Urso – diz Toby. – Difícil de encontrar, mas boa sorte se encontrar algum. É o que as histórias narravam antes da extinção dos ursos. – Ela começa a fungar. Outro efeito da fórmula para meditação: derrete as muralhas da fortaleza.

– Ei. O que houve? Falei algo ruim?

– Não – diz Toby. – Estou sentimental, só isso.

Durante todos esses anos em que você foi minha tábua de salvação, ela quer dizer. Mas não diz.

O jovem Crake

– Agora, preciso aparecer com alguma coisa – diz Toby. – Uma história com Crake e com você. Crake conheceu Pilar quando era mais jovem, percebi isso. Mas o que direi sobre você?
 – É melhor contar o que realmente aconteceu – diz Zeb. – Eu o conheci antes do surgimento dos Jardineiros de Deus. Mas naquela época ele não era Crake, nem chegava perto disso. Era apenas um garoto fodido chamado Glenn.

Já dentro da HelthWyzer West, Zeb aprendeu os memes do lugar e tratou de imitá-los o mais rápido possível. Apresentar os memes certos era a estrada de tijolos amarelos para camuflar-se e, consequentemente, sobreviver, de modo que quando o monstruoso olho do gigante Rev o procurasse pela gigantesca rede da Corps, o que poderia acontecer a qualquer momento, ele passaria despercebido. Coloração protetora, era do que precisava.
 A visão promovida oficialmente pela HelthWyzer West era de uma grande família feliz dedicada à busca da verdade e à melhoria da humanidade. Enfatizar demais o valor da melhoria para os acionistas era considerado de mau gosto, mas por outro lado havia um pacote de opções para os funcionários. Esperava-se que todos fossem incessantemente alegres, porque assim atingiriam com diligência as metas que lhes eram atribuídas, e que não perguntassem muito sobre o que realmente estava acontecendo, como nas famílias reais.
 E também como nas famílias reais, havia zonas proibidas. Algumas eram conceituais, mas outras eram meramente físicas. A plebelândia fora do complexo da HelthWyzer era uma dessas zonas, a menos que se tivessem um passe e proteção assinada. Os firewalls

bloqueadores de IP tornaram-se compactos e, em alguns casos, impenetráveis, a menos que se tivesse um posto ou contato privilegiado na organização; por isso mesmo, quando não se podia invadir o sistema, pegava-se o material da fonte primária. Cerebromaníacos de várias Corps estavam sendo sequestrados e contrabandeados do exterior, segundo rumores, para complexos de corporações rivais, onde dissecavam o ouro e as joias que aquelas cabeças provavelmente continham.

Isso era um motivo de grande preocupação para a HelthWyzer West – o que indicava acontecimentos muito importantes por trás das portas bloqueadas –, e as barreiras tinham sido colocadas em prática. Os melhores biogeeks portavam alarmes acústicos que registravam o paradeiro tomado, se bem que às vezes eram habilmente desligados e depois utilizados para localizar e rastrear aqueles que os portavam. Aqui e ali, nas paredes dos corredores e nas salas de reuniões, cartazes sempre lembravam os perigos do momento aos incautos. SIGA AS REGRAS DE SEGURANÇA E CONSERVE A CABEÇA! E SEU CONTEÚDO! SUA MEMÓRIA É NOSSO IP E POR ISSO A PROTEGEMOS PARA VOCÊ!

E ainda CÉREBROS SÃO COMO CAMPOS: UM CAMPO CULTIVADO É MAIS VALIOSO. Uma pichação com caneta hidrocor cobria esse último cartaz: *Seja mais cultivado! Coma mais merda!* Isso pelo menos indica uma dissidência oculta em meio às carinhas sorridentes, pensou Zeb.

Um aspecto do *ethos* da família feliz da HelthWyzer West era o churrasco das quintas-feiras no pátio central do complexo. Segundo Adão, tais encontros não deviam ser desperdiçados porque constituíam um território privilegiado para espionagem e descoberta do poder invisível dos filamentos. Era quando eles se vestiam de maneira casual e mais próxima das roupas dos alfas. Adão acrescentara que ali Zeb encontraria algumas atividades divertidas, especialmente jogos de tabuleiro, embora sem dizer por quê.

Zeb então apareceu no churrasco da HelthWyzer West na primeira quinta-feira após sua chegada. Deu uma olhadela no que era oferecido: sorvetes deliciosos para as crianças, costeletas de porco para os carnívoros, produtos SoyOBoy e hambúrgueres de carne vegetal para os veganos. NevRBled Shish-K-Buddies para os que queriam comer carne sem matança de animais – os cubos de carne eram produzidos em laboratório a partir de células ("sem sofrimento animal") e até que não tinham um gosto ruim, quando ingeridos com muita cerveja. Mas como ele precisava limitar a bebida para estar alerta, optou pelas costeletas. Não era preciso se embriagar para apreciá-las.

Em meio ao aglomerado de gente, alguns esportes típicos dos geeks estavam em andamento. Croqué e bocha ao ar livre, pingue-pongue e futebol de mesa sob os toldos. Brincadeiras de roda para os menores de seis anos, variações de pique-esconde para as crianças de mais idade. E para as mais sérias e superinteligentes, e potencialmente aspies cerebromaníacas, uma fileira de computadores sob guarda-sóis, onde podiam fazer suas coisas obsessivo-compulsivas on-line – nos limites dos firewalls da HelthWyzer, claro – e se confrontarem entre si sem contato visual.

Zeb também deu uma olhadela nos games: Three-Dimensional Waco, Intestinal Parasites, Weather Challenge, Blood and Roses. E ainda Barbarian Stomp, um game novo para ele.

De repente, Marjorie apareceu no seu campo de visão, com olhinhos de spaniel e jeitinho de abelha, o sorriso pidão no ponto, reforçado pelo ketchup no queixo. Hora de se esconder e dissimular: era o tipo de mulher que marcava território e não teria escrúpulos em revistar os bolsos da calça enquanto você dormia para encontrar possíveis rivais, e provavelmente fuçaria os seus e-mails. Talvez ele estivesse sendo um pouco paranoico, mas era melhor não arriscar.

– Quer jogar comigo? – ele perguntou ao cerebromaníaco mais próximo, um menino magricela com uma camiseta escura e uma pilha de costeletas de porco roídas no prato de papel ao lado. Aquilo era uma xícara de café? Desde quando permitiam café para crianças daquela idade? Onde estavam os pais?

O menino olhou para ele com grandes olhos verdes e opacos, mas possivelmente zombeteiros. As crianças também usavam crachás naqueles churrascos, e no crachá do menino estava escrito: *Glenn*.

– Claro – disse Glenn. – Xadrez convencional?
– Há outro? – perguntou Zeb.
– Tridimensional – respondeu o menino indiferente. Se Zeb não conhecia aquele tipo de jogo, ele não poderia ser um jogador muito bom. Gritantemente óbvio.
Foi dessa maneira que Zeb conheceu Crake.

– Mas ele ainda não era o Crake, como disse antes. Naquela época ele era apenas um menino – diz Zeb. – Ainda não tinha acontecido muita coisa com ele, embora "muita coisa" sempre seja uma questão de gosto.
– Sério? – diz Toby. – Faz tanto tempo assim?
– Eu mentiria para você? – diz Zeb.
Toby reflete a respeito.
– Não sobre isso.

Generoso e paternal, Zeb deixou Glenn jogar com as peças brancas e Glenn o encurralou, mas Zeb travou uma luta honrosa. Seguiu-se a isso uma rodada de Three-Dimensional Waco, na qual Zeb venceu e Glenn pediu outra partida imediatamente, que terminou empatada. Glenn olhou para Zeb com certo respeito e perguntou de onde ele vinha.

Zeb então contou algumas mentiras, embora mentiras inocentes. Falou da Miss Direção e do Mundo Flutuante e também dos ursos da Bearlift, mudando nome e local e omitindo algumas coisas sobre a morte de Chuck. Glenn nunca tinha saído do complexo, pelo que se lembrava, portanto, essas histórias devem ter assumido dimensões míticas para ele. Mas fez questão de não parecer impressionado.

De qualquer forma, Glenn passou a se aproximar de Zeb nos churrascos das quintas-feiras e na hora do almoço. Não era exatamente um culto ao herói, assim como Zeb não era um substituto do pai de Glenn. Era como um irmão mais velho, isso dava para perceber. Glenn não tinha muitos meninos da mesma idade na Helth-Wyzer West para brincar. Ou então os outros meninos não eram muito inteligentes como ele. Claro que ele não pensava que Zeb fosse muito inteligente, mas estava dentro dos parâmetros. Se bem que rolava um ar de comando no desempenho do processo: Glenn como um príncipe herdeiro e Zeb como um indistinto cortesão.

Qual era a idade exata de Glenn? Oito, nove, dez? Isso era difícil para Zeb dizer, mesmo porque não gostava de se lembrar de sua própria vida quando tinha oito ou nove ou dez anos. Ele tinha passado aqueles tempos no escuro. Eram coisas que precisavam ser esquecidas, e ele se esforçava para esquecer. Assim, ao topar com um menino daquela mesma idade, ele pensou primeiro em dizer: *Fuja! Fuja rapidamente!* E depois: *Cresça mais! Cresça bastante!* Quando se é muito grande, ninguém exerce poder sobre você. Ou pelo menos muito poder. Se bem que isso não funcionou com as baleias, ponderou consigo. Ou com os tigres. Ou com os elefantes.

Talvez tenha havido um *alguém* na vida do jovem Glenn, ou quem sabe uma *coisa*: algo que o assombrava. O garoto tinha aquele mesmo olhar que Zeb observava quando se olhava de relance no espelho: cauteloso, desconfiado, como se um inimigo à espreita ou um abismo sem fundo pudessem irromper de um arbusto ou de um estacionamento ou de uma peça de mobiliário. Mas Glenn não tinha cicatrizes, contusões, e muito menos dificuldade para se alimentar ou qualquer outra coisa visível; qual era então a entidade que o assombrava? Nada definido, talvez. Mais para uma falta, um vácuo.

Depois de muitas quintas-feiras e apuradas observações, Zeb concluiu que os pais de Glenn não tinham tempo para o filho. Nem para eles próprios: a linguagem corporal mostrava que já tinham passado pela fase de irritação ou de antipatia ocasional e entrado na do ódio. Em público, recorriam a olhares gelados e monossílabos, esquivando-se rápido. Enfim, por trás das cortinas fervia um caldeirão de raiva naquele fogão privado, um caldeirão borbulhante que demandava toda a atenção do casal e relegava Glenn a uma nota de rodapé ou um card colecionável. Provavelmente o garoto gravitava em torno de Zeb pela mesma razão que as crianças se sentem atraídas pelos dinossauros; quando se sentem abandonadas em um mundo de forças além do seu próprio controle, se reconfortam com a amizade de uma grande besta escamosa.

A mãe de Glenn integrava a equipe de administração de alimentos, acompanhamento de suprimentos e planejamento de refeição.

O pai de Glenn era um pesquisador não muito expoente – um especialista em micróbios raros, vírus deformados, antígenos estranhos e variedades incomuns de biovetores anafiláticos. Os vírus Ebola e Marburg estavam entre essas especialidades, mas na ocasião ele pesquisava uma insólita reação alérgica à carne vermelha ligada a picadas de carrapatos. Um agente nas proteínas salivares dos carrapatos causava essa reação, explicou Glenn.

– Então – disse Zeb –, um carrapato baba em você e de repente você já não pode mais comer um bife sem explodir como uma colmeia e sufocar até morrer?

– Lado positivo – disse Glenn. Ele passava por uma fase na qual dizia "lado positivo" e depois acrescentava o catastrófico. – Lado positivo, se elas se espalharem pela população... essas proteínas salivares do carrapato adicionadas, digamos, à aspirina comum, todos se tornarão alérgicos à carne vermelha que contém grande quantidade de carbono e provoca o desmatamento das florestas. Florestas que são desmatadas para a criação de gado, então...

– Não é essa a ideia que faço de lado positivo – disse Zeb. – Para argumento: somos caçadores-coletores que evoluímos para comer carne.

– E desenvolver alergias letais transmitidas pela saliva – disse Glenn.

– Só naqueles programados para serem eliminados do pool genético – disse Zeb. – Por isso é raro.

Glenn sorriu, o que não fazia muitas vezes.

– Ponto para você – disse.

Às vezes Zeb e Glenn estavam em seus jogos eletrônicos das quintas-feiras e Rhoda, a mãe de Glenn, aparecia para assistir. Inclinava-se demais sobre o ombro de Zeb e por vezes até o tocava... com o quê? A ponta do seio? Parecia isso: era o molde de um mamilo. Claro que não era um dedo. Um hálito perfumado de cerveja arrepiava os pelos da orelha de Zeb. Mas ela nunca tocava em Glenn. Aliás, nunca ninguém tocava em Glenn. De alguma forma, ele é que arranjava as coisas para isso, erguendo uma zona de exclusão invisível em torno de si.

– Vocês dois – dizia Rhoda. – É melhor saírem daqui e ativar o corpo. Jogar croqué. – Glenn não dava bola para as intervenções maternas, nem Zeb: a data de validade do frescor ideal da mãe de Glenn já tinha expirado, se bem que ela não era encarquilhada e ele se imaginava dentro de um bote salva-vidas à deriva junto com ela. Mas isso era uma fantasia, e ele então ignorava as cutucadas de mamilo e as respirações arfantes na orelha e se concentrava na parte sangue do game Blood and Roses, erradicando a população da antiga Cartago e semeando a terra com sal e escravizando o Congo Belga e assassinando bebês primogênitos egípcios.

Mas por que parar nos primogênitos? Entre as atrocidades apresentadas pelo virtual Blood and Roses, bebês eram jogados para o alto e espetados em espadas, isso quando não eram arremessados em fornos ou não tinham os cérebros espatifados contra paredes de pedra.

– Troque os seus mil bebês pelo Palácio de Versalhes e o Lincoln Memorial – disse Zeb para Glenn.

– Sem acordo – retrucou Glenn. – A menos que você bombardeie Hiroshima.

– Que escândalo! Quer que esses bebês morram em agonia?

– Os bebês não são reais. É só um jogo. Então, eles morrem e o Império Inca é preservado. Com toda aquela arte em ouro.

– E depois beije os bebês e diga adeus – disse Zeb. – Seu pestinha sem coração. Pronto. Feito. E pelo jeito ganhei dinheiro e pontos no Wildcard Joker por ter explodido o Lincoln Memorial.

– Quem se importa? – disse Glenn. – Ainda tenho o Palácio de Versalhes e os incas. De qualquer forma, restaram muitos bebês. Eles deixam um rastro enorme de carbono.

– Vocês são terríveis – disse Rhoda coçando-se atrás de Zeb, as arranhaduras das unhas soavam como garras de gato no feltro. Que parte do corpo ela estaria coçando? Ele se esforçou para não pensar nisso. Glenn já tinha problemas suficientes para que seu único amigo de confiança fizesse a besteira de se engraçar com sua mãe.

...

Sem sequer se dar conta Zeb começou a dar aulas extracurriculares de codificação para o jovem Glenn, o que em termos práticos era também hackear. Com índole para isso o garoto finalmente pareceu impressionado pelas coisas que Zeb conhecia e que ele desconhecia, assimilando tudo como se por um toque de mágica. Era tentador pegar aquele talento e aperfeiçoá-lo, polindo-o e transmitindo as chaves do reino – o Abre-te Sésamo, as portas dos fundos, os atalhos? Muito tentador. Foi o que Zeb fez. Era divertido assistir ao garoto absorvendo tudo, e quem podia prever as consequências? Até porque elas geralmente também são divertidas.

Em troca pelas aulas de Zeb sobre codificação e segredos da arte de hackear, Glenn compartilhou alguns segredos de sua autoria. Ele, por exemplo, grampeara o quarto da mãe, escondendo um gravador no abajur da mesinha de cabeceira, de modo que Zeb ficou sabendo que Rhoda tinha um caso com um executivo chamado Pete e que os dois quase sempre se encontravam antes do almoço.

– Meu pai não sabe – disse Glenn. Ele refletiu e encarou Zeb com seus misteriosos olhos verdes. – Será que devo contar para ele?

– Talvez seja melhor não ouvir essa merda – disse Zeb.

Glenn lançou-lhe um olhar gelado.

– Por que não?

– Porque são coisas de adultos – respondeu Zeb, soando certinho demais até para si mesmo.

– Você ouviria se tivesse minha idade – retrucou Glenn, e Zeb não pôde negar que faria isso em um milésimo de segundo, se tivesse a oportunidade e a tecnologia. Com avidez, em um piscar de olhos, sem pensar duas vezes.

Por outro lado, talvez ele não fizesse nada, caso isso envolvesse os seus próprios pais. E naquele instante ele se sentiu enjoado só de pensar nos grunhidos de Rev enquanto se mexia em cima de Trudy – ela estaria melada de loção perfumada e lubrificante, parecendo uma almofada de cetim rosa estofada demais.

Ataque Grob

– Agora é a parte em que conheci Pilar – diz Zeb.
– Que diabos Pilar estava fazendo na HelthWyzer West? – pergunta Toby. – Trabalhando para uma Corp, dentro de um complexo?
Mas ela sabia a resposta. Muitos jardineiros e muitos maddadamitas tinham começado dentro de algum complexo de uma Corp. Onde mais alguém formado em biociência poderia trabalhar? Se você queria trabalhar em pesquisa, tinha que ser para uma Corp, porque era onde o dinheiro estava. E você naturalmente acabava realizando projetos que interessavam a eles e não lhe interessavam. E os que interessam a eles tinham que ter uma aplicação comercial rentável.

Zeb conheceu Pilar em um daqueles churrascos das quintas-feiras. Até então ainda não a tinha visto. O pessoal sênior não costumava comparecer aos churrascos semanais para os mais jovens, os que estavam ou não de olho em paqueras casuais ou que zanzavam para trocar fofocas e recolher informações, e Pilar já tinha passado dessa fase. Já estava no alto da escala sênior quando Zeb a conheceu.
Mas naquela quinta-feira ela estava presente. Zeb primeiro reparou naquela baixinha mais velha de cabelos quase grisalhos que estava jogando xadrez com Glenn, meio à parte. Era uma combinação ímpar – uma quase senhora e um garoto arrogante –, e combinações ímpares o intrigavam.
Ele passou casualmente e pôs-se atrás de Glenn. Assistiu ao jogo por um tempo, sem tentar opinar. Nenhum dos lados tinha uma vantagem óbvia. A velha senhora jogava de modo relativamente rápido e sereno enquanto Glenn ponderava. Ela o fazia se esforçar.

– Rainha para h5 – disse Zeb por fim. Naquele momento Glenn jogava com as peças pretas. E Zeb se perguntou se ele optara por bravata ou se os dois tinham feito alguma disputa pelas brancas.
– Acho que não – disse Glenn sem olhar para cima enquanto movia o cavalo para bloquear – Zeb pôde ver então – um possível xeque. Ele recebeu da senhora um sorriso de olhos enrugados em um rosto moreno de gnomo que talvez significasse algo entre o *Gosto de você* e o *Preste atenção*.
– Quem é o seu amigo? – ela perguntou para Glenn.
Glenn franziu a testa para Zeb, o que significava que estava inseguro em relação ao jogo.
– Seth – ele respondeu. – Pilar. Sua vez.
– Olá – disse Zeb, com um meneio de cabeça.
– Muito prazer – disse Pilar, acrescentando para Glenn. – Boa jogada.
– Vejo você mais tarde – disse Zeb para Glenn.
Ele afastou-se para comer alguns NevRBled Shish-K-Buddies. Já estava se apaixonando por eles, apesar da textura artificial – coroados por um cone SoYummie e com sabor quase natural de frutas vermelhas. Enquanto chupava o cone classificava as mulheres à vista. Era um passatempo inofensivo. Na escala de um a dez, nenhum dez (um minuto depois!), embora com dois oitos (com ligeiras reservas), alguns cincos (se nada mais disponível), alguns três definitivos (só se você me pagar) e um infeliz dois (me pagar muito!). De repente, ele sentiu um toque no braço.
– Não demonstre surpresa, Seth.
O sussurro o fez abaixar a cabeça: era o rostinho de noz de Pilar. Estava dando em cima dele? Claro que não, mas em caso afirmativo seria um momento delicado e de sábia polidez; como dizer não de um modo aceitável?
– Seus cadarços estão soltos – ela disse.
Ele olhou para ela. Ele estava com mocassins sem cadarços.
– Zeb, bem-vindo a MaddAddão – ela disse sorrindo.
Ele tossiu um pedaço do cone SoYummie.
– Puta merda! – Ele teve a presença de espírito de dizer isso em voz baixa. Adão e seus "cadarços", senha idiota. Quem lembraria?

– Está tudo bem – disse Pilar. – Conheço o seu irmão. Fui eu que ajudei a trazer você para cá. Se faça de entediado, como se numa conversa-fiada. – Ela sorriu novamente. – Vejo-o no churrasco da próxima quinta-feira. Providenciaremos uma partida de xadrez. – Ela saiu flutuando serenamente em direção ao jogo de croqué. Tinha uma excelente postura: Zeb percebeu que ela devia ser uma aficionada da ioga. Uma postura daquelas fazia com que ele se sentisse particularmente desleixado.

Em seguida pensou em se conectar para ziguezaguear até a sala de chat do Extinctathon de MaddAddão e questionar Adão sobre aquela mulher. Isso seria imprudente. Quanto menos se falar on-line, melhor, mesmo num espaço seguro. A rede era sempre a rede – cheia de furos e armadilhas, nunca deixava de ser isso, apesar das alardeadas e constantes correções que eram feitas, com algoritmos impenetráveis e senhas e escaneamentos de polegares.

O que mais eles esperavam? Claro que a coisa vazaria com escravos de código como Zeb no comando das chaves de segurança. O salário era muito baixo, de modo que a tentação de furtar, bisbilhotar, delatar e vender por recompensas elevadas era muito alta. Mas como contrapeso as sanções tornavam-se cada vez mais extremadas. Roubos on-line eram cada vez mais profissionais, como as estratégias daqueles caras que tinham trabalhado com ele no Rio. Eram poucos os que hackeavam por puro idealismo, sem querer nada e registrando os protestos, como aqueles outros sujeitos de meia-idade nos legendários anos dourados que nostalgicamente se comunicavam com máscaras de anônimos retrôs nos recessos escuros e obscuros da web.

Que bem haveria em registrar outros protestos? A Corps se mobilizava para aperfeiçoar um serviço secreto de segurança e assumir o controle da artilharia; não passava um mês sem que surgissem novas armas da lei sob o pretexto de proteger a população. As demonstrações ao estilo da velha política estavam ultrapassadas. Alvos individuais como Rev podiam ser atingidos por meios escusos, mas as ações públicas envolviam multidões e abaixo-assinados, seguidos de enfrentamentos e disparos à altura dos joelhos. Quase todos sabiam disso.

Zeb acabou de chupar o cone SoYummie, rechaçou o nariz arrebitado de Marjorie que propôs um jogo de croqué e pareceu magoada quando ele alegou que era desajeitado com bolas de madeira, e depois serpenteou até o lugar onde Glenn estava sentado e de olhos fixos no tabuleiro de xadrez. Jogava contra si mesmo no tabuleiro novamente armado.

– Quem ganhou? – perguntou Zeb.

– Quase ganhei – ele disse. – Ela recorreu a um ataque Grob. Isso me pegou de surpresa.

– O que exatamente ela faz aqui? – perguntou Zeb. – Está no comando de alguma coisa?

Glenn sorriu. Ele se aprazia em saber coisas que Zeb não sabia.

– Cogumelos. Fungos. Mofo. Vamos jogar?

– Amanhã – disse Zeb. – Comi demais, isso embotou o meu cérebro.

Glenn sorriu e disse:

– Cagão.

– Talvez apenas preguiçoso. Como a conheceu? – disse Zeb.

Glenn olhou para ele um pouco demoradamente demais, um pouco duro demais: olhos verdes de gato.

– Já falei. Ela trabalha com meu pai. Ele faz parte da equipe dela. De um jeito ou de outro, ela está no clube de xadrez. Jogo com ela desde que eu tinha cinco anos. Ela não é muito burra.

Em se tratando de elogios, era o máximo que Glenn conseguia.

Vetor

Glenn não apareceu no churrasco da quinta-feira seguinte. Fazia dois dias que não aparecia, assim como não tinha aparecido na cafeteria para solicitar a Zeb os novos movimentos dos hackers no computador. Glenn estava invisível.

Estaria doente? Teria fugido? Eram as duas únicas possibilidades e Zeb logo descartou a fuga: o garoto era muito jovem para isso e era difícil sair da HelthWyzer West sem um passe. Acontece que Glenn acabara de assumir as enigmáticas habilidades robinhoodianas e talvez tivesse obtido um passe falso.

Outra possibilidade é que o pequeno espertalhão tivesse rompido as linhas digitais. Ele teria invadido e se apropriado de um banco de dados ou de outra coisa qualquer das sacrossantas Corps, só por curtição, isso porque não poderia negociar com o mercado cinza chinês ou pior, com os albaneses que estavam incandescidos naquele momento – ele seria pego. Nesse caso, já estaria em algum quartinho ou sabe-se lá onde, tendo o cérebro bombeado para fora. Os caras podiam tratar desses assuntos apenas com um velho pano de prato nos olhos. Fariam uma coisa dessas com um garoto? Sim. Fariam.

Zeb esperava que não fosse o caso; do contrário, se sentiria muito culpado porque teria sido um péssimo professor. "Regra número um", ele próprio enfatizara. "Não seja pego." Mas às vezes isso era mais fácil de falar do que fazer. E se ele tivesse sido negligente quanto ao trançado da codificação? E se tivesse mostrado um atalho ultrapassado para o garoto? Talvez tivesse se esquecido de alguns sinais de desvio, alguns rastros marcados que indicavam que ele e Glenn não eram os únicos a caçar naquela trilha da selva supostamente exclusiva de ambos.

Embora mais do que preocupado, Zeb não queria fazer perguntas nem aos professores nem aos negligentes pais de Glenn. Era preciso manter um perfil discreto, sem chamar a atenção. Zeb observou de novo os que estavam presentes no churrasco. Nenhum sinal de Glenn. Mas Pilar estava debaixo de uma árvore no lado oposto. Sentada na frente de um tabuleiro de xadrez, parecia analisá-lo. Ele assumiu um ar casual e seguiu naquela direção, como se de modo aleatório.

– Pronta para uma partida? – perguntou.

Pilar olhou para cima.

– Certamente – disse sorrindo.

Ele sentou-se.

– Vamos ver quem fica com as brancas – disse Pilar.

– Gosto de jogar com as pretas – retrucou Zeb.

– Então, tudo bem – ela disse – Muito bem.

Ela abriu o jogo com um peão padrão da rainha, e ele optou pela defesa indiana da rainha.

– Onde está Glenn? – ele perguntou.

– As coisas não estão boas – ela respondeu. – Concentre-se no jogo. O pai de Glenn está morto. Claro, isso aborreceu Glenn. Os oficiais da CorpSeCorps disseram que tinha sido suicídio.

– Não me diga. Quando aconteceu? – disse Zeb.

– Há dois dias. – Pilar moveu o cavalo da rainha. Ele moveu o bispo, fechando o cavalo. – Mas não se trata de quando e sim de como. Empurraram o homem de um viaduto.

– Foi a esposa? – perguntou Zeb, lembrando-se do seio de Rhoda em suas costas e do gravador escondido no abajur da mesinha de cabeceira. A pergunta era quase uma piada, motivo de vergonha de si mesmo. Às vezes essas coisas saíam de sua boca como pipoca. Mas também era uma pergunta séria: talvez o pai de Glenn tivesse descoberto os interlúdios de almoço da esposa, talvez o casal tivesse saído para caminhar e discutido o assunto privadamente fora dos muros da HelthWyzer, e no caminho do viaduto, com vista para o tráfego, talvez a mãe de Glenn tivesse empurrado o pai para a pista durante uma briga, um movimento que o pegou desprevenido para se defender...

Pilar olhou para ele. Provavelmente esperando que ele retomasse a razão.

– Tudo bem, isso está descartado – disse Zeb. – Não foi ela.

– Ele descobriu alguma coisa que estão fazendo dentro da HelthWyzer – disse Pilar. – Alguma prática não apenas antiética, mas também perigosa à saúde pública e, portanto, imoral. Ele ameaçou levar o fato ao conhecimento público; bem, nem tão público assim porque provavelmente a imprensa não se manifestaria. Mas, se ele recorresse a uma Corp rival, especialmente fora do país, acabariam fazendo um uso prejudicial da informação.

– Ele estava na sua equipe de pesquisa? – perguntou Zeb, tentando acompanhá-la e assim perdendo o controle do seu próprio jogo.

– Afiliado – respondeu Pilar, despachando um dos peões do oponente. – Ele próprio me confidenciou o fato. E agora estou passando para você.

– Por quê? – perguntou Zeb.

– Estou sendo transferida – disse Pilar. – Para a sede da HelthWyzer no leste. Pelo menos é para onde espero ir, embora possa ser pior. Eles podem achar que perdi o entusiasmo ou suspeitar de minha lealdade. É melhor você sair daqui. Não poderei mantê-lo seguro depois que me transferirem. Pegue meu bispo com seu cavalo.

– Jogada ruim – disse Zeb. – Isso abre caminho para...

– Basta pegá-lo – ela disse calmamente. – E mantê-lo escondido na mão. Eu tenho outro. Ninguém vai sentir falta de um bispo.

Zeb espalmou o bispo. Aprendera a fazer isso com Mão de Slaight durante sua estadia no Mundo Flutuante. E habilmente deslizou o bispo para dentro da manga.

– O que faço com isso? – perguntou. Com Pilar fora daquele lugar, ele ficaria isolado.

– Basta entregá-lo – ela disse. – Falsificarei um passe de um dia para você, anexando uma história de fachada; vão querer saber do seu negócio na plebelândia. Depois que você sair do complexo da HelthWyzer West, uma nova identidade o aguarda. Leve o bispo com você. Procure na rede uma franquia de uma boate erótica chamada Scales & Tails. Siga até a filial mais próxima. A senha é "oleaginosa". Assim você entra. Entregue o bispo lá. Essa peça é um recipiente, eles saberão como abri-lo.

– E entrego para quem? – perguntou Zeb. – O que há nisso, afinal? Quem são *eles*?
– Vetores – respondeu Pilar.
– Em que sentido? – disse Zeb. – Como vetores matemáticos?
– Digamos, biológicos. Vetores para bioformas. E esses vetores estão dentro de outros vetores que parecem pílulas de vitaminas; três tipos, branco, vermelho e preto. E as pílulas estão dentro de outro vetor, o bispo, o qual será carregado por outro vetor, você.
– O que há dentro das pílulas? – perguntou Zeb. – Balas de cérebro? Código de chips?
– Definitivamente, não. É melhor não perguntar – disse Pilar. – Mas, aconteça o que acontecer, não engula essas pílulas. Se achar que está sendo seguido, jogue o bispo pelo ralo.
– E quanto a Glenn? – disse Zeb.
– Xeque-mate. – Ela derrubou o rei dele e levantou-se sorrindo. – Glenn vai trilhar o próprio caminho – disse. – Ele ainda não sabe quem foi que matou o pai dele. Ainda não sabe. Pelo menos diretamente. Mas ele é muito inteligente.
– Está querendo dizer que ele vai descobrir por si mesmo – disse Zeb.
– Espero que isso não seja logo – disse Pilar. – Ele é muito jovem para esse tipo de notícia. Pode não conseguir fingir ignorância, ao contrário de você.
– Alguma coisa de mim é real – disse Zeb. – Como agora, onde poderei obter uma nova identidade? E o que faço para obter o passe?
– Entre na sala de chat de MaddAddão, um pacote completo espera por você. E depois criptografe o seu gateway atual. Você não pode se dar ao luxo de deixar pegadas nesses computadores.
– Isso envolve pelos faciais diferentes? – Zeb tentou amenizar as coisas. – Para minha nova identidade? E calças idiotas?
Pilar sorriu.
– Fiquei com meu bip desligado todo esse tempo – disse. – Somos autorizados a fazer isso nos dias de churrasco porque ficamos totalmente à vista. Vou ligá-lo agora. Não diga nada que não queira que ouçam. Boa viagem.

Scales & Tails

Zeb pegou o pendrive escondido na gaveta da mesa, removeu as pastilhas para tosse grudadas no dispositivo como cirrípedes, ativou o Intestinal Parasites no computador, deslizou pelas entranhas vorazes do verme cego e entrou na sala de chat de MaddAddão. Claro, um pacote de instruções esperava por ele, mas sem nenhuma pista de quem o deixara. Abriu a mensagem, assimilou o conteúdo e retirou-se, apagando o rastro à medida que se retirava. Depois, colocou o pendrive sob os pés, ou melhor, sob uma das pernas da cama, e pulou seguidamente em cima da cama – e jogou os fragmentos em diversas privadas. Os fragmentos de metal e plástico não desceriam facilmente pelos vasos, a não ser que...
– Tudo bem – diz Toby. – Já entendi.

Zeb agora se chamava Hector. Hector, o Vetor, ele pensou consigo. Até que alguém tinha um senso razoável de humor, mas não devia ser Pilar: ela não fazia o tipo bem-humorado.

Ele então teria apenas que ativar a nova identidade Hector, uma vez que estava longe dos muros e das câmeras de segurança da HelthWyzer West. Até então ele ainda era Seth, um mísero escravo de código acorrentado às galés do navio da entrada de dados que vestia casaco geek e calça de veludo cotelê marrom. De todo modo, ele esperava que a mudança de identidade lhe desse calças melhores. As roupas estavam escondidas dentro de uma caçamba de lixo na plebelândia, e ele esperava que não tivessem sido roubadas por mendigos ou malucos ou gerentes de nível médio desempregados.

Segundo a história que servira de fachada para a persona Seth, ele estava fazendo um serviço solicitado pelo AnooYoo, uma duvidosa filial local da HelthWyzer especializada em beleza e melhoramento de humor. Saúde e Beleza, duas gêmeas sedutoras unidas pelo umbigo, entoando seus eternos cantos de sereias. Um monte de gente pagaria qualquer preço por elas.

Os produtos da HelthWyzer – suplementos vitamínicos, analgésicos, remédios para doenças específicas, tratamentos de disfunção erétil e assim por diante – apresentavam descrições científicas e nomes latinos nos rótulos. O AnooYoo, por outro lado, explorava os segredos arcanos dos wiccanos adoradores da lua e dos xamãs das profundezas de florestas tropicais cheias de insetos assassinos. Mas Zeb podia entender que havia uma sobreposição de interesses. Se isso dói e faz você se sentir doente e feio, experimente este produto da HelthWyzer; se você é feio e isso dói e o deixa doente, experimente aquele produto do AnooYoo.

Zeb preparou-se para a missão, vestindo uma calça de veludo marrom lavada recentemente. Reorganizou o rosto confuso e marginal da persona Seth e piscou para o espelho do banheiro.

– Você está condenado – disse para a persona. Ele não se lamentava de conviver com Seth, isso tinha sido imposto por Adão, um ato de irmão mais velho, tipo sei-o-que-é-melhor-para-você. Ele queria estar cara a cara com Adão, mesmo que apenas para repreendê-lo: "Você tem noção da merda que aquelas calças me fizeram passar?"

Hora de Seth ir. Ele caminhou até o portão da frente, cantarolando com o passe de saída na mão:

Eu vou, eu vou,
Pro trabalho idiota eu vou,
Um caipira aqui, um caipira lá,
Eu vou, eu vou!

De novo, lembrando a história que servia de fachada para Seth, o encanador de códigos júnior. Ele estava sendo mandado para investigar como o site do AnooYoo tinha sido adulterado. Alguém – talvez um intrépido hacker adolescente parecido com ele quando mais jovem – alterara as imagens on-line, de modo que quando se clicava nos produtos estimuladores do humor, ou restauradores de pele, aparecia uma animação com um esquadrão de insetos marrons e laranja mordiscando os produtos em hipervelocidade; seguiam-se uma explosão, pernas retorcidas, irrupção de fumaça amarela. Era idiota, porém com apelo gráfico.

A HelthWyzer West não queria que se fizesse o reparo dentro dos seus próprios sistemas, claro: a coisa podia parecer simplória, mas podia ser uma armadilha na qual os que a tinham arquitetado estariam à espera de uma intervenção para que pudessem atravessar as barreiras de segurança da HelthWyzer e surrupiar o seu valioso IP. Sendo assim, alguém precisava ir pessoalmente ao AnooYoo, alguém menor e dispensável, uma vez que a plebelândia era crivada de gangues perigosas. Esse alguém era Seth, mas pelo menos com carro e motorista fornecidos pela HelthWyzer. Talvez não houvesse problema se o pegassem para escavarem seu cérebro; Seth não era do círculo interno. Sem dúvida.

O AnooYoo não queria saber quem tinha feito o estrago, ou por quê: seria muito caro. Só queriam o firewall reparado. Os caras de lá não tinham conseguido fazer isso, e a explicação apresentada não pareceu muito plausível para Zeb. Além do mais, o AnooYoo era uma operação barata – isso ocorreu antes dos seus dias de glória, quando o Spa se estabeleceu no parque – e, portanto, não tinha uma equipe propriamente dita, e talvez nem mesmo uma equipe B ou C, os mais brilhantes eram contratados pelas Corps mais ricas. O que eles tinham mais parecia uma equipe F, obviamente, uma vez que tinham fracassado.

Mas eles teriam que esperar muito, pensou Zeb, porque em seguida ele se transformaria em Hector e Seth deixaria de existir. Já estava com o bispo de xadrez dentro do bolso de sua calça de veludo folgada, onde tinha a mão esquerda enfiada só por precaução, para que se alguém estivesse de olho chegaria à conclusão de que ele só estava abusando de si mesmo. Ele simulava isso de modo contido porque o carro podia estar equipado com spyware, o que era bem provável. Melhor um punheteiro do que um desertor e contrabandista.

O AnooYoo ficava situado em uma área de imóveis decadentes, no limite do mercado cinza da plebelândia. Não era então de estranhar que um estande derrubado da SecretBurgers estivesse bloqueando o caminho, circundado por um grande tumulto regado a molho vermelho e uma coroa de berros e buzinas, além de carne voando para todos os lados. Até o motorista de Zeb curvou-se sobre a buzina, sabendo que não devia abaixar o vidro da janela para gritar.

Mas antes que se pudesse pronunciar a palavra *prestidigitação*, uns doze membros da Fusão Asiática cercaram o carro. Um deles devia ter um dispositivo digital com a senha do carro da HelthWyzer, pois desbloqueou as travas. Um segundo depois os vândalos da Fusão caíram de pau no motorista que gania enquanto tinha os sapatos e as roupas arrancados, como se ele fosse uma espiga de milho. As gangues da plebelândia eram rápidas e profissionais, você tinha que entregar tudo para os caras. Apossavam-se das chaves e saíam com o carro a toda a velocidade, e depois o vendiam inteiro ou em peças separadas, o que pagasse mais.

Esse era o momento de Zeb. Já tinha sido feito um pagamento antecipado: os caras da Fusão Asiática eram tipos sujos, mas também eram baratos e gostavam de pequenos serviços. Zeb tratou de verificar se a visão do motorista estava bloqueada – claro que estava porque ele tinha a cabeça inteira coberta de molho vermelho – e depois escapuliu pela porta traseira, saiu andando como uma rã em direção a um beco adjacente e virou uma esquina, depois outra, depois uma terceira, onde encontrou a tal caçamba de lixo.

Calças de veludo marrom para dentro da caçamba, boa viagem, e de dentro da caçamba saíram calças jeans usadas, com acessórios que combinavam. Uma jaqueta preta de couro artificial, uma camiseta preta onde se lia DOADOR DE ÓRGÃOS, EXPERIMENTE OS MEUS, GRÁTIS, óculos espelhados, um boné de beisebol com uma pequena caveira vermelha na parte da frente. Uma capa de dente de ouro falso, sorriso recém-criado, e Hector, o Vetor, já estava pronto para passear. Até então ele tinha o bispo do xadrez em segurança na mão, e agora o colocava no bolso interno da jaqueta de couro falso.

Ele saiu apressado, mas sem parecer apressado; era melhor parecer desempregado. Parecer cheio de más intenções, de um modo não específico.

A Scales & Tails ficava localizada nos subterrâneos da plebelândia. Se ele entrasse naquele lugar com roupa de geek, provavelmente teria que defender o seu território pessoal, a começar pelo couro cabeludo, nariz e colhões, mas do jeito que estava só atrairia alguns olhares de avaliação. Os outros achariam que valia a pena abordá-lo? Não, decidiu. Dessa maneira, seu caminho estaria desimpedido.

Mais à frente, lá estava: DIVERTIMENTO PARA ADULTOS, em néon; *Para Cavalheiros Exigentes*, em subscrito. Fotos de beldades reptilianas em apertados trajes verdes e escamosos, a maioria com impressionantes bioimplantes, algumas em posições contorcidas que sugeriam ausência de coluna óssea. Uma mulher capaz de juntar as pernas em volta do próprio pescoço tinha algo a oferecer em termos de novidade, embora não estivesse claro exatamente o quê. E lá estava a jiboia March enrolada em torno dos ombros de uma gostosa mulher-cobra vermelha, balançando em um trapézio e com a cara de KatrinaWooWoo, a encantadora adestradora de serpentes do Mundo Flutuante que Zeb tantas vezes ajudou a serrar ao meio.

Nem mesmo envelhecida. Enfim, ainda mantinha o jeito. Como antes.

Ainda era dia, nenhum movimento de entrada de clientes. Ele pensou na ridícula senha a ser usada. *Oleaginosa*. Como usá-la em uma frase razoável? "Você está oleaginosa demais agora?" Isso lhe custaria uma bofetada ou um soco, dependendo de para quem dissesse. "Que temperatura oleaginosa essa de hoje." "Desligue essa música oleaginosa." "Pare de ser tão oleaginosa, porra!" Nenhuma frase parecia adequada.

Ele tocou a campainha. A porta metálica era tão grossa quanto a de um cofre de banco. Um olho o viu pelo olho mágico. Um clique na fechadura, a porta se abriu e apareceu um segurança tão grandalhão quanto ele, só que negro. Cabeça raspada, terno escuro, óculos escuros.

– O que deseja? – perguntou o segurança.
– Eu soube que aqui tem umas garotas oleaginosas – disse Zeb.
– Que usam uma manteiguinha e tal.
O cara o observou de dentro das lentes escuras.
– Como é?
Zeb repetiu.
– Garotas oleaginosas. – O cara rolou a frase na boca como se fosse o buraco de um donut. – Usam manteiguinha. – A boca ergueu-se nos cantos. – Essa é boa. À direita. Lá dentro. – Ele checou a rua antes de fechar a porta. Outros cliques em fechaduras. – Você quer vê-la – acrescentou.

Cruzou um corredor de carpete roxo. Subiu a escada: cheiro de lugar de prazer nas horas de folga, tão triste. O cheiro de tapete de loja significava falsa obscenidade, que significava solidão, que significava que você só teria amor se pagasse.

O cara disse alguma coisa no fone de ouvido, o treco era tão pequeno que Zeb não pôde vê-lo. Talvez estivesse dentro de um dente, alguns o usavam, mas se o nocauteassem e você engolisse o dente, você acabaria falando pela bunda. No letreiro de uma porta interna, ESCRITÓRIO CENTRAL, DO CORPO TAMBÉM, com um brilhante logotipo de uma cobra verde pestanejando e o lema "Somos flexíveis".

– Aí dentro – disse o grandalhão, o vocabulário do cara era estreito.

Zeb entrou. Era como uma sala de escritório, com muitos monitores, alguns móveis estofados e caros, que faziam uma declaração abafada de status, e um pequeno bar. Ele olhou para o bar e deu vontade – talvez uma cerveja, toda aquela correria e fingimento deixaram-no com sede. Mas não era o momento certo.

Na sala, duas pessoas afundadas em duas poltronas. Uma era Katrina WooWoo, sem o traje de cobra. Ela vestia um casaco de moletom largo demais onde se lia BITCH #3, calça jeans preta e justa e sapatos prateados de saltos tão altos que deixariam no chinelo qualquer dançarina com pernas de pau. Lançou aquele sorriso teatral para Zeb que ela sempre mantinha enquanto sibilava.

– Quanto tempo – disse.

– Nem tanto assim – ele retrucou. – Você ainda parece fácil de pegar e difícil de largar.

Ela sorriu. Ele desejou serpentear por baixo daquelas escamas – o ardor juvenil ainda estava presente. Mas não era hora de se concentrar nisso porque a outra pessoa na sala era Adão, vestindo um caftan idiota que parecia criado para uma peça de teatro sobre lepra.

– Que merda – disse Zeb. – Onde conseguiu essa camisola de duende? – Era melhor não demonstrar surpresa, assim Adão ganharia uma vantagem que não merecia naquele momento.

– Reparei nessa sua camiseta de bom gosto – disse Adão. – Combina com você. Doador de órgãos, bonito lema, maninho.

– Este lugar está grampeado? – perguntou Zeb. Se Adão soltasse outra piadinha, ele quebraria a cara do irmão. Não, não quebraria. Jamais conseguiria quebrá-lo por inteiro; Adão era demasiadamente etéreo.

– É claro – disse Katrina WooWoo. – Mas desligamos tudo, cortesia da casa.

– E tenho que acreditar nisso?

– Ela realmente desligou os grampos – disse Adão. – Ela não vai querer nossas pegadas neste estabelecimento. Ela está nos fazendo um grande favor. – Ele se voltou para Katrina. – Obrigado. Não vai demorar muito.

Ela foi saindo da sala, oscilando sobre os saltos e sorrindo por cima do ombro, um sorriso não mais teatral. Claro, ela estava interessada em Adão, apesar daquele caftan ridículo que ele vestia.

– Mais tarde servimos uma refeição se vocês quiserem – disse. – No refeitório das garotas. Preciso me trocar, hora do show.

Adão esperou que ela fechasse a porta.

– Você conseguiu – disse. – Ótimo.

– E não devo isso a você – disse Zeb. – Eu poderia ter sido linchado por causa daquelas calças de veludo marrom de nerd. – Ele estava feliz de saber que Adão ainda estava vivo, mas não admitiria isso de cara. – Eu parecia um merda enfiado naquelas porras – acrescentou, exagerando nos palavrões.

Adão ignorou essa parte.

– Está com ele? – perguntou.
– Acho que você se refere à porra do bispo de xadrez – disse Zeb, entregando-o.
Adão retirou a cabeça do bispo. Depois virou a peça de cabeça para baixo e saíram seis pílulas, duas vermelhas, duas brancas e duas pretas. Depois de observá-las, colocou-as dentro do bispo e recolocou a cabeça.
– Obrigado – disse. – Isso tem que ficar escondido em algum lugar muito seguro.
– O que é isso? – perguntou Zeb.
– Pura maldade – respondeu Adão. – Se Pilar estiver certa. Mas uma pura maldade valiosa. E muito secreta. Pela qual mataram o pai de Glenn.
– Que efeito isso tem? – perguntou Zeb. – Pílulas para supersexo ou o quê?
– Mais inteligente do que isso – disse Adão. – Eles estão usando os suplementos vitamínicos e os analgésicos como vetores de doenças... e assim controlam as drogas para tratamentos. O que quer que esteja dentro das brancas, faz um estrago real. Distribuição aleatória, para que ninguém possa suspeitar de um local específico como marco zero. Eles ganham dinheiro de tudo quanto é jeito: nas vitaminas, depois nas drogas, e por fim, quando a doença se instala, na hospitalização, isso ocorre porque os medicamentos para tratamento também são adulterados. Um plano muito bom que drena o dinheiro das vítimas para os bolsos da Corps.
– Então, são as brancas. E as vermelhas e as pretas?
– Não sabemos – disse Adão. – São experimentais. Talvez outras doenças, talvez uma fórmula de ação mais rápida. De todo modo, nós ainda não sabemos como descobrir de uma forma segura.
Zeb entendeu.
– Isso é coisa grande – disse. – O que me pergunto é quantos cerebromaníacos foram necessários para esse projeto.
– Um grupo pequeno, designado dentro da HelthWyzer – disse Adão. – Dirigido pelo alto escalão. O pai de Glenn estava sendo usado para isso. Ele achava que estava pesquisando um vetor para o tratamento de câncer. Quando percebeu a natureza do projeto,

o escopo completo, não pôde continuar. Ele informou isso para Pilar antes...
– Puta merda – exclamou Zeb. – Eles também a mataram?
– Não – disse Adão. – Eles sequer sabem que ela sabe, pelo menos é o que esperamos. Ela acaba de ser transferida para a HelthWyzer Central, na Costa Leste.
– Se importa se eu tomar uma cerveja? – perguntou Zeb, sem esperar pela resposta. – E agora que tem esses bagulhos, o que vem depois? – disse após o primeiro gole refrescante. – Vai vender isso no mercado cinza? A Corps estrangeira pagaria muito bem.
– Não – disse Adão. – Não faremos isso. Definitivamente, iria contra os nossos princípios. Agora, só temos uma coisa a fazer neste mundo, saber o que evitar. Alertaremos outras pessoas sobre os suplementos vitamínicos, se pudermos, mas ninguém acreditaria se levássemos essa informação ao público. Seríamos tachados de paranoicos e logo sofreríamos acidentes infelizes. A imprensa é controlada pela Corps, como você sabe, e qualquer publicação independente é independente apenas no nome. Então, nós vamos manter as pílulas escondidas até que possam ser analisadas sem perigo.
– *Nós* quem? – perguntou Zeb.
– Se você não souber, não poderá contar – respondeu Adão. – Mais seguro para todos, inclusive para você.

A HISTÓRIA DE ZEB
E AS MULHERES-COBRAS

– Como explicar tudo isso para eles? – pergunta Toby. – As garotas da Scales & Tails, vestidas como cobras?
– Simplesmente corte essa parte.
– Eu não penso assim. Isso precisa estar dentro. Parece apropriado, uma mulher que também é cobra. Isso vai junto com a meditação, e tudo o mais que aconteceu com aquele animal. Com o que semeamos. Isso... Ela realmente pareceu se comunicar comigo. E com Barba Negra.
– Você acha que aquela coisa tem parte humana? Uma mulher porco? Você realmente bebeu muita Kool-Aid. – Uma risada.
– Não, não exatamente, mas...
– Foram muitos brotos de peiote naquela sua mistura. E outras coisas que você adicionou.
– Pode ser. Sem dúvida, você está certo.
A história fala dentro da cabeça de Toby. Ela não parece pensar sobre a história, nem direcioná-la. Ela não tem controle algum sobre a história; apenas escuta. É impressionante o que algumas moléculas de plantas podem fazer com o cérebro, e o tempo que isso dura.

Esta é a história de Zeb e as mulheres-cobras. As mulheres-cobras não entram no início da história, entram mais tarde. Coisas importantes muitas vezes entram nas histórias mais tarde, mas também no início. E também no meio.
Mas já contei o início, por isso agora é o meio. E Zeb está no meio da história sobre Zeb. Ele está no meio da própria história dele.

Eu não estou nessa parte da história; não há nada nessa parte comigo. Mas estou esperando, bem longe no futuro. Estou esperando que a história de Zeb se junte à minha. A história de Toby. A história em que estou agora com vocês.

Pilar, aquela que vive no sabugueiro e fala conosco através das abelhas, vivia no passado sob a forma de uma mulher velha. Ela deu algo especial e importante para Zeb, e disse que ele tinha que cuidar daquilo – eram coisas pequeninas, como sementes. Vocês ficariam doentes se comessem essas sementes. Mas algumas pessoas más do caos começaram a dizer para todas as outras pessoas que elas ficariam felizes com essas sementes. E só Pilar e Zeb e outras poucas pessoas conheciam a verdade.

Por que as pessoas más fizeram isso? Por causa do dinheiro. Dinheiro era invisível, como Foda. Elas pensavam que Dinheiro era um ajudante; elas pensavam que era um ajudante melhor que Foda. Mas elas estavam erradas quanto a isso. Dinheiro não era ajudante delas. Dinheiro vai embora quando você mais precisa dele. Mas Foda é muito leal.

Zeb então pegou as sementes e saiu pelo portão; se os homens maus soubessem que estava com as sementes, eles o perseguiriam e roubariam as sementes dele e o fariam sofrer muita dor. E depois ele saiu correndo, sem parecer que estava apressado, até que ele disse: ó Foda, e Foda chegou voando pelo ar, muito rápido, como sempre faz quando alguém o chama; e Foda mostrou para Zeb como chegar à casa das mulheres-cobras. E as mulheres-cobras abriram a porta e o fizeram entrar.

As mulheres-cobras são... Vocês já viram cobras e também já viram mulheres. As mulheres-cobras eram as duas coisas. Elas viviam com muitas mulheres-pássaros e mulheres-flores. E elas esconderam Zeb dentro de uma gigantesca... Dentro de uma grande... concha. Não, um sofá. Ou talvez elas o tenham escondido dentro de uma grande, uma enorme... flor. Uma flor brilhante e cheia de luzes.

Sim, uma flor de luz. Ninguém procuraria Zeb dentro de uma flor. Adão, o irmão de Zeb, também estava dentro da flor. Isso foi bom. Eles ficaram muito felizes ao se encontrar porque Adão era ajudante de Zeb e Zeb era ajudante de Adão.

Às vezes as mulheres mordiam as pessoas, mas elas não morderam Zeb. Elas gostavam dele. Fizeram uma bebida especial chamada coquetel de champanhe, e depois fizeram uma dança especial para ele. Foi uma dança sinuosa porque afinal de contas elas eram cobras. Elas foram muito gentis. Porque Oryx as fez assim. E elas eram filhas de Oryx porque tinham uma parte cobra. Mas elas não tinham nada a ver com Crake. Ou não muito.

E as mulheres-cobras deixaram Zeb dormir numa grande cama, uma cama brilhante e verde. Elas disseram que Foda também podia dormir lá porque havia muito espaço.

E Zeb disse obrigado porque as mulheres-cobras estavam sendo muito boas para ele e também para o ajudante invisível. E elas o fizeram se sentir bem melhor.

Não, elas não ronronaram para ele. Cobras não ronronam. Mas elas... elas se contorceram. Sim, elas fizeram isso: contorções. E alguns apertos, elas também fizeram isso. As cobras têm excelentes músculos para apertar.

E Zeb ficou muito, muito cansado e foi dormir. E as mulheres-cobras, junto com as mulheres-pássaros e as mulheres-flores cuidaram dele, garantindo que nada de ruim pudesse acontecer enquanto ele dormia. Elas disseram que o protegeriam e o esconderiam, mesmo que os homens maus aparecessem por lá.

E os homens maus apareceram. Mas isso está na próxima parte da história.

E agora também estou muito, muito cansada. E vou dormir. Boa noite.

Isso ela vai contar na hora da próxima história.

LEITÃO

Guru

Na manhã após a visita ao sabugueiro de Pilar, Toby ainda sente os efeitos da mistura para meditação avançada. O mundo mais brilhante do que realmente é, o tecido das formas e cores mais transparentes. Ela coloca um lençol de tom neutro e sereno – azul-claro, sem estampa – e, depois de uma rápida lavada de rosto com água da bomba, se dirige à mesa do café da manhã.

Aparentemente, todos comeram e se foram. White Sedge e Lotis Blue retiram os pratos.

– Acho que sobrou alguma coisa – diz Lotis Blue.

– O quê? – pergunta Toby.

– Presunto e panquecas de *kudzu* – responde White Sedge.

Toby sonhou a noite inteira com leitões. Leitões inocentes, adoráveis leitões, mais gordos, mais limpos e menos ferozes do que realmente são. Leitões voadores e cor-de-rosa, com asas de gaze branca de libélulas. Leitões que falam em línguas estrangeiras, e até mesmo leitões que cantam empilhados em filas, como nos velhos filmes de animação ou nos musicais. Papel de parede de leitões, repetido seguidamente, entrelaçado a videiras. Todos felizes, nenhum morto.

Eles não gostavam de retratar animais dotados de traços humanos à época da civilização extinta da qual ela fizera parte. Encantadores, fofos, ursinhos em tom pastel segurando corações do Dia dos Namorados. Lindos leõezinhos de pelúcia. Adoráveis pinguins dançarinos. Ainda mais antigo: porquinhos brilhantes, engraçados, cor-de-rosa, com ranhuras nas costas para colocar moedas; tudo isso era visto nas lojas de antiguidades.

Toby não pode lidar com presunto depois de uma noite repleta de valsas de leitões. E muito menos depois do dia anterior: o que a porca comunicou ainda lhe martela a cabeça, embora ela não consiga traduzir em palavras. Parecia uma corrente. Uma corrente de água, uma corrente de eletricidade. Uma longa onda subsônica. Um purê químico de cérebro. Ou como disse o jardineiro Philo uma vez: quem precisa de TV? Talvez ele tivesse feito muitas vigílias e meditações avançadas.

– Acho que não vou querer – diz Toby. – Já esfriou. Vou tomar café.

– Você está bem? – pergunta White Sedge.

– Estou bem – diz Toby. Ela caminha cuidadosamente até a área de cozinha, evitando os lugares onde os seixos ondulam e se dissolvem, e encontra Rebecca que bebe uma xícara do pretenso café. Ao lado, esparramado no chão, o menino Barba Negra escreve com o lápis e o caderno furtados de Toby. Mas seria inútil acusá-lo de "furto" – os crakers não têm qualquer conceito de propriedade privada.

– Você não acordou – ele diz, sem tom de censura. – Você estava andando muito longe, no meio da noite.

– Você viu isso? – diz Rebecca. – Esse garoto é um espanto.

– O que está escrevendo? – pergunta Toby.

– Estou escrevendo nomes, ó Toby – diz Barba Negra. Sem sombra de dúvida, isso é o que ele vem fazendo. TOBY. ZEB. CRAK. REBECA. ORIX. HOMEMDANEVEJIMY.

– Ele está coletando – diz Rebecca. – Nomes. Quem é o próximo? – ela pergunta.

– Depois vou escrever Amanda – diz Barba Negra em tom solene. – E Ren. Assim, vão poder falar comigo. – Ele levanta e sai agarrado ao caderno e ao lápis de Toby.

Como farei para pegá-los de volta?, ela se pergunta.

– Querida, você está um trapo – diz Rebecca. – Noite difícil?

– Exagerei em algum ingrediente – diz Toby. – Na mistura para a meditação avançada. Acho que coloquei cogumelos demais.

– Isso é um perigo – diz Rebecca. – Beba muita água. Farei um chá de trevo e pinho para você.

– Ontem vi um porco gigante – diz Toby. – Uma porca, com leitões.

– Quanto mais, melhor – diz Rebecca. – Enquanto tivermos pistolas. Estou correndo atrás de bacon.
– Não, espere – diz Toby. – A porca... me olhou de um modo estranho. Tive a sensação de que ela sabia que eu tinha atirado no marido dela. À época do AnooYoo Spa.
– Uau, você realmente esteve na terra dos cogumelos – diz Rebecca. – Uma vez tive uma conversa com meu sutiã. Enfim, ela estava furiosa por causa do... desculpe-me, não posso chamá-lo de marido! Era só um porco, pelo amor de Deus!
– Ela não estava satisfeita – diz Toby. – Porém mais triste que furiosa, acho.
– Eles são mais espertos que os porcos comuns, mesmo sem o estímulo da meditação – diz Rebecca. – Isso é certo. De qualquer forma, Jimmy apareceu no café da manhã de hoje. Sem mais bandejas inúteis. Ele está indo bem, mas é melhor você examinar o pé dele novamente.

Jimmy já tem o seu próprio cubículo. É novo, na extensão da cabana cuja obra finalmente terminou. Embora as paredes ainda exalem um cheiro levemente úmido e enlameado, a janela é mais ampla que a da edificação anterior, com um conjunto de tela e cortina cujo estampado vibrante apresenta peixes de desenhos animados, as fêmeas com grandes bocas curvilíneas e longos cílios nos olhos. Os machos tocam guitarras e um polvo toca bongô. No estado em que Toby está, essa não é a melhor coisa para ser vista.

– De onde veio isso? – ela pergunta para Jimmy a essa altura sentado na beira da cama e com os pés apoiados no chão. Ainda está com as pernas finas e flácidas; ele terá que exercitar os músculos novamente. – As cortinas?

– Quem sabe? – diz Jimmy. – Ren, Wakulla... quer dizer, Lotis Blue. Elas acharam que eu precisava de uma decoração alegre. É como estar numa sala de jardim de infância. – E ainda tem uma colcha com estamparia infantil.

– Quer que olhe o seu pé? – ela diz.
– Quero. Essa coceira está me deixando louco. Só espero que nenhuma larva esteja aí dentro.

– Se estivesse, já teria escavado para sair – diz Toby.
– Muitíssimo obrigado – diz Jimmy. A cicatriz no pé está avermelhada, mas fechada. Toby examina: sem calor, sem inflamação.
– É normal – ela diz. – A coceira. Vou lhe dar uma coisa para isso. – Uma cataplasma de maria-sem-vergonha, cavalinha e trevo vermelho, pensa consigo mesma. Cavalinha deve ser a mais fácil de encontrar.
– Disseram que você viu um porcão – diz Jimmy. – E que ele falou com você.
– Quem lhe disse isso? – pergunta Toby.
– Os crakers, quem mais? – diz Jimmy. – Eles são o meu rádio. Parece que aquele garoto Barba Negra passou a história para eles. Disseram que você não devia ter matado aquele porcão, mas a perdoaram porque acham que Oryx permitiu isso. Sabia que esses porcos têm no cérebro tecido pré-frontal do córtex humano? Verdade. Sei disso, cresci com eles.
– Como os crakers souberam disso? – pergunta Toby, com tato.
– Como souberam que atirei no porcão?
– A fêmea do porcão contou para Barba Negra. Não me olhe assim, sou apenas o mensageiro aqui. E de acordo com Ren estive alucinando por um bom tempo, é isso. Talvez eu não seja o melhor juiz da realidade. – Ele lança um sorriso torto.
– Se importa se me sentar? – ela diz.
– Sirva-se; milhares fazem o mesmo – diz Jimmy. – A porra desses crakers vagueiam por aqui quando lhes dá na telha. Eles querem saber outras merdas sobre Crake. Acham que sou a porra de um guru. E que ele fala comigo através do meu relógio de pulso. Claro, a culpa é toda minha porque, porra, eu é que inventei tudo isso.
– E o que diz a eles? – pergunta Toby. – Sobre Crake?
– Digo que perguntem para você – diz Jimmy.
– Para mim?
– Você é a especialista agora. Preciso tirar uma soneca.
– Acho que não, eles sempre dizem que você... dizem que você conheceu Crake pessoalmente. Quando ele ainda andava pela terra.
– Como ganhar na loteria? – Jimmy abre um sorriso um tanto azedo.

– Isso lhe concede certa autoridade – diz Toby. – Aos olhos deles.

– Isso é como ter certa autoridade para um monte de... merda; já estou tão destruído que sequer consigo fazer uma comparação inteligente. Amêijoas. Ostras. Dodos. O que estou dizendo. Estou cansado. Meu suco de guru está esgotado. Honestamente, eles me desgastaram algum tempo atrás. Nunca mais quero pensar em Crake, nunca mais, não quero mais ouvir essa merda de que Crake é bom, gentil e todo-poderoso e fez todos eles no ovo e docemente varreu a população da face do planeta, só para eles. Não quero mais saber se Oryx se encarrega dos animais e se voa na forma de coruja e se está sempre presente e escuta a todos, embora não se possa vê-la.

– Pelo que entendi, isso se coaduna com tudo que você falou para eles. Parece que você criou uma espécie de evangelho – diz Toby.

– Sei que falei essas coisas para eles, porra! – diz Jimmy. – Eles queriam saber o básico, de onde e como tinham vindo e quem eram todas aquelas pessoas mortas. Eu tinha que dizer alguma coisa.

– E acabou criando uma boa história – diz Toby.

– Merda, eu não poderia dizer a verdade. Então, sim. Mas acho que poderia ter feito um trabalho mais inteligente. Sim, não sou um cerebromaníaco; sim, acho que Crake pensava que eu tinha o QI de uma berinjela, porque me usou como se eu fosse um brinquedo. Por isso sinto ânsias de vômito quando eles rastejam sobre a porra do Crake e cantam aquelas porras de elogios cada vez que o estúpido nome daquele cara vem à tona.

– Mas é a única história que temos – diz Toby. – Então, só nos resta trabalhar com isso. O que não quer dizer que compreendi todos os pontos mais delicados.

– Tanto faz – diz Jimmy. – Fica por sua conta. É só continuar fazendo o que já está fazendo. Você pode acrescentar algumas coisas, falar da cidade, eles vão engolir. Fiquei sabendo que agora eles são fanzocas do Zeb. Use esse tema, estique-o. É só evitar que descubram a fraude e o engodo de tudo isso.

– Que manipulador – diz Toby. – Empurrando tudo para mim.

— Pois é, não nego isso — diz Jimmy. — E peço desculpas. Se bem que eles próprios dizem que você é boa no que faz. Fica por sua conta; sempre lhe resta a alternativa de mandá-los se catar.

— Você deve saber que estamos sob ataque, se posso dizer assim — diz Toby.

— Os caras da Painball. Claro, Ren me contou — ele diz em tom mais sóbrio.

— Ou seja, não podemos permitir que essas pessoas fiquem zanzando nos arredores por conta própria. Elas provavelmente seriam mortas.

Jimmy reflete um pouco.

— Então, o quê?

— Preciso que você me ajude — diz Toby. — Nossas histórias precisam combinar. Estive voando no escuro.

— Não há lugar melhor para voar que o tema Crake — diz Jimmy em tom melancólico. — Seja bem-vinda ao meu turbilhão. Ele cortou a garganta dela, sabia disso? Bem típico de Crake. Ela era tão bonita, ela era... Só pensei que poderia partilhar. Mas atirei no filho da puta.

— Garganta de quem? — pergunta Toby. — Você atirou em quem?

— Mas Jimmy já está com o rosto entre as mãos e os ombros tremendo.

Leitão

Toby não sabe o que fazer. O conforto de um abraço maternal cairia bem, se é que ela ainda é capaz disso, ou isso seria invasivo para Jimmy? Que tal uma expressão otimista tipo enfermeira, ou uma retirada de mansinho na ponta dos pés?

Antes que ela se decida, Barba Negra entra correndo no quarto, com feições excepcionalmente animadas.

– Eles estão chegando! Eles estão chegando! – exclama quase aos gritos: isso é raro para um craker, nem mesmo as crianças gritam.

– Quem? – ela pergunta. – Os homens maus? – Caramba, onde ela largou o rifle? Este é o lado negativo das meditações: esquecer-se de ser adequadamente agressivo.

– Eles! Vem, vem! – Ele a puxa pela mão e, logo, pela ponta do lençol. – Os porcos. Muitos, muitos!

Jimmy levanta a cabeça.

– Os porcões. Oh, foda – diz.

Barba Negra parece encantado.

– Sim, Homem das Neves-Jimmy! Obrigado por chamar. Vamos precisar que ele nos ajude. Os porcos têm um morto.

– Um morto, como assim? – pergunta Toby, mas ele já saiu pela porta.

Os maddadamitas largam as tarefas e se movimentam por trás do muro da cabana, alguns armados de machados, ancinhos e pás.

Crozier deixa de pastorear o rebanho de Mo'Hairs e sai correndo de volta ao longo da via, junto com Manatee, que porta uma pistola de spray.

– Eles estão chegando do oeste – diz Crozier rodeado pelas Mo'Hairs. – Eles estão... Que estranho. Eles estão marchando. Parece um desfile de porcos.

Os crakers reúnem-se perto dos balanços. Mas não parecem assustados. Falam em voz baixa e depois os homens seguem na direção oeste, como se para receber os que estão a caminho. Algumas mulheres os acompanham: Marie Antoinette, Sojourner Truth e outras duas. O restante permanece no mesmo lugar, as crianças aglomeram-se ao lado em silêncio, sem que ninguém tenha ordenado isso.

– Faça-os voltar! – diz Jimmy, juntando-se ao grupo de maddadamitas. – Essas coisas vão rasgá-los ao meio!

– *Ninguém* consegue convencê-los de nada – diz Swift Fox, que sem jeito segura um ancinho da horta.

– Rhino. – Zeb estende outra pistola e se volta para Manatee. – Não atire a torto e a direito. Poderá acertar um craker. Só atire se os porcos nos provocarem.

– Isso é assustador – diz Ren timidamente, amparando-se no braço de Jimmy. – Onde está Amanda?

– Dormindo – diz Lotis Blue, agora do outro lado de Jimmy.

– Mais do que assustador – diz Jimmy. – Esses porcões são dissimulados. Usam algumas táticas. Uma vez quase me encurralaram.

– Toby. Vamos precisar do seu rifle – diz Zeb. – Se eles se separarem em dois grupos, vá para os fundos. Se nos distrairmos na linha de frente, eles cavarão por baixo da cerca rapidamente. E depois atacarão de ambos os lados.

Toby corre até o cubículo. Quando sai com o velho rifle Ruger Deerfield, o rebanho de porcões gigantes avança pela clareira em frente à cerca da cabana.

São uns cinquenta ou mais. Cinquenta adultos, sem contar com as ninhadas de leitões que trotam ao lado das mães. No centro do grupo, dois porcões avançam lado a lado, com alguma coisa transversal às costas. Pelo que parece, um amontoado de flores – flores e folhagens.

Toby pensa com seus botões: o que é isso? Uma oferta de paz? Um casamento de porcos? Um altar?

Os porcos maiores atuam como batedores, os discos úmidos de seus focinhos apontam nervosamente para os lados. Eles fuçam o ar. São lustrosos e rosa-acinzentado, arredondados, rechonchudos e aerodinâmicos, como grandes e aterradoras lesmas com presas, pelo menos nos machos. Uma carga repentina e essas cimitarras letais o estripariam como um peixe, com um golpe de baixo para cima. Logo estarão tão perto dos crakers que nem mesmo o disparo direto de uma pistola poderá deter o avanço.

Soam grunhidos baixos de porco para porco. Se fosse gente, pensa Toby, isso seria chamado de murmúrio da multidão. Talvez seja um intercâmbio de informações, mas só Deus sabe que tipo de informação. Será que estão dizendo "Estamos com medo" ou "Odiamos essa gente"? Ou apenas um simples "Yum, yum"?

Rhino e Manatee postam-se dentro da cerca, com as pistolas abaixadas. Toby acha melhor esconder o rifle e o carrega por dentro de uma dobra do lençol. Ela não precisa que suas façanhas de assassina de porcão sejam lembradas, mas talvez eles nem precisem de lembretes.

– Meu Deus – diz Jimmy atrás de Toby. – Olhe aquilo. Eles só podem estar planejando alguma coisa.

Barba Negra se afasta das outras crianças crakers e agarra-se em Toby.

– Não tenha medo, ó Toby – diz. – Você está com medo?

– Sim, estou. – Mas não um medo igual ao de Jimmy, ela diz para si mesma, já que tenho uma arma e ele não tem. – Eles atacaram nossa horta mais de uma vez. E matamos alguns para nos defender. – Para ela é perturbador pensar no que essas mortes resultaram: carne de porco assada, bacon e costeletas. – E depois os colocamos na sopa – ela continua. – Eles se transformaram em osso fedorento. Um monte de osso fedorento.

– Sim, osso fedorento. – Barba Negra parece pensativo. – Um monte de osso fedorento. Vi lá na cozinha.

– Por isso eles não são nossos amigos – diz Toby. – Você não é amigo de quem transforma você em osso fedorento.

Barba Negra reflete sobre o que ouviu. Depois, olha para ela sorrindo suavemente.

— Não tenha medo, ó Toby — diz. — Eles são filhos de Oryx e filhos de Crake. Eles disseram que hoje não vão prejudicar vocês. Você vai ver. — Toby não se sente tão segura assim, mesmo assim sorri para o menino.

Uma delegação de crakers se junta ao rebanho de porcões e avança com eles. Os outros crakers esperam silenciosos ao redor dos balanços enquanto os porcões avançam.

Agora, Napoleão Bonaparte e seis outros homens dão um passo à frente: desfile de mijo, ao que parece. Sim, fazem xixi em linha. Apontam com cuidado e mijam respeitosamente, mas não deixa de ser xixi. Eles terminam e dão um passo para trás. Três leitõezinhos correm curiosos para a frente, fungam o solo e retornam aos gritos para as mães.

— Lá — diz Barba Negra. — Viu? É seguro.

Os crakers movimentam-se em semicírculo atrás da linha que demarca a urina. Começam a cantar. O rebanho de porcões divide-se em dois, e os dois porcões do centro movem-se lentamente para a frente. Em seguida inclinam o corpo para o lado e a carga coberta de flores rola até o solo. Eles a empurram com as patas e afastam algumas flores com patas e focinhos.

É um leitãozinho morto. Um leitãozinho com a garganta cortada. As patas dianteiras estão amarradas com uma corda. O sangue ainda vermelho escorre de uma ferida escancarada no pescoço. Sem outras marcas.

E agora todo o rebanho se posiciona em semicírculo ao redor de um... o quê? Ataúde? Cadafalso? Flores, folhas — é um funeral. Toby lembra-se de quando atirou naquele porcão no AnooYoo Spa — ao sair para coletar larvas na carcaça acabou encontrando frondes e folhas espalhadas em cima. Elefantes, ela pensou na ocasião. Eles fazem isso. Quando morre um ente querido.

— Merda — diz Jimmy. — Tomara que nenhum dos nossos tenha matado o porquinho.

— Acho que não — diz Toby. Ela já teria ouvido alguma coisa a respeito. Em alguma conversa culinária.

Os dois que carregavam o leitãozinho se dirigem à linha de mijo. Abraham Lincoln e Sojourner Truth que estão do outro lado

ajoelham-se ao nível dos porcões: olho a olho. Os crakers param de cantar. Faz-se silêncio. E depois os crakers retomam a cantoria.
— O que está havendo? — pergunta Toby.
— Eles estão falando, ó Toby — diz Barba Negra. — Estão pedindo ajuda. Eles querem rechaçar aqueles homens. Os que mataram os bebês porquinhos. — Ele respira fundo. — Dois bebês porquinhos... um com um pau igual a esse seu, outro, com uma faca. Os porcos querem ajuda para matar os que mataram os porquinhos.
— Eles querem ajuda dos... — Ela não pode dizer *crakers*, porque eles não se chamam dessa maneira. — Eles querem ajuda do seu povo?

Se o pedido é matar, como os crakers poderão ajudar?, ela se pergunta. De acordo com os maddadamitas, os crakers não são violentos por natureza. Eles não lutam, não conseguem lutar. São incapazes disso. Foi assim que foram criados.
— Não, ó Toby — diz Barba Negra. — Eles querem ajuda de você.
— De mim?
— De todos vocês. Todos que estão atrás do muro, os com duas peles. Eles querem que os ajudem com esses paus de vocês. Eles sabem como vocês matam, fazendo furos. E depois o sangue sai pelos furos. Eles querem que vocês façam furos nos três homens maus. Com sangue. — O menino parece indisposto, isso não está sendo fácil para ele. Toby quer abraçá-lo, mas isso seria condescendente; ele próprio escolheu esse dever.
— Você disse três homens? — ela pergunta. — Não são apenas dois?
— Os porcos dizem que são três — diz Barba Negra. — Eles farejaram três.
— Isso não é nada bom — diz Zeb. — Eles recrutaram outro. — Ele e Black Rhino se entreolham preocupados.
— Isso altera as chances — diz Rhino.
— Eles querem que vocês façam o sangue sair — diz Barba Negra. — Eles querem os três com furos e sangue.
— Nós — diz Toby. — Eles querem que a gente faça isso.
— Sim — diz Barba Negra. — Os com duas peles.
— Então, por que não estão falando com a gente? — pergunta Toby. — Por que estão falando com vocês?

Oh, ela exclama consigo mesma. Claro. Somos muito estúpidos, não entendemos a língua deles. Ou seja, é preciso um intérprete.

– É mais fácil eles conversarem com a gente – diz Barba Negra. – Em troca, se vocês os ajudarem a matar os três homens maus, eles nunca mais tentarão comer a horta de vocês. Nem comer nenhum de vocês – ele acrescenta em tom sério. – Mesmo que vocês estejam mortos, eles não vão comer vocês. E eles pedem que vocês não façam mais furos com sangue neles, nem os cozinhem na sopa de osso fedorento, nem os pendurem na fumaça, nem os fritem para comê--los. Nunca mais.

– Diga a eles que aceitamos o acordo – diz Zeb.

– Inclua abelhas e mel – diz Toby. – Marque os limites também.

– Por favor, ó Toby, o que é *acordo*? – pergunta Barba Negra.

– Acordo significa que aceitamos a oferta e vamos ajudá-los – diz Toby. – Nós compartilhamos os desejos deles.

– E depois eles serão felizes – diz Barba Negra. – Eles querem caçar os homens maus amanhã, ou então depois de amanhã. Pedem para que vocês levem os paus de fazer furo.

Aparentemente, acordo concluído. Empinados com as orelhas inclinadas para a frente e os focinhos erguidos, os porcões parecem farejar as palavras e depois recuam e seguem na direção oeste de onde vieram.

Eles deixam para trás o leitãozinho coberto de flores.

– Espere – diz Toby para Barba Negra. – Eles esqueceram o...
– Quase que ela disse *filho*. – Eles esqueceram o porquinho.

– O porquinho é para vocês, ó Toby – diz Barba Negra. – É um presente. Ele já está morto. Eles já demonstraram a tristeza deles.

– Mas prometemos que deixaríamos de comê-los – diz Toby.

– Não matar e depois comer, pode. Eles dizem que vocês não mataram. Por isso é permitido. Eles dizem que podem comê-lo ou não comê-lo, como vocês quiserem. De qualquer jeito, eles o comeriam.

Ritos fúnebres. Curioso, pensa Toby. Espalham flores sobre o ente querido, choram e em seguida comem o cadáver. Sem barreiras de reciclagem. Nem mesmo Adão e os jardineiros foram tão longe.

Conferência

Os crakers se dispersam pelos lados dos balanços, mastigando e conversando baixinho próximos às videiras de *kudzu*. O leitão morto jaz no solo com moscas em cima, cercado por um anel de maddadamitas que ponderam como se a conduzir um inquérito.

– Acha mesmo que esses furos o mataram? – pergunta Shackleton.

– Talvez – responde Manatee. – Mas não o penduraram numa árvore. Isso é o que normalmente se faria para drenar o sangue.

– Os porcos disseram aos nossos amigos azuis que o encontraram caído no caminho – diz Crozier. – À vista de todos.

– Acha que é uma mensagem para nós? – pergunta Zunzuncito.

– É mais ou menos como um desafio – diz Shackleton. – Como se estivessem nos chamando para fora.

– Talvez por isso a corda. Da última vez *eles* é que estavam amarrados com uma corda – diz Ren.

– Não – diz Crozier. – Por que usariam um leitão para isso?

– Talvez um aviso tipo *Vocês serão os próximos*. Ou *Olhem* o quão perto podemos chegar. Eles são triplamente veteranos da Painball, lembrem-se. É o estilo Painball: assustar – diz Shackleton.

– Certo – diz Rhino. – E agora realmente querem nossas coisas. Talvez estejam desesperados e sem munição.

– Eles vão tentar se esgueirar durante a noite – diz Shackleton.

– Teremos que dobrar as sentinelas.

– É melhor checar as cercas – diz Rhino. – Ainda estão improvisadas.

– Eles podem ter ferramentas – diz Zeb. – De alguma loja de ferragens. Facas, cortadores de arame, coisas assim. – Ele se afasta e vira num canto da cabana, com Rhino atrás.

– Talvez não tenham sido os painballers que o mataram. Talvez alguns desconhecidos – diz Ivory Bill.
– Talvez tenham sido os crakers – diz Jimmy. – Ei, só estou brincando, sei que eles nunca fariam isso.
– Nunca diga nunca – diz Ivory Bill. – Eles possuem uma flexibilidade mental que supera o que Crake planejou. Eles têm feito muitas coisas que não foram previstas durante a fase de construção.
– Talvez tenha sido alguém do nosso próprio grupo – diz Swift Fox. – Alguém que queria salsichas.
Um risinho inquieto espalha-se pelo círculo. Em seguida, silêncio.
– E então, qual será o próximo passo? – pergunta Ivory Bill.
– O próximo passo será cozinharmos ou não? – pergunta Rebecca. – Um leitãozinho ainda não desmamado?
– Ah, eu não suportaria – diz Ren. – Seria como comer um bebê. Amanda começa a chorar.
– Minha cara senhora, o que é isso? – diz Ivory Bill.
– Sinto muito – diz Ren. – Eu não deveria ter dito *bebê*.
– Tudo bem, hora de cartas na mesa – diz Rebecca. – Mãos para o alto, alguém aqui não sabia que Amanda está grávida?
– Parece que sou o único que restou na ignorância ginecológica – diz Ivory Bill. – Talvez essa intimidade feminina tenha sido considerada imprópria para os meus ouvidos idosos.
– Ou talvez você não estivesse escutando – diz Swift Fox.
– Tudo bem, isso está claro, então – diz Rebecca. – E agora eu gostaria de abrir o círculo, como se dizia na época dos jardineiros... Ren, quer fazer isso?
Ren respira fundo.
– Eu também estou grávida. – Ela começa a fungar. – Fiz xixi na vareta. Ficou cor-de-rosa, com aquele rostinho sorridente... ó Deus. – Ela recebe uma palmadinha de Lotis Blue, e Crozier esboça um movimento em direção a ela e se detém.
– Somos três – diz Swift Fox. – Contando comigo. Pãozinho assando no forno. Leitãozinho no carrinho. – Pelo menos ela está alegre com isso, pensa Toby. Mas grávida de quem?
Faz-se outro silêncio.

– Não faz qualquer sentido especular sobre a paternidade dessas... dessas diversas progênies iminentes – diz Ivory Bill em pesada desaprovação.
– Absolutamente nenhum – diz Swift Fox. – Ao menos no meu caso. Fiz algumas experiências de evolução genética. Reprodução dos mais aptos. Pense em mim como uma placa de petri.
– Considero isso irresponsável – diz Ivory Bill.
– Não tenho certeza se isso é da sua conta – diz Swift Fox.
– Ei! – diz Rebecca. – Isso é o que é!
– No caso de Amanda pode ser um craker – diz Toby. – Levando em conta o que aconteceu naquela noite em que ela estava... naquela noite em que a resgatamos dos... É o mais provável. Isso também pode ter acontecido com Ren.
– De todo modo, não foram os caras da Painball – diz Ren. – Comigo, sei que não foi.
– Como sabe disso? – pergunta Crozier.
– Eu não quero entrar em detalhes sórdidos – diz Ren. – Não pense que isso deve ser compartilhado. Isso é coisa de garotas. Contamos os dias. Simplesmente assim.
– Eu definitivamente descarto os painballers – diz Swift Fox.
– No meu caso. E também excluo alguns outros caras. – Os homens não se entreolham. Crozier reprime um sorriso.
– E os crakers também? – pergunta Toby, mantendo a voz neutra. Quem ela coloca na lista? Crozier, é claro, mas quem mais? Será muita gente? Talvez Zeb seja um deles, no fim das contas; em caso afirmativo, logo haverá um filho de Zeb. O que ela vai fazer? Fingir que não notou? Tricotar roupinhas de bebê? Fechar a cara? As duas primeiras opções seriam melhores, embora ela ainda esteja em dúvida em relação a isso.
– Tive um ou dois interlúdios com os enormes azuis – diz Swift Fox. – Ninguém estava olhando e assim abriu-se uma enorme janela de oportunidade, até porque todo mundo aqui é bisbilhoteiro. Foi forte, e ainda não sei se quero fazer disso um hábito. Foram poucas preliminares. Mas o rostinho rosa sorridente não mente, e em breve o jovem estará pesando em mim. A questão é que tipo de jovem?
– Acho que vamos descobrir – diz Shackleton.

...

Zeb e Black Rhino retornam da missão de inspeção das cercas.

– Este lugar é quase uma fortaleza – diz Zeb. – O negócio é o seguinte... se levarmos as armas para caçá-los, todos na cabana ficarão indefesos.

– Talvez seja isso que eles queiram – diz Rhino. – Enquanto saímos pela parte da frente eles se esgueiram pela parte de trás. E ficam com as mulheres.

– Não somos pacotes – diz Swift Fox. – Podemos lutar! Vocês podem nos deixar duas pistolas de spray.

– Boa sorte com esse plano – diz Rhino.

– Temos que tirar todo o nosso grupo daqui quando sairmos à caça daqueles caras – diz Crozier. – Não podemos deixar ninguém para trás. Temos que tirar as Mo'Hairs também. Se estivermos todos juntos, eles terão dificuldade para nos emboscar.

– Mas será fácil nos pegar – diz Zeb. – Por acaso poderíamos correr?

– Não estou a fim de correr – diz Rebecca. – Eu quero lembrar que temos três mulheres grávidas no grupo.

– Três? – diz Zeb.

– Ren e Swift Fox – diz Rebecca.

– Quando isso aconteceu?

– Quando você estava checando as cercas, segundo o que elas disseram para todos – diz Rebecca.

– Elas engravidaram de elfos durante a noite – diz Jimmy.

– Isso não é nada engraçado, Jimmy – diz Lotis Blue.

– A questão é que elas não podem correr – diz Rebecca.

– Então, não poderemos cumprir nossa parte do acordo? Não poderemos nos juntar à milícia de porcos na batalha? – pergunta Shackleton. – Eles terão que lutar sozinhos?

– Eles não podem – diz Jimmy. – Embora sejam uns fodidos letais, eles não podem subir escadas. Se os porcões perseguirem os painballers até a cidade e subirem um único degrau, rolarão escada abaixo e serão dizimados.

– Crozier está certo, nós todos teremos que sair daqui – diz Toby. – Para um local mais seguro, com portas que se fechem.

– Onde? – pergunta Rebecca.

– Talvez o AnooYoo Spa – diz Toby. – Fiquei enfurnada lá durante meses. Restaram alguns alimentos básicos. – E talvez algumas sementes, ela pensa consigo, assim poderei coletar sementes para a horta. E mais os projéteis que tinha deixado lá.

– Lá tem camas de verdade – diz Ren. – E toalhas.

– E portas sólidas – acrescenta Toby.

– Pode ser um plano – diz Zeb. – Vamos votar?

Ninguém vota não.

– Agora, precisamos nos preparar – diz Katuro.

– Primeiro temos que enterrar o leitão – diz Toby. – É o certo a fazer. Segundo as circunstâncias.

É o que eles fazem.

Retirada

Levam um dia para se organizar. Eles precisavam carregar muitas coisas: suprimentos básicos para cozinhar, lençóis para vestir, fita adesiva, corda. Lanternas comuns e de cabeça: grande parte das baterias ainda funciona. As pistolas, claro. O rifle de Toby. E todas as ferramentas afiadas, nenhuma faca ou nada parecido poderia cair nas mãos do inimigo.

– Não levem muito peso – diz Zeb. – Se tudo correr bem, estaremos de volta em poucos dias.

– Se este lugar não estiver completamente queimado – diz Rhino.

– Se precisa tanto disso aqui, leve junto – diz Katuro.

Toby está preocupada com a colmeia de abelhas. Será que elas ficarão bem? O que poderia atacá-las? Até então não tinha visto ursos e os porcões tinham prometido que ficariam longe das abelhas, só lhe resta então acreditar. Lobocães gostam de mel? Não, são carnívoros. Guaxinins, talvez, mas eles não seriam páreo para uma colmeia furiosa.

Ela cobre a cabeça e conversa com a colmeia, como faz fielmente a cada manhã.

– Saudações, abelhas. Trago notícias para vocês e sua rainha. Sairei daqui amanhã, mas será por pouco tempo e por isso não conversarei com vocês por alguns dias. Nossa própria colmeia está ameaçada. Estamos em perigo e atacaremos aqueles que nos ameaçam, vocês também fariam o mesmo se estivessem em nosso lugar. Aguentem firmes, acumulem bastante pólen e defendam a colmeia se for necessário. Transmitam esta mensagem para Pilar e peçam ajuda do poderoso espírito dela em nosso nome.

As abelhas voam para dentro e para fora do orifício na caixa de isopor. Parecem gostar da caixa ali naquela horta. Algumas se aproximam para explorar as flores estampadas no lençol de Toby e, quando se dão conta de que não servem para nada, passam para o rosto dela. Sim, elas a reconhecem. Elas tocam seus lábios, recolhem as palavras e saem voando com a mensagem até desaparecer no escuro. Atravessam a membrana que separa o mundo invisível situado sob este mundo visível. Lá está Pilar sorrindo serenamente e seguindo por um corredor que irradia uma luz oculta.

Ora, Toby, ela diz a si mesma. Comunicar-se com porcos, com os mortos e com o mundo subterrâneo por meio de uma caixa de isopor de cerveja. Você não está sob efeito de medicamentos, nem está doente. Você realmente não tem desculpa alguma.

Os crakers presenciam com interesse os preparativos para a partida. As crianças penduram-se ao redor da cozinha, com seus enormes olhos verdes fixos em Rebecca, mantendo uma distância entre elas próprias e a mesa repleta de bacon e carne seca de lobocão.

Pelo que parece, os crakers não compreendem por que os maddadamitas estão se mudando de casa, mas já deixaram claro que farão o mesmo.

– Nós vamos ajudar o Homem das Neves-Jimmy – dizem.

– Nós vamos ajudar Zeb.

– Nós vamos ajudar Crozier, ele é nosso amigo, nós vamos ajudá-lo a urinar melhor.

– Nós vamos ajudar Toby, ela vai nos contar uma história.

– Crake quer que a gente vá.

E assim por diante. Eles não têm posses e não precisam carregar nada, mas querem carregar algumas coisas.

– Eu vou levar isto, é uma panela. Eu vou levar isto, é um rádio, para que serve um rádio? Eu vou levar isto aqui afiado, é uma faca. Isto é papel higiênico, eu vou levar isto.

– Vamos levar o Homem das Neves-Jimmy – anuncia um trio, mas Jimmy diz que já pode andar.

Barba Negra entra no cubículo de Toby.

– Eu vou levar uma escrita – diz em tom imponente. – E uma caneta. Vou levar para a gente ter lá.

Ele vê o diário de Toby como uma propriedade de ambos, isso é bom, ela pensa, assim poderá acompanhar o progresso dele na escrita. Mas quando ela quer escrever é difícil tirar o diário das mãos dele, e ela sempre precisa lembrá-lo de que o diário não pode ficar debaixo da chuva.

Por enquanto ele tem se concentrado principalmente em nomes, mas o fato é que está apaixonado pela escrita de MUITO OBRIGADO e BOA NOITE. CRAK BANOITE BOM MAU FROR ZEB TOBY ORIX BRIGADO, é o cabeçalho típico. Talvez um dia ela tenha novos vislumbres de como a mente dele funciona, embora não possa garantir que já tenha tido algumas iluminações ofuscantes.

No dia seguinte, ao nascer do sol, eles partem do enclave de cabanas situado no parquinho da Árvore da Vida. É um êxodo, um afastamento da civilização tal como está agora.

Chegam dois porções para servir de escolta, o restante encontrará o grupo no AnooYoo Spa, segundo Barba Negra. Ele está com o binóculo de Toby porque já sabe como usá-lo. Uma vez ou outra se coloca de lado, levanta o binóculo e se concentra.

– Corvos – anuncia. – Abutres.

As mulheres crakers sorriem docilmente.

– Ó Barba Negra, você já sabia disso sem esse tubo nos olhos – dizem, fazendo-o sorrir.

Rhino e Katuro caminham à frente, ladeados pelos porções e seguidos por Crozier e o rebanho de Mo'Hairs. Algumas carregam trouxas amarradas às costas, isso é novo para elas, se bem que não parecem se importar. Com cabelo humano encaracolado em linha reta e pacotes encaroçados sobre o corpo, elas parecem chapéus *avant-garde* com pernas.

Shackleton segue no meio da procissão, junto a Ren, Amanda e Swift Fox cujo estado de gravidez atrai as outras mulheres crakers que as rodeiam. Os crakers arrulham e isso as faz sorrir, soltar risadas e acariciar. Swift Fox parece irritar-se com isso, mas Amanda sorri.

O restante dos maddadamitas segue atrás do grupo, seguidos pelos homens crakers. Zeb está na retaguarda.

Toby caminha com o rifle engatilhado, próxima às mulheres crakers. Parece que passou muito tempo desde que trilhou esse caminho com Ren à procura de Amanda. Ren também deve estar lembrando daqueles dias, pois recua e desliza o braço no braço esquerdo de Toby.

– Obrigada por ter me deixado entrar – diz. – No AnooYoo Spa. E pelas larvas. Eu teria morrido se você não tivesse cuidado de mim. Você salvou a minha vida.

E você salvou a minha, pensa Toby. Se Ren não tivesse aparecido no caminho, o que ela teria feito? Esperado e esperado, trancada sozinha dentro do AnooYoo, até que acabaria maluca ou seca de velhice.

Eles se atêm à estrada que leva ao parque Heritage, rumo noroeste. Lá está o sabugueiro de Pilar, coberto de borboletas e abelhas. Uma Mo'Hair pega um bocado de folhas quando passa perto.

Enfim chegam à guarita leste – cor-de-rosa, estilo tex-mex retrô – e à cerca alta que delimita o terreno do AnooYoo.

– Nós viemos por aqui – diz Ren. – Um homem estava lá dentro. Aquele cara da Painball, o pior.

– Isso mesmo – diz Toby. Era o Blanco, velho inimigo dela. Mesmo gangrenado, continuou sendo um assassino.

– Você não o matou? – diz Ren. Talvez ela tenha ouvido na ocasião.

– Digamos que o ajudei a entrar em um plano diferente de ser – diz Toby, os jardineiros colocavam a questão dessa maneira. – Ele teria morrido em seguida, mas de um modo doloroso. O caso era então Limitação da Carnificina Urbana. – Primeira regra: limitar o derramamento de sangue para que seu próprio sangue não seja derramado.

Ela preparou uma dose de amanita e papoula para Blanco: uma saída indolor, mais do que ele merecia. E depois o arrastou até a moita ornamental cercada de pedras brancas, um presente para a vida selvagem. Uma dose de amanita forte a ponto de envenenar o animal que o devorasse? Tomara que não: ela quer bem aos abutres.

O pesado portão de ferro está escancarado. Toby o tinha amarrado quando partiu, mas a corda está mastigada e cortada. Os dois porcões o atravessam aos trotes e farejam o caminho que leva à guarita. Depois recuam e trotam em direção a Barba Negra. Grunhidos baixinhos, olho no olho.

– Eles dizem que os três homens estavam lá. Mas não estão mais – diz o menino.

– Eles têm certeza? – pergunta Toby. – Tinha um homem lá mais cedo. Um homem mau. Não falaram dele?

– Oh, não – diz Barba Negra. – Eles sabem disso. O homem estava morto, nas flores. No início eles queriam comê-lo, mas tinha cogumelos ruins no homem. E eles não o comeram.

Ela observa o canteiro ornamental. Antes estampava BEM-VINDO AO ANOOYOO escrito em petúnias; agora, é um luxuriante gramado de ervas daninhas. Mais abaixo, entre as ervas, aquilo é uma bota? Ela não está mais a fim de investigar.

Toby deixara a faca de Blanco junto ao corpo. Era uma boa faca, e afiada. Mas os maddadamitas têm outras facas. Ela só espera que os painballers não a tenham recuperado, mas eles também devem ter outras facas.

Só agora eles estão nos domínios propriamente ditos do AnooYoo. Entram pela via principal, embora haja um caminho pela floresta: Toby e Ren o tinham percorrido antes para se manterem na sombra. Foi nesse trajeto que toparam com Oates sem os rins e enforcado em uma árvore, massacrado pelos painballers.

Talvez ele ainda esteja pendurado, pensa Toby. Eles o soltariam da corda se o encontrassem e dariam um enterro apropriado a ele. Seus irmãos Shackleton e Crozier ficarão felizes por isso. Uma compostagem genuína, com uma árvore plantada em cima. Reintegrá-lo à serena paz das radículas, à serena dissolução da terra. Mas ainda não é hora.

Cachorros latindo na floresta. Eles param para ouvir.

– Se essas coisas vierem abanando o rabo, vocês precisam matá--las – diz Jimmy. – Lobocães são malvados.

– Munição racionada – diz Rhino. – Até encontrarmos mais.

– Não vão nos atacar agora – diz Katuro. – Tem muita gente aqui. E mais dois porcos.

– A essa altura já matamos a maioria deles – diz Shackleton.

Eles passam ao largo de um jipe queimado, depois, um carro solar incinerado, em seguida, uma pequena van rosa capotada, com o logotipo do AnooYoo: lábios em biquinho, piscadela de olhos.

– Não olhe lá dentro – diz Zeb depois de ter olhado. – Não é bonito.

Surge o edifício do Spa à frente, rosa, sólido e ainda de pé: ninguém o incendiou.

A principal força dos porcões é moer do lado de fora, provavelmente acabaram com a horta orgânica, única fonte de guarnições para a dieta de saladas da clientela. Toby se lembra das horas que passara sozinha naquela horta após o Dilúvio, recolhendo tudo que podia da vida vegetal comestível para sobreviver. E agora tudo está coberto de terra.

Pelo menos ela deixou a porta destrancada.

Sombra, bolor. Seu velho eu, sem corpo, vagando por paredes sem espelhos. Ela colocara toalhas sobre os espelhos para apagar o próprio reflexo.

– Entrem – diz para todos. – Sintam-se em casa.

Fortaleza AnooYoo

Os crakers encantam-se com o AnooYoo Spa. Andam cuidadosamente pelos corredores, inclinando-se para tocar o piso encerado. Levantam as toalhas cor-de-rosa penduradas por Toby sobre os espelhos, olham as pessoas lá dentro, olham por trás dos espelhos e, quando percebem que são eles próprios que estão lá dentro, acariciam os cabelos e sorriem, fazendo os reflexos também sorrir. Sentam-se nas camas dos quartos e levantam-se com cautela. No ginásio, as crianças saltam nos trampolins aos sorrisos. Cheiram os sabonetes de rosa nos banheiros. Sobrou uma grande quantidade de sabonete de rosa.

– O ovo é aqui? – perguntam os mais jovens. Falta-lhes a memória de um lugar semelhante, com muros altos e pisos lisos.

– Fomos feitos neste ovo aqui?
– Não, não é o mesmo ovo.
– O ovo está longe, muito longe daqui.
– O ovo tem Crake dentro, o ovo tem Oryx dentro. Eles não estão aqui.
– Nós podemos ir para o ovo?
– Nós não podemos ir para o ovo agora, está escuro.
– O ovo tem coisas cor-de-rosa dentro, como estas aqui? Nós podemos comer coisas com cheiro de flor?
– Isso não é uma planta, isso é um sabonete. Não comemos sabonete.

E assim por diante.

Ainda bem que não estão cantando, pensa Toby. E não cantaram muito no percurso até aqui. Só ficaram olhando e escutando. Eles parecem pressentir o perigo.

...

Felizmente, nenhum vazamento no telhado. Toby sente-se feliz. Isso significa que as camas ainda estão aptas para o sono, apesar de levemente mofadas. Como boa anfitriã, ela distribui os quartos para os outros e pega uma suíte de casal para si. O Spa tinha três suítes para o improvável caso de dois cônjuges ou similares passarem juntos pelos exames a fim de se submeterem aos habituais tratamentos de limpeza facial, massagem e polimento. Mas isso não era uma oferta popular, pelo menos entre os casais heterossexuais – geralmente as mulheres preferiam fazer as correções privadamente porque assim podiam irromper como borboletas de um casulo perfumado e surpreender as multidões com sua arrebatadora beleza. Toby sabe disso porque gerenciava o lugar. E também sabe que aquelas mulheres acabavam decepcionadas porque nunca pareciam muito melhores, apesar do grande montante de dinheiro gasto.

Ela guarda os seus pertences no armário. O velho binóculo antes sem muita utilidade pela ausência de paisagem nos arredores da cabana torna-se agora essencial. A espingarda, a munição. A caixa de projéteis deixada no spa incrementará o suprimento para as circunstâncias do momento. Mas o rifle não será mais útil depois que a munição acabar, a menos que ela aprenda a fazer pólvora.

Ela coloca a escova de dentes no banheiro da suíte. Nem precisou se incomodar em trazer a que tinha na cabana, abundam escovas de dente cor-de-rosa no spa, e na sala do almoxarifado há uma prateleira inteira de dois tipos de minipastas de dentes para os hóspedes do AnooYoo: a Cherry Blossom Organic, biodegradável com microrganismos antiplaca, e a Kiss-in-the-Dark Chromatic Sparkle Enhancer.

A segunda pasta deixa a sua boca inteira brilhar no escuro. Toby nunca a experimentou, mas as mulheres brigavam por esse produto. Como Zeb reagiria se desse de cara com uma fantasmagórica boca incandescente? Ela não terá a resposta esta noite porque estará de sentinela em cima no telhado, e uma boca luminosa seria um excelente alvo para um franco-atirador.

Os antigos diários, ela os recolheu de uma das mesas de massagem onde dormia, sem nenhum sentido de penitência. Estão ali, escritos nas agendas do AnooYoo, com beijinho de boca e piscadela de olho no logotipo. Ela registrou os dias de festas e festivais dos jardineiros e as fases da lua, e os acontecimentos diários, se houvesse. Os diários ajudavam-na a se manter sã. Quando o tempo cronológico e as pessoas reais retornaram, ela os abandonou ali. E agora eles são um sussurro do passado.

Isso equivale à escrita? Uma voz fantasmal, caso fantasmas tenham voz? Se assim for, por que ensinar essa prática para o menino Barba Negra? Certamente os crakers seriam mais felizes sem a escrita.

Ela coloca os diários dentro de uma gaveta da cômoda. Gostaria de lê-los em algum momento, mas por ora não há espaço para isso.

Os banheiros ainda estão com água e com muitas moscas mortas. Ela aciona a descarga: os barris coletores no telhado devem estar funcionando. Isso é uma bênção, sem falar na grande quantidade de papel higiênico rosa estampado com pétalas de flor. Os primeiros experimentos do AnooYoo com papel higiênico botânico não tinham se saído bem por conta de algumas alergias inesperadas.

De todo modo, ela precisa deixar um aviso para que fervam a água. Água de verdade saindo de uma torneira, isso pode empolgar alguns.

Depois de lavar o rosto e vestir um roupão cor-de-rosa limpinho encontrado no armário de serviço, ela se reencontra com os outros. Ocorre uma discussão acalorada no saguão principal: o que fazer com as Mo'Hairs durante a noite? O amplo gramado do AnooYoo é agora um pasto em crescimento, de modo que não será problema pastoreá-las durante o dia, mas elas precisam de abrigo e proteção da possível presença de leocarneiros durante a noite. Crozier é a favor de juntá-las no ginásio; ele se apegou demais a elas e está preocupado. Manatee lembra que o piso é escorregadio – sem mencionar o fator cocô de ovelhas – e que elas podem derrapar e quebrar as

pernas. Toby então sugere a horta, cuja cerca está em grande parte intacta, os buracos cavados pelos porcos podem ser rapidamente tapados. Uma sentinela no telhado pode ficar de olho no rebanho e relatar qualquer balido incomum.
    Mas onde os crakers vão dormir? Eles não gostam de dormir dentro de casa. Eles preferem dormir no gramado, onde podem comer muitas folhas. Mas com os caras da Painball à solta e provavelmente em clima de caça, isso está fora de questão.
    – No telhado – diz Toby. – Lá em cima tem algumas plantas, caso eles queiram um lanchinho. – Então, está decidido.

A tempestade da tarde vem e vai. Só depois os porcões saem para um mergulho na piscina, sem se intimidar com as algas, as plantas aquáticas e a população animada de rãs. Eles resolvem o problema de como entrar e sair da piscina empurrando cadeiras do mobiliário na parte rasa, isso substitui uma rampa que serve de ponto de apoio. Enquanto os mais jovens desfrutam salpicos e guinchos, as fêmeas mais velhas e os porcões se limitam a rápidos mergulhos, e depois deitam à beira da piscina e vigiam os leitões com ar indulgente. Toby se pergunta se os porcos são suscetíveis a queimaduras solares.
    O jantar é um tanto aleatório, embora servido em grande estilo em mesas redondas com toalhas de mesa cor-de-rosa da sala de jantar principal. Fez-se uma colheita no gramado que propiciou uma salada substancial de verduras silvestres. Rebecca achou uma garrafinha de azeite fechada e preparou um clássico molho francês. Beldroegas no vapor, raiz de bardana levemente cozida, carne-seca de lobocão, leite de Mo'Hair. Encontraram um frasco de açúcar na cozinha, então cada um dispõe de uma colher de chá de açúcar para a sobremesa. Toby deixou de consumir açúcar, essa potente doçura atravessa a cabeça dela como uma lâmina.
    – Tenho uma notícia para você – diz Rebecca enquanto elas tiram a mesa. – Seus amigos pegaram um sapo para você. Pediram-me para cozinhá-lo.
    – Um sapo? – diz Toby.
    – Sim. Eles não encontraram um peixe.

– Oh, merda – diz Toby. Os crakers querem ouvir uma história essa noite. Se ela tiver sorte, eles esquecem de trazer o boné vermelho do Homem das Neves.

Já é quase noite agora, o sol se põe. Cigarras cantam, pássaros migram para a capoeira, anfíbios coaxam ou vibram como cordas de borracha na piscina. Toby procura alguma coisa para se cobrir durante a sentinela, talvez o telhado esteja frio.

Ela está se envolvendo com uma colcha rosa quando Barba Negra entra no quarto. Olha-se no espelho sorrindo, acena para si mesmo e faz uma pequena dança. Por fim, passa uma mensagem para Toby:

– Os porcos disseram que os três homens maus estão lá.
– Lá onde? – ela pergunta, com o coração acelerado.
– Depois das flores. Atrás das árvores. Os porcos estão sentindo o cheiro.
– Eles não podem chegar muito perto – diz Toby. – Os homens maus podem ter pistolas. Os paus de fazer furo. Com sangue saindo.
– Os porcos sabem disso – diz Barba Negra.

Toby sobe a escadaria até o último andar, binóculo ao pescoço, rifle engatilhado. Um bom número de crakers está na expectativa lá em cima. Zeb encostado na grade.

– Você está toda cor-de-rosa – ele diz. – A cor combina com você. A silhueta também. Michelin, o cara do pneu?
– Está se fazendo de imbecil?
– Não foi de propósito – ele diz. – Os corvos estão fazendo barulho.

E eles também estão fazendo aquele *kra kra kra kra* no limite da floresta. Toby ergue o binóculo: nada à vista.

– Talvez seja uma coruja – diz.
– Talvez – retruca Zeb.
– Os porcões continuam dizendo que são três homens. Não dois.
– Ficarei surpreso se eles estiverem errados – ele diz.

– Acha que o terceiro pode ser Adão? – ela diz.
– Lembra do que você disse sobre a esperança? Disse que pode ser ruim para você. Então, é melhor não cultivá-la.
Um leve vislumbre por entre os galhos. Um rosto? Sumiu novamente.
– O pior é a espera – diz Toby.
Barba Negra puxa a colcha dela.
– Ó Toby. Vem! É hora de ouvir a história que você vai contar. Nós trouxemos o boné vermelho.

O TREM PARA A CRYOJEENYUS

A HISTÓRIA DOS DOIS OVOS E DO PENSAMENTO

Muito obrigada. Fico feliz de ver que vocês se lembraram de trazer o boné vermelho.
 E o peixe. Não exatamente um peixe, é mais um sapo. Mas vocês o pegaram na água, e estamos muito longe do mar, por isso estou certa de que Crake vai entender e vai saber que estamos muito longe para vocês fazerem o trajeto até o mar para pegar um peixe.
 Muito obrigada por tê-lo cozinhado. Por pedirem a Rebecca para cozinhá-lo. Crake me disse que não preciso comê-lo. Uma mordidinha será o bastante.
 Assim.
 Sim, o sapo... o peixe tem osso nele. Um osso fedorento. Foi por isso que cuspi. Mas não precisamos falar de osso fedorento agora.

Amanhã é um dia muito importante. Amanhã, todos nós com duas peles devemos terminar o trabalho que Crake começou – o trabalho de varrer o caos. Esse trabalho era a Grande Reorganização, e isso fez o Grande Vazio.
 Mas isso foi apenas uma parte do trabalho de Crake. A outra parte foi quando ele fez vocês. Fez os ossos de vocês do coral da praia que é branco como um osso, mas não é fedorento. Fez a carne de vocês da manga que é doce e suave. Ele fez tudo isso dentro do ovo gigante, e teve alguns ajudantes. E o Homem das Neves-Jimmy que era amigo dele também estava dentro do ovo.
 E Oryx também estava. Às vezes ela assumia a forma de uma mulher com olhos verdes como os de vocês, e outras vezes assumia a forma de uma coruja. E lá dentro do ovo ela pôs dois ovos de coruja menores. Um ovo menor de coruja tinha muitos animais e aves

e peixes – todos Filhos de Oryx. Sim, e abelhas. E borboletas também. Sim, e formigas. E besouros – muitos besouros. E cobras. E rãs. E larvas. E guaxinins e felinos peludos e Mo'Hairs e porcões.
Obrigada, mas não precisamos listar todos eles.
Porque ficaríamos aqui a noite toda.
Digamos apenas que Oryx fez muitos filhos. Cada um bonito do seu próprio jeito especial.
Sim, Oryx foi gentil quando fez todos eles e cada um deles dentro do ovo menor que a coruja pôs. Exceto, talvez, os mosquitos.

O outro ovo que ela pôs estava repleto de palavras. Mas esse ovo chocou primeiro, antes do outro ovo com os animais, e vocês comeram muitas palavras porque estavam com fome, e por isso as palavras ficaram dentro de vocês. E Crake então pensou que vocês tinham comido todas as palavras e que não tinha sobrado nada para os animais, e que era por isso que eles não podiam falar. Mas ele estava errado quanto a isso. Crake não estava sempre certo sobre todas as coisas.

Porque uma vez ele não estava olhando e algumas palavras escapuliram do ovo, algumas caíram na água e outras voaram pelo ar. Nenhuma pessoa viu isso. Mas os animais, as aves e os peixes viram e comeram essas palavras. Elas eram um tipo diferente de palavras, e por isso às vezes as pessoas não conseguiam entender os animais. Eles tinham mastigado palavras muito pequenas.

E os porcões – os porcos – comeram mais palavras que os outros animais. Vocês sabem o quanto eles gostam de comer. Assim, os porcos podem pensar muito bem.

Depois, Oryx fez um novo tipo de coisa chamado canto. E ela deu isso para vocês porque amava os pássaros e queria que vocês pudessem cantar como eles. Mas Crake não queria que vocês cantassem. Isso o preocupava. Ele achava que se vocês cantassem como os pássaros, acabariam se esquecendo de falar como as pessoas, e depois se esqueceriam dele e do trabalho dele – todo o trabalho que ele tinha feito para criar vocês.

E Oryx disse: você só tem que engolir. Porque se essas pessoas não puderem cantar, elas serão como... elas serão como nada. Elas serão como pedras.

Engolir significa... vamos falar disso outra hora.

Agora, vou contar uma parte diferente da história, a parte que explica por que Crake decidiu fazer o Grande Vazio.

Crake pensou durante muito tempo. Ele pensou e pensou. Ele não contou para os outros que pensamentos eram esses, mas alguns ele contou para o Homem das Neves-Jimmy e alguns para Zeb e alguns para Pilar e alguns para Oryx.

Ele pensou o seguinte: No caos, as pessoas não conseguem aprender. E sem aprender não conseguem entender o que elas próprias estão fazendo contra o mar e o céu e as plantas e os animais. Elas não conseguem entender que estão matando tudo isso, e que vão acabar matando a si mesmas. Muitas pessoas fazem isso, e todas elas fazem parte da matança, consciente ou inconscientemente. E quando você pede para que elas parem com isso, elas não ouvem.

Então, só resta uma coisa a fazer. Ou a maioria dessas pessoas deve ser varrida, enquanto ainda existe uma terra com árvores e flores e aves e peixes e tudo o mais, ou todas devem morrer quando não sobrar mais nada na terra. Porque se não sobrar mais nada, só haverá absolutamente nada. Sem nenhum povo mais.

Foi quando Crake se perguntou: será que devo dar uma segunda chance para as pessoas? Não, ele respondeu, porque elas já tiveram uma segunda chance. Elas tiveram muitas segundas chances. A hora é agora.

Crake fez algumas sementes pequeninas que tinham um gosto muito bom e que no início deixariam as pessoas muito felizes, quando comessem as sementes. Mas aquelas que comessem depois ficariam muito doentes, e se despedaçariam e morreriam. E ele então espalhou as sementes por toda a terra.

E Oryx ajudou a espalhar as sementes porque ela podia voar como uma coruja. E as mulheres-pássaros e as mulheres-cobras e as mulheres-flores também ajudaram. Mas elas não conheciam a parte da morte, só conheciam a parte feliz porque Crake não tinha revelado todos os pensamentos dele para elas.

E depois a Grande Reorganização começou a acontecer. E Oryx e Crake saíram do ovo e voaram para o céu. Mas o Homem das Neves-Jimmy continuou aqui para cuidar de vocês e para manter as coisas ruins longe de vocês e para ajudar vocês e para contar as histórias de Crake para vocês. E as histórias de Oryx também.
Vocês podem cantar mais tarde.
Foi essa a história dos dois ovos.
Agora, todos nós devemos dormir porque temos que levantar muito cedo amanhã. Alguns daqui vão procurar os três homens maus. Zeb vai, e Rhino, Manatee, Crozier e Shackleton. E o Homem das Neves-Jimmy. Sim, os porcos também vão, muitos. Menos os filhotes e as mães.
Mas vocês vão ficar aqui, com Rebecca, Amanda e Ren. E Swift Fox. E Lotis Blue. E mantenham a porta fechada, não deixem ninguém entrar, pouco importa o que disserem. Só deixem entrar aqueles que vocês conhecem.
Não se assustem.
Sim, também vou sair para procurar os homens maus. E Barba Negra também, para nos ajudar a falar com os porcos.
Sim, vamos voltar. Tenho a esperança de que vamos voltar.
Esperança é quando queremos muito alguma coisa, mas não sabemos se essa coisa vai realmente acontecer.
Agora, vou dizer boa noite.
Boa noite.

SOMBRAS

— Foi neste lugar que esperei por você — diz Toby. — Durante o Dilúvio Seco. Aqui em cima no telhado. Fiquei esperando que você saísse daquele bosque a qualquer momento. Os crakers dormem pacificamente ao redor. Como são confiantes, ela pensa. Eles realmente nunca aprenderam o que é medo. Talvez não possam aprender.
— Você não achava mesmo que eu estava morto? — pergunta Zeb.
— Eu estava contando com você — ela diz. — Pensei que se alguém soubesse como sobreviver a tudo isso, esse alguém seria você. Mas de vez em quando dizia para mim mesma que você estava morto. Chamava isso de "realismo". O resto do tempo esperava por você.
— Valeu a pena? — ele pergunta. Um sorriso invisível na escuridão.
— Está tendo um surto de falta de confiança? A ponto de precisar perguntar?
— Sim, meio que preciso — ele diz. — Já cheguei a pensar que eu era um presente de Deus, mas isso acaba com qualquer um. Logo que a conheci, na época dos jardineiros, percebi que você era mais inteligente do que eu, por conta dos cogumelos, poções e tudo o mais.
— Mas você era habilidoso — ela diz.
— É verdade, se bem que às vezes desastrado. Então, em que parte da história eu estava?
— Estava vivendo com as mulheres-cobras — diz Toby. — Na Scales & Tails. Sobrevivendo de olhos abertos, mãos nos bolsos e bico calado.
— Certo.

...

Fizeram de Zeb um segurança. Era um bom disfarce. Cabeça raspada, terno preto, óculos escuros e o dente de ouro com transmissão direto da boca. E ainda um elegante alfinete de lapela esmaltado em forma de cobra mordendo o próprio rabo: um emblema antigo que significava regeneração, segundo Adão, se bem que Zeb podia ser enganado.

Ele remodelou o rosto em um lugar obscuro dos subterrâneos da plebelândia, isso envolveu um barbeador muito estreito que esculpiu um desenho em cruz numa camada fina de barba, gerando o efeito de um waffle peludo. Foi nessa época que ele também teve as orelhas alteradas, por sugestão de Adão. Estavam fazendo mais uso de orelhas nas identidades, alegou Adão, de modo que seria melhor que Zeb desse uma mexida nas dele para que não pudessem identificá-las nas fotos com as orelhas antigas, supondo que alguém estivesse observando. O verdadeiro trabalho de plástica cosmética acabou sendo uma cortesia de Katrina WooWoo que tinha acesso a escultores de carne e gordura. Zeb optou por uma orelha pontuda no topo com um lóbulo rechonchudo.

– Não eram assim – ele diz. – Já mexi duas vezes nelas depois disso. Mas por um tempo fiquei parecido com um duende Buda.

– É o que penso de você – diz Toby.

O trabalho de Zeb era fazer a ronda na área do bar, mas com um sorriso aberto e sem parecer ameaçador, apenas levemente sombrio. Seu parceiro era um negro grandão que atendia pela alcunha de Jebediah, o mesmo que se tornou Black Rhino quando se juntou a MaddAddão. Zeb e Jeb eram dois, mas eles pareciam um único Zeb.

Na Scales, porém, ele não era Zeb nem Hector, o Vetor. Ele tinha outro apelido, Smokey. Smokey, o Urso, como a antiga mascote do conhecido Serviço Florestal. Era um nome adequado. "Só VOCÊ pode evitar incêndios florestais", dizia o lema, e era isso que ele devia fazer: evitar incêndios.

Zeb e Jeb intervinham nos bafafás entre a clientela – caras carrancudas e feias, xingamentos desagradáveis, agarrações indecorosas, vandalismos contra as plumas, escamas e tecidos em forma de pétalas que decoravam o palco, exibições símias com latas de cerveja sacudidas, seguidas de troca de jatos de espuma pelo ar e arremesso de latas e garrafas quebradas e socos. Era quando eles passavam do olhar sombrio e passivo para a intervenção cirúrgica e ativa, cujo objetivo era conter os agressores sem maiores problemas, de maneira limpa e sem desencadear brigas generalizadas. Sendo assim, a ação imediata era uma necessidade, sem com isso irritar a clientela desnecessariamente: um cliente surrado é um cliente que não retorna.

Além disso, a nata da Corps tornava-se cada vez mais clientela frequente, e os caras gostavam de curtir a favelização da plebelândia, se bem que não em circunstâncias de risco de vida. Apenas o suficiente para que se sentissem um pouco rebeldes, um pouco fodões, um pouco sexualmente funcionais. A Scales & Tails acabou ganhando a reputação de lugar limpo e discreto, onde se podia dar vazão às próprias merdas e à indiscrição e onde se conseguiam possíveis parceiros de negócios para subornos complicados sem medo de exposição.

As abordagens suaves eram então essenciais na resolução dos conflitos. O melhor jeito era jogar um braço amistoso no ombro do idiota em questão e grunhir no ouvido dele: "Especial da casa, só para o senhor. Com os cumprimentos da gerência." Honrado por receber alguma coisa de graça e, sem dúvida, já em estado de nanomorte cerebral pela grande ingestão de bebida, o cara era conduzido por alguns corredores e cantos, com um palmo de língua de fora. Ele era levado para um quarto amplo com plumas e uma cama com colcha de cetim verde, sob a vigilância de uma câmera oculta. E depois era carinhosamente despido por duas mulheres-cobras cujo dom era fazer qualquer relatório financeiro soar como pornô, enquanto Zeb ou Jeb colocavam-se a meia distância, fora de vista, apenas para manter o sujeito nos trilhos.

Seguia-se uma sinistra mistura de um coquetel que ora era cor de laranja, ora roxo, ora azul, dependendo do pedido, cuja cobertura era uma cereja verde introduzida em uma cobra verde de plástico. Isso era entregue pessoalmente por uma mulher orquídea ou gardênia ou uma mulher flamingo ou camaleônica azul fluorescente com pernas de pau, cobertas de lantejoulas e pequenas lâmpadas de LED faiscantes e escamas ou pétalas ou plumas, e eram sempre peitudas e tinham um sorriso lambedor nos lábios. *Itchy-kitchy-coo*, diria essa alucinação, ou palavras com o mesmo efeito. *Drinkie-poo!* Como um hominídeo de sangue vermelho poderia dizer não? Ao líquido misterioso pela goela abaixo se seguiam prontamente os bons sonhos para o sr. Macho Alfa, com danos mínimos da ajuda contratada.

O eleito despertava dez horas depois convencido de que nunca se divertira tanto. O que de certa forma era verdade, segundo Zeb, pois toda experiência registrada pelo cérebro é real, não é? Mesmo quando não ocorre no 3-D do chamado tempo real.

Tal conduta geralmente funcionava bem com executivos da Corps, um bando de ingênuos autoconfiantes quando topavam com os costumes ambíguos da plebelândia. Zeb conhecia essa espécie do Mundo Flutuante: uns tipos que durante a noite saíam em busca de emoção pela cidade, ansiosos por algo que confundiam com experiência. Levavam uma vida protegida dentro dos complexos da Corps e de outros espaços resguardados que frequentavam, como tribunais, assembleias legislativas e instituições religiosas, e eram ingênuos a respeito de tudo que ocorria fora dos seus muros. Era comovente a facilidade com que bebiam o Kool-Aid oferecido e a rapidez com que caíam no feno, ou melhor, na colcha de cetim verde, dormindo suavemente e acordando alegremente.

Mas um tipo diferente de cliente passou a marcar presença na Scales: um tipo menos agradável e que não se desviava facilmente de suas próprias raivas. Entupido de ódio, endurecido no fogo, dobrado na carnificina e no vidro quebrado. Eram casos mais difíceis que requeriam todos os pontos de alerta.

— Já deve ter adivinhado que estou falando dos painballers — diz Zeb.

— A Painball só estava começando.

Naquela época as arenas da Painball eram altamente ilegais, como também as brigas de galo e o abate e consumo das espécies ameaçadas de extinção. Mas o fato é que tudo isso existia e a Painball se expandia fora da vista do público. Eram reservados lugares privilegiados na plateia para os escalões superiores que gostavam de duelos até a morte que envolviam habilidade, destreza, crueldade e canibalismo, ou seja, a vida corporativa em termos gráficos. Muita grana mudava de mãos com as apostas altas na Painball. E dessa forma a Corps pagava indiretamente pela infraestrutura e o sustento dos lutadores da Painball e pelos que ofereciam as locações e serviços pagos diretamente quando alguém era pego ou perdia a própria vida em guerras territoriais.

Tal arranjo era conveniente para a CorpSeCorps – ainda púbere nessa época –, pois fornecia um amplo material de chantagem pelo qual o pessoal da CorpSeCorps estreitava o domínio sobre os ditos pilares do que ainda era uma sociedade.

Se você estivesse trancafiado em alguma prisão comum, a opção Painball era uma boa: lutar contra outros presos, eliminá-los e ganhar grandes prêmios, entre os quais a liberdade e o desembarque na plebelândia, como um operador do mercado cinza. Eram vantagens de todos os lados. Claro, se você tivesse optado pela Painball, cuja alternativa para o vencedor era matar.

Justamente por isso era divertido assistir. Os sobreviventes se valiam de astúcia, aplicação de golpes sujos nos adversários e superioridade homicida: a ingestão de olhos arrancados era um dos truques favoritos do espetáculo. Em poucas palavras, você tinha que estar preparado para cortar e comer o seu melhor amigo.

Após uma temporada de graduação na Painball, os veteranos ganhavam uma posição elevada nos subterrâneos da plebelândia e também nos setores mais altos, como acontecia com os gladiadores romanos no passado. As esposas dos maiorais da Corps pagavam para fazer sexo com eles, e os maridos da Corps os convidavam para jantares pela emoção de serem assombrados por eles e de vê-los destruindo taças de champanhe, se bem que os agentes de segurança presentes sempre interferiam quando as coisas começavam a sair fora de controle. Um pouco de agitação era aceitável, mas não o caos descontrolado.

Inflados pela posição de celebridades, os veteranos da Painball eram bombeados pelo fluxo hormonal de suas vitórias e com isso achavam que podiam enfrentar qualquer um, então era sempre um prazer dar uma cotovelada em seguranças grandalhões como Zeb, o Urso Smokey. Jeb o advertira a nunca virar as costas para um painballer: eles arrebentam teus rins e teu crânio com o que tiverem à mão e te estrangulam até os teus olhos saltarem pelas orelhas. Como reconhecê-los? Cicatrizes faciais. Expressões em branco: ausência de neurônios que espelham o humano e de grandes porções do módulo empático: mostre uma criança padecendo de dor e qualquer pessoa normal estremece, mas aqueles sujeitos se limitavam a sorrir. Segundo Jeb, você tinha que ser rápido na leitura dos sinais porque se tivesse que lidar com um psicopata, precisava saber disso. Caso contrário, eles mutilavam o talento feminino antes que você pudesse pronunciar *pescoço quebrado*, e isso podia custar caro: as trapezistas que faziam strip artístico penduradas pouco acima da plateia não saíam barato. Ou, só para constar, um orgasmo induzido por estrangulamento com uma jiboia. Um veterano da Painball podia muito bem achar que morder a cabeça de uma jiboia era uma prova imbatível de exibição do chimpanzé alfa, e mesmo que a mordida fosse interceptada, era difícil substituir uma jiboia danificada.

A Scales mantinha um registro completo da identidade dos painballers regularmente atualizado, com fotos de rostos e de perfis de orelhas, o mesmo que Katrina WooWoo surrupiara, usando alguma porta obscura dos fundos e sabe-se lá mais o que em troca. Talvez estivesse familiarizada com alguém de alguma ponta da Painball que queria alguma coisa que ela podia oferecer ou reter. Os favores e os desfavores eram a moeda mais respeitada nos subterrâneos da plebelândia.

– Primeiro golpeie e golpeie sujo, era nossa regra para aqueles babacas da Painball – diz Zeb. – Quando começavam a se agitar. Às vezes controlávamos o consumo de bebidas dos caras, mas outras vezes acabávamos com eles; se não fizéssemos isso, retornariam para se vingar. Mas tínhamos que ser cuidadosos com os corpos. Eles podiam ter afiliados.

– E que o *faziam* com os corpos? – pergunta Toby.

– Digamos que nos subterrâneos da plebelândia sempre houve demanda por pacotes de proteína condensados, a serem utilizados como divertimento, lucro ou alimentos para animais de estimação. Mas naquele tempo, ainda no início, antes da legalização da Painball e da transmissão das lutas na TV pela CorpSeCorps, não havia muitos painballers fora de controle, e por isso a desova de corpos ainda não era regular. Era mais de improviso.

– Você faz isso parecer um lazer – diz Toby. – Eram vidas humanas, a despeito do que tivessem feito.

– Sim, sim, eu sei, dê uma palmada na minha mão, nós éramos maus. Se bem que ninguém entrava na Painball se não tivesse muitos assassinatos nas costas. Todo esse relato é para mostrar que para mim e Jeb, os seguranças do bar, se interessar pessoalmente pelo que entrava na mistura das bebidas não era novidade alguma. Às vezes nós mesmos as preparávamos.

Kicktail

Durante todo esse tempo o bispo branco de xadrez com as seis misteriosas pílulas esteve escondido em segurança enquanto eram aguardadas novas instruções. Os únicos que sabiam onde o bispo estava eram o próprio Zeb, Katrina WooWoo e Adão.

O esconderijo era obra de astúcia, praticamente à vista de todo mundo, uma manobra que Mão de Slaigh ensinara a Zeb: o óbvio é invisível. Na prateleira de vidro atrás do bar estavam saca-rolhas, quebra-nozes, saleiros e pimenteiras em forma de mulheres nuas. A disposição das peças era engenhosa: as pernas abriam, o saca-rolha era revelado; as pernas abriam, a noz era inserida, as pernas fechavam, a noz era quebrada; as pernas abriam, a cabeça era girada e o sal ou a pimenta vertiam do meio das pernas. Uma gargalhada geral.

O bispo branco estava introduzido na cavidade de um saleiro de ferro, uma garota verde com escamas esmaltadas. A cabeça ainda girava e o sal ainda vertia do meio das coxas, mas os garçons tinham sido avisados de que aquele objeto era frágil – ninguém ia querer que a cabeça de um brinquedo sexual de sal se rompesse na metade do parafuso – e que apenas os outros podiam ser usados, caso precisassem de sal. Isso não era frequente, poucos gostavam de salpicos de sal na cerveja e nos aperitivos.

Zeb mantinha-se de olho na garota verde escamosa que ocultava o bispo. Ele achava que devia isso a Pilar. Mesmo assim, o local escolhido o deixava nervoso. E se ele não estivesse presente e alguém pegasse o objeto e o explorasse e encontrasse as pílulas? E se alguém achasse que aquelas minúsculas pílulas ovais coloridas eram pílulas do alto astral e engolisse uma ou duas só para experimentar? Como

Zeb não tinha a menor ideia de quais eram os efeitos das pílulas, essa possibilidade o deixava nervoso.

Adão, por outro lado, mostrava-se excepcionalmente frio, alegando que ninguém pensaria em espiar dentro de um saleiro, a menos que não saísse sal de dentro.

– Mas não sei por que falei "excepcionalmente" – diz Zeb. – Ele nunca deixou de ser um pentelho frio.

– Ele também estava vivendo lá? – pergunta Toby. – Na Scales & Tails? – Ela não conseguia imaginar isso. O que Adão Um fazia o dia todo naquele lugar, entre dançarinas exóticas e insólitos produtos da moda? Quando o tinha conhecido nos tempos em que ainda era Adão Um, ele desaprovava a vaidade feminina, tanto a cor e a ostentação como os decotes e as pernas de fora no vestuário. Mas seria impossível implementar a religião dos Jardineiros na Scales ou convencer as funcionárias a levar uma vida simples. Aquelas mulheres deviam ter manicures caras e nunca seriam induzidas a cavar e realocar lesmas e caracóis, mesmo que houvesse algum espaço vegetal disponível na Scales: as damas da noite não capinam durante o dia.

– Não, ele não estava vivendo na Scales – diz Zeb. – Não no sentido estrito. Só entrava e saía. Era como uma casa segura para ele.

– Você tem alguma ideia do que ele fazia quando não estava lá? – pergunta Toby.

– Aprendia isso e aquilo – diz Zeb. – As tarefas em andamento. Observar nuvens de tempestade. Manter os descontentes sob suas asas. Fazer conversões. Ele já tivera a grande iluminação, ou como queira chamar o momento em que Deus mandou um raio com uma mensagem direto para a cabeça dele. *Salve minhas amadas Espécies, em quem muito me agrado*, e tudo isso: você conhece o palavrório. Pessoalmente, nunca tive uma mensagem dessas, mas parece que Adão teve.

"Naquela época ele estava prestes a criar os Jardineiros de Deus. Foi quando ele comprou o prédio cuja cobertura transformou-se no terraço-jardim do Edencliff. Fez isso com os ganhos ilícitos que tínhamos hackeado da conta de Rev. Pilar estava mandando recrutas secretos para dentro da HelthWyzer; ela já planejava se juntar a ele no Edencliff. Mas eu ainda não sabia de nada disso."

– Pilar? – diz Toby. – Mas ela não pode ter sido a Eva Um! Era velha demais! – Toby sempre quis saber quem era a Eva Um; Adão tinha sido o Adão Um, mas nunca se fez qualquer menção a uma Eva.
– Não foi ela, não – diz Zeb.

Uma das tarefas correntes de Adão era rastrear Rev, o pai de ambos. Após a agradável enxurrada de atividades em torno dos desfalques na Igreja PetrOleum e a trágica descoberta de que Fenella, a primeira esposa de Rev, estava enterrada debaixo das pedras do jardim, e após a escandalosa publicação do livro de memórias de Trudy, a segunda esposa que contou tudo, o assunto acabou sendo abafado.

Claro, houve um julgamento, mas as provas eram inconclusivas ou pelo menos o júri assim decidiu. Trudy pegou a grana arrecadada com o livro de memórias e partiu de férias para uma ilha do Caribe, segundo alguns com um mexicano-americano especialista em manutenção de gramados. Acabaram encontrando o corpo de Trudy nu após um mergulho ao luar em pleno mar de ressaca. Essas ressacas são perigosas, disse a polícia local. Talvez ela tenha sido arrastada para baixo e bateu a cabeça numa pedra. Seu companheiro, quem quer que tenha sido, sumiu do mapa. Compreensível, já que ele podia ser apontado como culpado, mas segundo algumas versões ele também teria sido pago.

Trudy não tinha apresentado provas no julgamento e, sem isso, o que poderia ser provado sobre o que quer que fosse? Fazia tempo que o esqueleto de Fenella estava enterrado, e qualquer um poderia ter feito isso. Homens anônimos, em geral imigrantes, sempre circulavam com pás pelas áreas mais ricas da cidade, prontos para atacar senhoras confiantes, inocentes e amantes de horticultura e jardinagem, atingindo-as na cabeça, tapando-lhes a boca, violentando-as no galpão, à revelia dos gritos abafados pelos cactos, orelhas-de-burro, orelhas-de-toupeira ou outras plantas resistentes e suculentas. Era um risco bem conhecido pelos proprietários do sexo feminino interessados em paisagismo.

Quanto aos consideráveis desfalques, dos quais não restavam dúvidas, Rev estabeleceu uma verdade e tentou um caminho: confissão pública sobre a tentação, seguida por um relato da pecami-

nosidade à qual não se consegue resistir, seguido por outro relato sobre a descoberta da malignidade, uma erva amarga sempre presente que encontra na humilhação a salvação de quem a sofre. Selou-se isso de joelhos e com um pedido choroso pelo perdão de Deus e dos homens, especialmente dos membros da Igreja PetrOleum. Na mosca, depois de absolvido e lavado das nódoas do passado, ele estava pronto para um novo começo. Pois quem do fundo do coração negaria o perdão a um ser humano visivelmente contrito?
– Ele está à solta – disse Adão. – Exonerado, reintegrado. Libertado pelos seus associados da Corps de petróleo.
– Filho da puta – exclamou Zeb. – Ponha isso no plural.
– Ele vai nos caçar, e agora poderá acessar o dinheiro para fazer isso – disse Adão. – Os amigos das OilCorps poderão fornecer a ele. Então, fique alerta.
– Certo – disse Zeb. – O mundo precisa mesmo de "alerdos".
– Era uma velha piada. Era para Adão gargalhar, ou melhor, sorrir, mas não o fez sorrir naquele momento.

Certa noite, Zeb estava no bar da Scales, assumindo o personagem Smokey, o Urso, vestido de terno preto com o distintivo de uma cobra à lapela, exibindo um quase sorriso com testa quase franzida enquanto ouvia os bate-papos através de um dente de ouro falso na boca, quando de repente ouviu alguma coisa de um rapaz na porta da frente que o fez se empertigar.
Dessa vez, não era um aviso dos painballers. Pelo contrário.
– Topo da pirâmide, quatro deles vindo – disse a voz. – Três caras das OilCorps e um da Igreja PetrOleum. Aquele pregador que esteve nos noticiários.
A adrenalina disparou nas veias de Zeb. Claro que era Rev. Será que o sádico assassino de esposa e abusador de crianças o reconheceria? Ele esquadrinhou os possíveis mísseis ao alcance, caso houvesse necessidade disso. Se soasse um grito de "Peguem aquele homem" ou um melodrama semelhante, ele arremessaria algumas garrafas e correria pra cacete. Seus músculos estavam tão tensos que rangiam.

Eles chegaram em clima festivo, a julgar pelas piadinhas e risos e tapinhas nas costas – tapinhas fugazes – que eram as principais frases da linguagem corporal e quase fraternal permitida aos níveis superiores da Corps. Estavam em busca de champanhe, petiscos e tudo o mais que pudesse acontecer. Seriam gorjetas generosas, caso todos pudessem recebê-las. Ser rico para que se você não puder ostentar, concedendo somas paternalistas de grana a quem você ajuda em busca de autoengrandecimento?

O grande barato para os caras de altíssimo status da Corps era passar pelo pessoal da segurança da Scales como se eles não existissem – por que fazer contato visual com uma cerca viva? Segundo Zeb, provavelmente um estilo recorrente desde o primeiro *imperador romano*. Isso para a sorte do próprio Zeb, uma vez que Rev nem sequer deu uma olhadela. Claro, ele não poderia distinguir Zeb debaixo daquela cara de waffle peludo, de cabeça raspada, orelhas pontudas e outras coisas mais, isso se tivesse se dado ao trabalho de olhar. Mas se ele não se deu a esse trabalho, Zeb se deu, e quanto mais olhava, menos gostava do que via.

As bolas espelhadas giravam e giravam no teto, polvilhando a clientela e o elenco com caspas de luz. Soava um tango enlatado retrô. Cinco dançarinas se contorciam em lantejoulas nos trapézios, com os mamilos apontados para baixo e os corpos curvados como um C, uma perna de cada lado da cabeça. Seus sorrisos brilhavam sob a luz negra. De costas para as prateleiras de vidro do bar, Zeb deslizou a mulher verde que escondia o bispo para dentro da manga.

– Vou dar uma mijada – disse ao seu parceiro Jeb. – Fique de olho.

Já dentro do mictório, ele puxou o bispo e tirou três feijões mágicos: um branco, um vermelho e um preto. Lambeu o sal dos dedos e colocou as pílulas no bolso frontal do casaco, e depois retornou ao seu posto e colocou a mulher escamosa de volta à posição original na prateleira, sem um único tilintar. Ninguém notaria que o objeto tinha saído do lugar.

O quarteto de Rev se divertia a valer. Era uma celebração, presumiu Zeb, provavelmente pelo retorno de Rev ao que eles consideravam como vida normal. Enquanto as adoráveis mulheres-cobras os empanturravam de drinques, as dançarinas do trapézio giravam e se contorciam mais acima, como se não tivessem um osso no corpo. Elas mostravam um tiquinho disso e daquilo, mas nunca o royal flush: a Scales era mestra nisso, você tinha que fazer um pagamento extra se quisesse o *peep show* completo. A etiqueta exigia uma exposição de apreciativa luxúria: a charada do pecado acrobático não parecia ser coisa de Rev porque ninguém parecia agonizar, mas ele sabia fazer um trabalho convincente de fingimento. Ele tinha um sorriso de botox, como se tivessem estragado um nervo.

Katrina WooWoo chegou ao bar. Naquela noite vestida de orquídea da cor do pêssego melado com toques de lavanda. March, a jiboia, envolvia o pescoço e o ombro nu de Katrina.

– Eles pediram o Especial da Casa para o amigo deles – ela disse ao barman. – Com sabor de Éden.

– Capricho na tequila? – perguntou o barman.

– Com tudo dentro – ela respondeu. – Vou falar para as garotas.

O Especial da Casa era uma sala de plumas privada com uma colcha de cetim verde e três garotas reptilianas da casa pagas para um serviço de bufê, o qual incluía todos os caprichos possíveis, e o sabor de Éden incluía o kicktail, um coquetel com garantia de máxima bem-aventurança. Goela abaixo e o cliente partia para um mundo particular de maravilhas. Zeb já tinha experimentado algumas ofertas da Scales, mas nunca tinha bebido o kicktail sabor de Éden. Isso porque temia as visões que pudesse ter.

E agora lá estava o drinque no balcão. Escuro, alaranjado, ligeiramente efervescente, com um misturador envolvido por uma serpente de plástico que espetava uma cereja maraschino. A serpente era verde cintilante e tinha grandes olhos e um sorriso na boca pintada de batom.

Zeb não resistiu aos impulsos maléficos. Foi imprudente o que fez, ele próprio admite isso. Mas só se vive uma vez, disse para si mesmo, e talvez Rev já tivesse usado essa vez. Ele se perguntou qual das três pílulas colocaria na bebida – branca, vermelha, preta? Mas por que ser mesquinho? Repreendeu-se. Por que não as três?

"Dá-lhe, parceiro." "Tenha uma viagem muito louca!" "Vai fundo!" "Arrasa!" Essas expressões arcaicas ainda seriam pronunciadas em ocasiões como aquela? Pelo visto, sim. Rev se viu apalpado e tratado com um buquê de sussurros, e depois conduzido ao deleite por três ágeis serpenteletes. Os quatro sorriam; lúgubre lembrar disso, falar disso agora.

Zeb se esquivou do serviço no bar e seguiu até a cabine dos monitores de vídeo, onde uma dupla de seguranças da Scales monitorava os quartos de plumas privados. Ele não sabia como aquelas pílulas funcionariam. Será que deixavam a pessoa muito doente? Em caso afirmativo, como? Talvez tivesse um efeito no longo prazo; talvez só batessem um dia depois, uma semana, um mês. Mas se fosse mais rápido, com certeza ele queria assistir àquela porra.

Mas se fizesse isso, seria apontado como culpado pelo batismo do drinque. Então, esperou estoicamente, embora tenso, de orelhas em pé enquanto cantarolava baixinho ao som de "Yankee Doodle":

Papai adorava encurralar criancinhas,
Adorava isso mais do que trepar,
Tomara que sangre por todos os poros,
E que seus biscoitos comecem a atirar.

Algumas repetições depois ocorreu uma estática no dente: alguém falava com os leões de chácara na porta da frente. Depois do que pareceu um longo tempo, sem que tivesse sido, KatrinaWooWoo saiu da porta que levava aos quartos privados. Ela tentava parecer casual, mas o clique dos saltos altos soava ansioso.

– Preciso que você venha nos bastidores – ela sussurrou no ouvido dele.

– Estou de plantão no bar – ele disse, fingindo relutância.

– Vou chamar Mordis lá na frente. Ele substitui você. Venha agora mesmo!

– Tudo bem com as garotas? – Ele protelou; se estivesse acontecendo alguma coisa ruim com Rev, que continuasse acontecendo.

– Sim. Mas elas estão com medo. É uma emergência!

– O cara perdeu as estribeiras? – ele perguntou. Às vezes eles perdiam, os efeitos do sabor de Éden nem sempre eram previsíveis.

– Pior que isso – ela respondeu. – Traga Jeb também.

Musse de framboesa

Era como se tivesse passado um ciclone no quarto de plumas: meias de um lado, sapatos de outro, manchas de substâncias não identificadas, plumas esfarrapadas por tudo quanto é lugar. Aquele amontoado num canto talvez seja Rev, coberto pela colcha de cetim verde. Escorrendo por baixo da colcha, um palmo de espuma vermelha que parecia uma língua gravemente doente.

– O que aconteceu? – perguntou Zeb, com ar inocente. Seria difícil parecer inocente de óculos escuros, ele tinha tentado no espelho, por isso tirara os óculos.

– Mandei as garotas tomarem banho – disse Katrina WooWoo.
– Elas estão muito abaladas! Um minuto antes estavam...
– Descascando o camarão – completou Zeb.

Era a gíria usada pelo pessoal da boate para quando tiravam a roupa do otário, cuecas em particular. Isso era uma arte, como tudo o mais, diziam as scalietes. Ou um ofício. Desabotoar lentamente e abrir zíperes pausada e sensualmente. Retendo o momento. Finja que ele é uma caixa de doces, lambe-lícia.

– Lambe-lícia – disse Zeb em voz alta. Ele estava abalado, o efeito sobre Rev tinha sido muito pior que o imaginado. Ele não pretendia matar.

– Sim, e ainda bem que elas não chegaram tão longe, porque ele, bem, ele simplesmente se dissolveu, segundo os monitores da sala de vídeo. Elas nunca viram nada parecido. Musse de framboesa, disseram.

– Merda – disse Jeb quando levantou uma beirada da colcha.
– Precisamos de um aspirador de água, isto aqui embaixo parece uma piscina de doenças. O que o derrubou assim?

– As garotas disseram que ele só começou a espumar – disse Katrina. – E a gritar, claro. No início. E a arrancar as plumas. Terão de ser destruídas, um desperdício. E de repente ele não estava mais gritando e sim gorgolejando. Estou tão preocupada! – Ela estava minimizando: apavorada era a palavra mais adequada.
– Ele teve um colapso. Deve ter sido alguma coisa que comeu – disse Zeb, como uma piada ou para ser confundido com uma piada.

Katrina não riu.

– Ora, não penso assim – disse. – Embora você esteja certo, pode ter sido alguma comida. Mas nada do que comeu aqui, de jeito nenhum! Talvez seja um novo micróbio. Pelo que parece, um carnívoro, só que superveloz! E se isso for contagioso?

– Onde é que ele pegaria isso? – disse Jeb. – Nossas garotas são limpas.

– Em alguma maçaneta? – disse Zeb. Outra piada capenga. Cale a boca, idiota, pensou consigo mesmo.

– Por sorte nossas garotas estão usando malhas de biofilme – disse Katrina. – Terão que ser queimadas. Tudo... tudo que saiu... tudo de qualquer coisa que elas tenham tocado.

Zeb recebeu uma chamada no dente: era Adão. Desde quando ele tem privilégios de transmissão dental?, Zeb pensou com seus botões.

– Parece que houve um incidente – disse Adão. A voz soou metálica e distante.

– É assustador pra caralho essa sua voz na minha cabeça – disse Zeb. – Parece de um marciano.

– Sem dúvida – disse Adão. – Mas esse não é seu problema maior agora. Fiquei sabendo que o homem que morreu era nosso pai.

– Ficou sabendo certo – disse Zeb. – Mas quem disse para você?

Ele estava no canto do quarto para que pudesse conversar sem ser ouvido pelos outros; esquisito ouvir alguém conversando com o próprio dente. No outro lado do quarto, Katrina chamou a equipe de limpeza da Scales pelo telefone interno. Eles foram pegos de surpresa. Sabiam que ocorriam coisas parecidas com os clientes mais velhos que pediam o Especial da Casa – às vezes os kicktails eram excessivamente poderosos para os que tinham capacidades e funções orgânicas reduzidas –, mas nada igual àquilo. Geralmente eram acidentes vasculares cerebrais ou ataques cardíacos. Aquela espumarada era sem precedentes.

– Katrina me telefonou. Naturalmente – disse Adão. – Ela me informa tudo.

– Ela sabe que ele é nosso...?

– Não exatamente. O que ela sabe é que me interesso por tudo que diga respeito às reservas da Corps... especialmente as OilCorps, e por isso me notificou a respeito de um grupo de quatro clientes e as surpresas especiais que um deles recebeu como presente dos três restantes. Ela me enviou as imagens geradas automaticamente pela câmera da porta da frente, e claro que o reconheci de imediato. Eu já estava no local e posicionei-me na entrada, caso precisassem de mim. E agora estou na área do bar, ao lado das prateleiras de vidro, onde estão os saca-rolhas e os saleiros.

– Ah – exclamou Zeb. – Ótimo – acrescentou sem muita convicção.

– Usou qual delas?

– Qual delas o quê? – replicou Zeb.

– Não se faça de inocente – disse Adão. – Sei contar. Seis menos três é igual a três. A branca, a vermelha ou a preta?

– Todas elas – disse Zeb.

Fez-se uma pausa.

– Que pena – disse Adão. – Com isso não poderemos determinar exatamente o efeito de cada uma. Teria sido preferível uma abordagem mais controlada.

– Não vai me dizer agora que sou um idiota do caralho porque fiz uma coisa estúpida pra cacete? Não com tantas palavras assim, acho – disse Zeb.

– Você foi espontâneo, mas podia ter acontecido o pior. Foi por acaso que ele não o reconheceu – disse Adão.

– Espere um minuto – disse Zeb. – Você sabia que ele estava entrando pela porta? E não me avisou?

– Achei que você agiria conforme a necessidade ditasse – disse Adão. – Minha confiança não se mostrou equivocada.

Zeb ficou indignado, o bastardo astuto do seu irmão mais velho armara uma boa merda para ele! Mas por outro lado Adão sabia que Zeb era competente o bastante para lidar com os resultados do caos, então, ao mesmo tempo que ultrajado, ele se sentiu acolhido e vingado. *Obrigado* não se enquadrava propriamente no caso, e a ele só restou comentar:
– Você é a porra de um espertinho!
– Lamentável – disse Adão. – E me arrependo. Mas cabe salientar que enfim esse homem está definitivamente desligado do nosso caso. Agora, isso é importante, faça-os recolher o máximo que puderem dele. Coloque os restos dentro de uma urna da CryoJeenyus. Katrina sempre tem algumas à mão para clientes ligados por contrato à CryoJeenyus. O modelo de corpo inteiro é preferível ao apenas de cabeça. Muitos clientes de meia-idade da Scales já fizeram esse tipo de acordo. O protocolo é que se alguém tem um "evento de suspensão da vida", como a CryoJeenyus chama, e por favor evite a palavra *morte* quando falar daqueles que tiveram suas vidas suspensas, como fazem os funcionários da CryoJeenyus, e seja impessoal. Quando ocorre esse evento de suspensão da vida, o cliente é prontamente congelado na urna e despachado para a CryoJeenyus, onde será reanimado mais tarde, quando a CryoJeenyus tiver desenvolvido a biotecnologia para isso.
– Ou seja, quando os porcos conseguirem voar – disse Zeb. – Tomara que Katrina tenha uma bandeja gigante de cubos de gelo.
– Use baldes se necessário – disse Adão. – Precisamos fazer com que ele... precisamos enviar o rejeito líquido para a equipe críptica de Pilar na Costa Leste.
– O que de Pilar?
– Equipe críptica. Nossos amigos – disse Adão. – Durante o dia eles trabalham na Corps de biotecnologia: OrganInc, HelthWyzer Central, RejoovenEsense e também a CryoJeenyus. Mas nos ajudam à noite, e *críptico* é um biotermo para camuflagem em lagartas, digamos assim.
– Desde quando você se amarra em lagartas? – perguntou Zeb.
– Já está entortando o cérebro de tanto espionar o Extinctathon, aquele estúpido jogo de nomeação de besouros mortos no site MaddAddão? – Adão tinha passado da conta.

– A equipe críptica vai descobrir o que há dentro das pílulas. Se é que ainda há. Vamos torcer para que isso não se espalhe no ar. Não achamos que possa, senão todos naquele quarto já estariam contaminados. A ação é aparentemente rápida, então já estariam mostrando os sintomas. Mas diante do que vimos, talvez o contágio se dê apenas pelo contato físico. Não toque em qualquer... resíduo.

Nunca enfio o dedo na meleca para depois enfiá-lo na bunda, pensou Zeb.

– Eu não sou idiota – disse em voz alta.

– Faça isso o mais rápido possível. Sei que você consegue – disse Adão. – Vejo você no trem-bala, com a urna.

– Para onde vamos? – perguntou Zeb. – Você também vai?

Adão, no entanto, desligou ou deslogou-se ou colocou o fone no gancho; sabe-se lá o que se faz na outra extremidade de um dente.

Enquanto a equipe de limpeza vestida de filme plástico e com máscaras retirava o corpo de Rev em baldes esmaltados e o derramava por um funil em frascos de metal ideais para freezers vedáveis, Zeb assumia uma versão mais arrumada e mais branda de Smokey, o Urso. Depois de despir-se da roupa preta condenada à incineração, ele tomou uma rápida chuveirada antimicrobial – com o mesmo produto usado pelas scalietes. Fez isso ensaboando o rosto, privilegiando as axilas e ajeitando as orelhas pontudas.

Vou lavar esse Rev de minha cuca,
Porque além de morto está com a cara rubra,
Virou meleca vermelha e uma coisa boa também,
Papai, papaizinho, eu mudei e você, amém,
A boobity-doop-de-doop-de-doop-de-doo!

Ele fez uns passos de dança e deu umas reboladas. Gostava de cantar no chuveiro, sobretudo quando rondado pelo perigo.

Mais outro rio, ele cantou enquanto vestia um novo terno preto limpo. *Mais outro rio agora de tédio! Mais outro molar, mais outro molar para passar o fio dental.*

...

Em seguida Zeb retomou a função de sentinela atrás de Katrina Woowoo agora vestida como uma penca de frutas, com um conjunto atraente de marcas de dentes bordadas em estampados de maçãs. Com a jiboia March enrolada no corpo, ela passou a lamentável notícia para os três executivos das OilCorps, antes ordenando que servissem daiquiris gelados da casa para todos, acompanhados de um prato de iscas de peixe, vieiras PeaPod Good-as-Real – em cujo rótulo lia-se Não Foram Dragadas do Fundo, como Zeb sabia por conta de suas andanças na cozinha –, um pouquinho de Gourmet's Holiday Poutine e uma tigela de camarões fritos NeverNetted, uma novidade cultivada em laboratório.

– Infelizmente, o amigo de vocês teve um evento de suspensão da vida – ela disse aos executivos das OilCorps. – Às vezes o prazer total tem um custo para o corpo. Mas como vocês sabem, ele tinha, desculpem, ele *tem* um contrato com a CryoJeenyus... do corpo inteiro e não apenas da cabeça. Então, está tudo bem. Sinto muito pela perda temporária de vocês.

– Eu não sabia disso – disse um dos executivos. – Desse contrato. Eu achava que era para usar uma pulseira da CryoJeenyus ou algo assim, mas nunca o vi com isso.

– Alguns cavalheiros preferem não anunciar a possibilidade de suspensão da vida – disse Katrina suavemente. – Optam por uma tatuagem aplicada em algum lugar escondido e muito particular. Claro, nesta empresa fazemos questão de conhecer todas essas tatuagens, ao contrário dos negócios informais.

Outro aspecto admirável dela, pensou Zeb, tentando não olhar para as maçãs: ela era uma mentirosa de carteirinha. Ele não teria feito melhor.

– Faz sentido – disse o executivo principal.

– Enfim, descobrimos esse fato a tempo, e como vocês sabem, para ser eficaz, o procedimento deve ser realizado imediatamente – disse Katrina. – Felizmente, nós temos um contrato Premium Platinum de pronto atendimento com a CryoJeenyus, e eles sempre têm agentes treinados de plantão. O amigo de vocês já está dentro de uma urna, e logo estará a caminho das instalações da CryoJeenyus Central na Costa Leste.

– Não podemos vê-lo? – perguntou o segundo executivo.
– Depois de selada a vácuo, como foi feito, a urna perde o seu propósito quando aberta – respondeu Katrina sorrindo. – Posso fornecer um certificado de autenticação da CryoJeenyus. Gostariam de outro daiquiri gelado?
– Que merda – disse o terceiro executivo. – O que vamos dizer para aquela igreja fajuta dele? *Caiu e se arrebentou numa boate erótica* não vai pegar bem.
– Concordo – disse Katrina em tom mais frio. Para ela a Scales era muito mais que uma boate erótica: era uma *experiência estética total*, como estava descrito no website. – Mas a Scales & Tails é bem conhecida por sua discrição em tais assuntos. Por isso, é a escolha número um entre cavalheiros exigentes como vocês. Aqui, você recebe o que paga, e muito mais, incluindo uma boa e convincente cobertura.
– Alguma ideia brilhante? – perguntou o segundo executivo, a essa altura com todos os camarões NeverNetted deglutidos e começando a fazer o mesmo com as vieiras. A morte deixa alguns com fome.
– Contraiu pneumonia viral enquanto trabalhava com crianças desfavorecidas nos subterrâneos da plebelândia é minha primeira sugestão – disse Katrina. – Uma escolha mais popular. Mas dispomos de um pessoal de RP treinado para ajudá-los.
– Obrigado, madame – disse o terceiro executivo, observando-a através de olhos apertados e levemente avermelhados. – A senhora está sendo muito útil.
– O prazer é todo meu – disse Katrina, com um sorriso gracioso e estendendo a mão para ser cumprimentada e beijada na ponta dos dedos enquanto se inclinava ligeiramente, não muito, só para deixar parte dos seios à vista. – A qualquer hora. Estamos aqui para vocês.

– Mas que mulher! – exclama Zeb. – Ela poderia ter papado qualquer grandão da Corps com um polegar, sem problema.
Os sorrateiros e familiares tentáculos do ciúme enroscam-se no coração de Toby.

– Então, você nunca? – ela pergunta.
– Nunca o quê, gata?
– Já esteve alguma vez debaixo daquelas coisas escamosas dela.
– É um dos arrependimentos de minha vida – diz Zeb. – Nunca. Nem sequer tentei. Ficava com as mãos cerradas nos bolsos. Mandíbula também cerrada. Fazia um esforço danado para me conter, mas a verdade nua e crua é que nunca dei uma única apalpadela naquela mulher. Nem mesmo uma piscadela convidativa.
– Por quê?
– Antes de tudo porque ela era chefe na Scales. Não é inteligente rolar no chão com a mulher que chefia o seu trabalho. Confunde as coisas.
– Ora, por favor – diz Toby. – Isso é tão século XX!
– Claro, claro, sou um porco sexista e assim por diante, mas acontece que isso é exato. Hormônios destroem a eficiência. Já presenciei isso em ação... mulher chefe parecendo acanhada e esquisita enquanto dá ordens para o cara que apagou as faculdades racionais e arrancou a tampa da cabeça dela, fazendo-a rosnar como uma guaxinim no cio e gritar como um coelho à beira da morte. Isso altera o poder da hierarquia. "Possua-me, possua-me, escreva um discurso para mim, faça um café para mim, você está despedido." Acontece isso. – Ele faz uma pausa. – E mais.
– E mais o quê? – Toby aguarda algum outro recurso revoltante de Katrina WooWoo, a quem certamente ela nunca viu e cuja probabilidade de estar morta é de 99,999%, mas a inveja rompe todas as barreiras. Talvez ela andasse torta ou tivesse halitose ou um gosto musical desastroso. Até mesmo uma espinha traria algum conforto.
– Adão a amava – diz Zeb. – Sem a menor dúvida. Eu nunca pescaria o peixinho dourado dele. Ele era... é meu irmão. Ele é minha família. Há limites.
– Você está brincando – exclama Toby. – Adão Um? Apaixonado? Por Katrina WooWoo?
– Ela era a Eva Um – diz Zeb.

O TREM PARA A CRYOJEENYUS

— Isso é difícil de acreditar – diz Toby. – Como você sabe?
Zeb fica em profundo silêncio. Será uma história dolorosa? Provavelmente, grande parte das histórias de um passado rompido de forma violenta e irremediável carrega muita dor.

Mas certamente nunca pela primeira vez na história da humanidade. Tantos outros não estiveram nesse mesmo lugar? Deixados para trás, com tudo desvanecido, tudo varrido. Os cadáveres evaporam como fumaça lenta enquanto suas adoradas e bem cuidadas casas desmoronam como formigueiros desérticos. Seus ossos se convertem em cálcio; sua carne dispersa é caçada pelos predadores noturnos, agora gafanhotos e camundongos.

A lua está quase cheia. Boa sorte para as corujas, má sorte para os coelhos que às vezes optam por saltitar sensualmente – embora perigosamente – ao luar; seus cérebros se remexem de feromônios sem fim. E agora dois coelhos estão lá embaixo, saltitam no gramado sob o brilho de uma luz levemente esverdeada. Alguns pensavam que havia um coelho gigante na Lua, avistavam claramente as orelhas dele. Outros pensavam que aquilo era um rosto sorridente, e outros mais, uma velha com uma cesta. O que os crakers pensarão a respeito quando toparem com a astrologia daqui a cem anos ou dez anos ou um ano? Se é que isso vai acontecer.

Mas é lua crescente ou minguante? Toby não está muito afinada com o tempo lunar, como na época dos jardineiros. Quantas vezes ela assistiu às vigílias durante a lua cheia? E ao longo do tempo se perguntando por que não se fazia qualquer menção a Eva Um quando havia Adão Um. E agora isso era revelado.

– Imagine só – diz Zeb. – Eu e Adão no mesmo trem-bala durante três dias. Só o tinha visto duas vezes depois que limpamos a conta bancária de Rev e seguimos caminhos distintos: no encontro no Happicuppa, no quarto dos fundos na Scales. Sem tempo para fazer muitas perguntas. Então, claro que perguntei algumas coisas naquele trem.

Zeb acabou sacrificando o rosto de waffle pelo qual se apaixonara moderadamente, apesar da meticulosa manutenção de pequenos retalhos de barba esculpidos. Ele retirou tudo com o barbeador, menos o cavanhaque. Deu um trato na cabeça – na peruca Mo'Hair não muito convincente colada desde os primeiros dias daquela Corp – com um tom castanho oleoso e brilhante de cafetão.

Felizmente, ele encobria os efeitos mais fraudulentos com o chapéu idiota que a CryoJeenyus reservava para o cargo geralmente chamado de "assistente de agente funerário", se bem que a CryoJeenyus usava a denominação "agente de inércia temporária". O chapéu era um turbante modificado em referência aos magos e aos gênios. Era avermelhado e tinha o desenho de uma chama na frente.

– A eterna chama da vida, não é? – diz Zeb. – Quando eles me mostraram aquele turbante de mágico de quinta categoria, eu disse: "Isso só pode ser brincadeira! Não vou usar um tomate cozido na minha cabeça!" Mas acabei vendo a beleza daquilo. Com o chapéu e o resto do traje, um treco roxo que parecia um pijama ou um uniforme de caratê com o logotipo da CryoJeenyus estampado na frente, ninguém me confundiria com outra coisa senão com um pobre coitado incapaz de conseguir qualquer outro trabalho. Vigiar uma urna funerária dentro de um trem... patético demais, não é? "Se você está onde ninguém acha que está, você é invisível", dizia o velho Mão de Slaight.

Adão vestia o mesmo uniforme, e nele parecia ainda mais estúpido do que em Zeb. Até que era reconfortante. De qualquer forma, quem os veria? Prisioneiros no vagão especial que transportava uma urna da CryoJeenyus ligada a um gerador apropriado que a mantinha em temperatura abaixo de zero. A CryoJeenyus orgulhava-se de ser a mais segura de todas: um possível roubo de DNA, sem mencionar as partes maiores do corpo, era uma preocupação dos que amavam as próprias estruturas de carbono, o roubo do cérebro de Einstein não teria sido esquecido nesses círculos.

Assim, um guarda armado viajava com os guardiões das urnas. Nas missões de boa-fé da CryoJeenyus, o tal guarda armado com uma pistola de spray era um membro da consolidada CorpSeCorps em expansão. Mas nesse caso tratava-se de uma fraude e o papel era interpretado por Mordis, um gerente da Scales. Ele era ideal para isso: durão, olhos brilhantes como os de um besouro preto reluzente, sorriso impessoal como uma rocha.

Mas o armamento era falso: a equipe críptica conseguia reproduzir as roupas, mas não conseguia fazer o mesmo com esse tipo de tecnologia de tripla segurança, de modo que a pistola era de plástico inteligente e com uma pintura que imitava espuma; isso só importaria se alguém chegasse perto o bastante para levar um soco.

Mas por que alguém faria isso? No que dizia respeito a qualquer outra pessoa, aquilo era apenas o transporte rotineiro de um cadáver. Ou melhor, *o transporte de uma margem da vida a outra do sujeito de um evento de suspensão da vida*. Era uma descrição enrolada, mas a CryoJeenyus era mestra em evasivas idiotas. Eles tinham que agir dessa maneira, considerando o negócio em que estavam: os dois melhores auxílios às vendas eram a credulidade e a esperança infundada.

– Acabou sendo a viagem mais bizarra que já fiz na vida – diz Zeb. – Sentado com roupa de Aladim naquele vagão lacrado do trem, ladeado pelo meu irmão que tinha a metade de uma abóbora esmagada na cabeça; entre nós dois, a urna que guardava o nosso pai em forma de caldo recheado de ossos e dentes, os que ainda não tinham se dissolvido. Havia uma discussão na Scales sobre os materiais ósseos... você podia obter um bom preço para ossos humanos nos subterrâneos da plebelândia, onde joias artesanais feitas de ossos humanos estavam na moda: Bone Bling era o nome da tendência. Mas as cabeças mais frias de Adão e Katrina, e também de minha humilde pessoa, dissuadiram os entusiastas porque não se sabia dizer que micróbios permaneciam naquelas coisas mesmo depois de fervidas. Até então ainda não sabíamos nada a respeito.

...

Pela estrada afora, eu vou bem sozinha, levar essa urna para a vovozinha, cantou Zeb.

Adão pegou um caderninho e um lápis e escreveu: *Muito cuidado com o que fala. Provavelmente estamos grampeados.*

Ele cobriu a frase com a mão, mostrou-a para Zeb e, depois de apagá-la, escreveu de novo: *E por favor, não cante. É muito irritante.*

Zeb estendeu a mão para pegar o caderninho de anotações. Adão hesitou e o entregou para o irmão que escreveu: *VTNC*. Em seguida escreveu debaixo das letras: *Vai tomar no cu*. E depois: *Já conseguiu trepar?*

Adão leu e ruborizou. Isso era uma novidade. Zeb nunca tinha presenciado algo parecido antes. A palidez de Adão quase deixava os capilares à vista. Ele então escreveu: *Não é da sua conta*.

Zeb escreveu: *Ah-ah, foi K, você pagou?* Fazia tempo que ele suspeitava que o vento de Adão soprava para esse lado.

Adão escreveu: *Não admito que fale assim daquela senhora. Ela tem sido incansável em facilitar nossos esforços.*

Zeb pensou em escrever: *Que esforços?* Só assim teria sabido mais. Em vez disso, escreveu: *Ah-ah, uma no buraco, placar a meu favor, digamos assim:* D!! *Pelo menos você não é gay!*: D: D

Adão escreveu: *Você está abaixo do vulgar.*

Zeb escreveu: *Seria para mim! Não se preocupe, respeito o amor verdadeiro.* Ele desenhou um coração e uma flor. E quase acrescentou, *Mesmo que ela esteja gerenciando um empório do boquete*, mas pensou melhor; Adão estava se irritando e, se perdesse a cabeça, poderia dar uma porrada nele pela primeira vez na vida. Logo haveria uma briga indecorosa em cima dos restos liquefeitos do pai de ambos que não terminaria bem para Zeb, isso porque ele jamais suportaria nocautear Adão, jamais, então só lhe restaria deixar que aquela salsichinha pálida o espancasse.

Embora mais calmo, talvez pelo coração e a flor, Adão continuou aborrecido. Retirou as folhas escritas do caderninho, amassou-as, rasgou em pedacinhos e se dirigiu ao banheiro, onde – presumiu Zeb – jogou-as no vaso e puxou a descarga. Mesmo que alguns espiões intrometidos conseguissem pegá-las e recompô-las, eles não teriam nada de interessante. Apenas uma conversinha suja de baixa caloria entre guardiões de urnas enquanto matam o tempo longe da vista dos clientes pagantes.

O resto da viagem transcorreu em silêncio, Adão de braços cruzados e expressão fechada, mas sem perder a cara de santinho, e Zeb cantarolando baixinho enquanto a paisagem abria o zíper do outro lado da janela.

Na última estação da Costa Leste, Pilar e três membros da equipe críptica – Zeb presumiu – receberam o dedicado transporte da CryoJeenyus. Ela posou de parente do falecido, ou melhor, do cliente temporariamente suspenso da vida.

– Você conhece dois deles – diz Zeb. – Katuro e Manatee. O terceiro era uma garota que perdemos para Crake quando ele estava projetando os crakers e recolhendo escravos cerebrais para o Projeto Paradice. A garota tentou fugir, mas deve ter despencado de um viaduto e virado purê debaixo de um carro. Mas nada disso ainda tinha acontecido.

Pilar enxugou algumas lágrimas de crocodilo no lenço, apenas para o caso de haver minidrones ou câmeras instaladas nos arredores. Depois, supervisionou discretamente enquanto a urna era carregada até um veículo longo. Na CryoJeenyus esses veículos não eram chamados de "carros funerários": eram os "Veículos da Vida2". Eram da cor de um tomate cozido e tinham uma radiante chama de vida sempre acesa nas portas: nada escuro para não estragar o clima festivo.

Depois, o VV2 transportou a urna de Rev até uma unidade de bioamostras de extrema segurança – a HelthWyzer Central, uma vez que a CryoJeenyus não estava equipada para isso. Pilar e Zeb também estavam no veículo. Mordis já tinha trocado de roupa e seguido para a Scales & Tails, onde estavam precisando de um gerente mais durão.

Adão tinha saído com outra roupa ainda mais bizarra para fazer as coisas que sempre fazia nos subterrâneos da plebelândia. Isso depois de ter retirado o bispo branco da mulher-saleiro e entregado para Pilar, a equipe críptica queria observar mais de perto o conteúdo daquelas pílulas porque achava que já tinha o equipamento adequado para fazer isso sem se expor ao contágio.

Zeb assumiria outra identidade preparada por Pilar: ele seria introduzido dentro da HelthWyzer Central.

– Faça-me um favor – disse Zeb para Pilar depois que ela assegurou que o VV2 estava totalmente livre de qualquer spyware. – Compare o meu DNA com o de Rev, o cara na urna. – Até então ele não tinha deixado de lado a antiga ideia de que o Rev não era o seu pai verdadeiro, e certamente seria a última chance de descobrir.

Pilar assentiu e ele entregou um cotonete bucal, com uma amostra do próprio corpo, improvisado com um pedaço de tecido, e ela cuidadosamente o colocou dentro de um pequeno envelope de plástico que continha o que parecia ser uma orelha seca de elfo, enrugada e amarela.

– O que é isso? – ele perguntou. Pensou em dizer, "Que porra é essa", mas não era um linguajar apropriado para Pilar. – Um gremlin do espaço?

– Um cantarelo – ela respondeu. – Um cogumelo. Uma variedade comestível que não pode ser confundida com o falso cantarelo.

– Então, vou sair com o DNA de um fungo?

Ela deu uma risada.

– Sem muita chance de isso acontecer – disse.

– Ótimo, conte para Adão – disse Zeb.

O único problema, ele pensou naquela noite quando se ajeitou para dormir nas espartanas e até que aceitáveis acomodações da HelthWyzer, o único problema é que se da análise do DNA feito por Pilar resultasse que ele não era filho de Rev, ele então não seria irmão de Adão. Ele não teria relação alguma com Adão. Nenhuma relação de sangue.

Assim:

Fenella + Rev = Adão.
Trudy + sêmen de doador desconhecido = Zeb.
= Sem DNA compartilhado.

Se isso fosse verdade, ele realmente gostaria de saber?

Lumirosas

Zeb agora era um Desinfetador, de primeira classe, na HelthWizer Central. Ele recebeu dois escabrosos macacões verdes que estampavam à frente o logotipo da HelthWyzer e um *D* luminoso, e ainda uma rede de cabelo que impedia que os fios caíssem na mesa dos superiores, um filtro nasal em forma de cone que o fazia parecer um porco de desenho animado, várias luvas e sapatos protetores e impermeáveis a repelentes e nanobioformas e, ainda mais importante, uma senha de acesso.

Isso apenas para os escritórios burocráticos: não para os laboratórios, que ficavam localizados em outro prédio. Mas era impossível saber o que a inteligência de um Robin Hood de dedos ágeis podia fazer com algumas linhas de código de entrada obtidas por crípticos subterrâneos em outros computadores desguarnecidos na calada da noite, quando todos os bons cidadãos dormiam em camas alheias. A HelthWyzer era um pouco porosa no departamento conjugal.

No passado a função de desinfetador era chamada de "lavador", e antes, de "zelador", e antes, de "faxineira", mas no século XXI acrescentaram certa nanobioforma de consciência ao título. Para merecê-lo, Zeb teria que passar por uma rígida verificação de segurança, pois uma Corp rival – possivelmente estrangeira – não pensaria duas vezes em infiltrar um dos seus piratas de teclado como reles funcionário para pegar o que quer que encontrasse?

Para qualificar-se como desinfetador, Zeb também teria que fazer um curso de formação repleto de blá-blá-blá moderno e atualizado sobre os possíveis esconderijos dos germes e como torná-los inativos. Desnecessário dizer que ele não fez o curso, mas recebeu uma versão condensada de Pilar antes de começar.

Segundo o que diziam, os germes estavam presentes nos assentos sanitários, pisos, pias e maçanetas, é claro. Mas também nos botões de elevador, nos receptores de telefone e nos teclados de computador. Enfim, além de limpar tudo isso com panos antimicrobianos e destruí-los com raios mortíferos, ele teria que lavar o piso dos corredores e afins e ainda aspirar o pó e os resíduos deixados diariamente pelos robôs nos felpudos tapetes dos escritórios. Esses robôs viviam rolando de um lado para o outro, conectando-se em tomadas de parede para reabastecerem a energia da bateria, e depois se desconectando e emitindo sinais sonoros para que não se tropeçasse neles. Era como velejar em uma praia entupida de caranguejos gigantes. Quando estava sozinho em algum andar, Zeb os chutava para os cantos ou os virava de costas, só para ver se eles conseguiam se recuperar rapidamente.

Além do equipamento, ele ganhou outro nome, Horácio.

– Horácio? – diz Toby.

– O riso é desnecessário – diz Zeb. – Como uma família semilegal de mexicanos que tinha atravessado o muro sem permissão chamaria um filho que um dia talvez fizesse bem ao mundo? Eles me viam como um mexicano, ou talvez um híbrido com elementos do mesmo DNA. O que era verdade, como se descobriu algum tempo depois.

– Oh – exclama Toby. – Pilar fez a análise do DNA.

– Pois é – diz Zeb. – Se bem que demorou um pouco para me informar. Ela não podia ser vista comigo porque para todos os efeitos não nos conhecíamos. E não nos conhecíamos porque éramos de turnos diferentes. Por isso é que tínhamos estabelecido um código de fallback quando passei a amostra de minhas células para ela.

"Antes disso, ao mesmo tempo que eu estava no vagão daquele trem da CryoJeenyus, ela preparava a minha identidade de desinfetador e a inseria no sistema, de modo que já sabia que eu faria a limpeza dos banheiros femininos no corredor do laboratório onde ela trabalhava. Fiquei no turno da noite – todos os desinfetadores trabalhavam nesse turno porque a empresa não queria ninguém se agarrando ou gritando, o que poderia acontecer com a mistura de

gêneros. Enfim, eu fazia a limpeza depois que escurecia. E tinha que ficar de olho no segundo cubículo à esquerda."
– Ela deixou algum bilhete na caixa da privada?
– Nada tão óbvio. Essas caixas eram verificadas rotineiramente; só amadores escondiam coisas importantes nelas. Recipientes quadrados serviam de latas de lixo nos banheiros, onde eram jogadas as coisas que não podiam ser descartadas na descarga da privada. Claro, nada de bilhetes, isso seria muito revelador.
– Então, um sinal? – Toby se pergunta de que tipo. Um para alegria, dois para tristeza? Mas um e dois do quê?
– Sim. Algo que não destoasse, mas não poderia ser habitual. Caroços, ela optou por caroços.
– Caroços? Como assim, caroços? – Toby tenta visualizar caroços. Caroços de quê? – Caroços de pêssego, por exemplo? – Ela tenta adivinhar.
– Correto. Alguém poderia comer no banheiro depois do almoço. Algumas secretárias faziam isso... sentavam-se na privada para um pouco de paz e sossego. Uma vez encontrei restos de sanduíche numa lata de lixo: uma casca estranha de bacon, um fragmento estranho de alguma coisa feita com queijo. Rolava muito estresse na HelthWyzer, geralmente nos escalões inferiores, de forma que elas aliviavam a tensão mordiscando petiscos.
– Como ela selecionou os caroços? – pergunta Toby. – Para o sim e o não? – A maneira de pensar de Pilar sempre a intrigara; ela não faria uma seleção de frutas a esmo.
– Pêssego para não: nenhuma relação com Rev. Tâmara para sim: pior sorte, Rev é seu pai, saiba disso e chore porque pelo menos metade de você é psicopata.

A escolha do pêssego faz sentido para Toby: entre os jardineiros os pêssegos eram um dos possíveis candidatos para o Fruto da Vida no Éden. Isso não quer dizer que os jardineiros menosprezassem as tâmaras ou outras frutas que não tivessem sido quimicamente pulverizadas.
– As frutas mais caras deviam ser acessíveis à HelthWyzer. Quando ocorreu a grande mortandade de abelhas, pensei que a produção

de pêssegos e maçãs tinha caído. E ameixas – ela acrescenta. – E os diversos cítricos.

– A HelthWyzer estava faturando muita grana com o comércio de suplementos vitamínicos e medicamentos. Por isso eles podiam pagar pelas importações ciberpolinizadas. Fruta fresca, uma das vantagens de trabalhar na HelthWyzer. Apenas para os superiores, claro.
– O que você encontrou? – pergunta Toby. – O caroço resposta.
– Pêssego. Dois caroços. Foi como ela sublinhou.
– E como você se sentiu sobre isso? – pergunta Toby.
– Sobre o excesso de frutas caras? – Zeb devolve a pergunta, esquivando-se do sentimento.
– Sobre a descoberta de que seu pai não era seu pai – diz Toby pacientemente. – Você deve ter sentido alguma coisa.
– Tudo bem. Eu senti, *eu sabia disso* – diz Zeb. – Sempre gosto de estar certo, quem não gosta? Também menos culpado, sabe. De tê-lo feito espumar até a morte.
– Você se sentia culpado por isso? – pergunta Toby. – Mesmo o seu pai sendo, ele era um...
– Sim, eu sei. Mesmo assim. O sangue pesa muito. Aquilo me incomodou um pouco. No fim, a desvantagem acabou sendo Adão. Não me senti muito bem em relação a isso; de repente, ele não era mais o meu irmão. Quer dizer, sem parentesco genético.
– Você contou para ele? – pergunta Toby.
– Não. Quanto a mim, continuei achando que ele era o meu irmão. Já estava registrado na cabeça. Já tínhamos compartilhado muitas coisas.

– Falarei agora sobre uma parte que você não vai gostar muito, querida – diz Zeb.
– É sobre Lucerne? – pergunta Toby. Zeb não é estúpido. Ele já devia suspeitar de como ela se sentia em relação à Lucerne, a vida que ele levava nos jardineiros. Lucerne, a Irritante, trapaceira nas tarefas de capina comunal, fujona dos grupos de costura das mulheres, sofredora de frequentes dores de cabeça usadas como desculpa, possuidora chorosa de Zeb, mãe negligente de Ren. Lucerne, a Lasciva, antiga moradora do complexo da HelthWyzer Corp,

casada com um geek importante. Lucerne, a fantasista romântica que fugira com um Zeb pobretão porque tinha visto muitos filmes onde mulheres bonitas também fugiam.

Na versão de Lucerne, Zeb enlouquecera em razão de um desejo irresistível e implacável por ela. Ficara cego de luxúria quando a viu naquele *négligé* cor-de-rosa no AnooYoo Spa enquanto ele plantava lumirosas na sua função de jardineiro, e ele tinha feito um amor louco e apaixonado com ela no gramado úmido de orvalho daquela manhã. Toby ouvira essa história muitas vezes da boca da própria Lucerne no tempo dos jardineiros, e gostava cada vez menos daquele tempo. Se ela se debruçasse sobre o parapeito e cuspisse, o cuspe atingiria o lugar onde Zeb e Lucerne tinham rolado no gramado pela primeira vez. Ou pelo menos bem perto.

– Sim – diz Zeb. – Lucerne. Foi o que veio a seguir na minha vida. Posso deixar de lado se você quiser.

– Não – diz Toby. – Nunca ouvi a sua versão. Mas Lucerne me falou das pétalas de lumirosas. Que você as derramava sobre o corpo arfante dela e assim por diante. – Ela tenta dissimular a inveja, mas é difícil. Ela nunca teve o corpo arfante coberto de pétalas de lumirosas, alguém sequer pensou nisso? Não. Ela não tem temperamento para pétalas derramadas. Ela estragaria o momento, "O que está fazendo com essas estúpidas pétalas?", ou soltaria uma risada, o que seria fatal. Mas por ora ela precisa fechar a boca e calar o comentário, ou não ouvirá a história.

– Sim, bem, derramar pétalas é natural para mim, sempre fiz isso no negócio de mágica – diz Zeb. – Isso desvia a atenção. Mas algumas coisas que ela disse para você talvez tenham acontecido.

Contudo, não foi no AnooYoo Spa que Zeb e Lucerne cruzaram olhares pela primeira vez. Foi no banheiro das mulheres onde Zeb fazia a suposta limpeza – na verdade, realmente estava fazendo isso – enquanto remexia na lata de lixo atrás de caroços de pêssego ou de tâmara.

Ele ainda não tinha encontrado nenhum – isso ocorreu antes de Pilar ter obtido os resultados do teste de DNA de Rev, ou antes que ela tivesse podido acumular os caroços necessários –, de modo que ele saía de mãos vazias da segunda lata de lixo, sem o tal caroço resposta. Foi quando Lucerne entrou no banheiro feminino.

– No meio da noite? – pergunta Toby.

– Sim. O que ela estava fazendo lá?, pensei comigo mesmo. Ou ela era um Robin Hood como eu, e nesse caso era realmente inepta porque tinha sido pega fora do lugar. Ou então estava tendo um caso com algum executivo da HelthWyzer que lhe entregara uma chave de acesso ao prédio para que os dois pudessem trepar no extravagante tapete do escritório dele, uma vez que ele estaria trabalhando até tarde e ela estaria na academia. Se bem que era muito tarde, até mesmo para isso.

– Ou as duas opções – diz Toby. – Ambas se complementam.

– Sim. Combinam bem, uma constituindo uma desculpa para a outra. *Oh, não, eu não estava roubando, eu só estava traindo o meu marido. Oh, não, eu não estava traindo, eu só estava roubando.* Mas era a primeira desculpa, certamente. Os sintomas eram inconfundíveis.

Lucerne soltou um gritinho quando Zeb emergiu do banheiro com luvas impermeáveis e nariz de cone de alienígena. Não era a primeira vez que ela soltava um gritinho naquela noite, segundo ele: ela estava corada, sem fôlego e, pode-se mesmo dizer, despenteada. Ou talvez desabotoada. Ou, no sentido mais extravagante, desordenada. Desnecessário dizer que também estava muito atraente.

Oh, nem precisa dizer, pensa Toby.

– O que está fazendo no banheiro das damas? – perguntou Lucerne em tom acusador. Primeira regra: quando pego de mão molhada, acuse primeiro. Ela havia dito damas e não mulheres. Isso por si só era uma pista.

– Do quê? – pergunta Toby.

– Do caráter dela. Ela sofria do complexo de pedestal. Era onde ela queria estar. O patamar das damas é mais elevado que o das mulheres.

Zeb empinou o nariz de cone que agora parecia de um rinoceronte irritado.

– Sou desinfetador, de primeira classe – disse em tom firme, porém pomposo. Uma linda mulher que obviamente transa com outro

homem suscita o lado pomposo de qualquer um; isso fere o ego do cara. – O que *você* está fazendo neste *prédio*? – Ele contra-atacou. Observou a aliança de casamento. Ah, pensou, leoa enjaulada, tirando férias do tédio.
– Eu tive que terminar um trabalho. – Lucerne mentiu do modo mais convincente possível. – Minha presença aqui é totalmente *legítima*. Eu tenho um passe.
Zeb não solicitou provas porque uma mulher que usava a palavra *legítima* naquele contexto fraudulento era admirável. E por isso não a encaminhou para o pessoal da segurança, onde seria feita uma checagem via cônjuge com repercussões desagradáveis para o amante, o que poderia resultar – era para ser pensado – na demissão de Zeb. Ele então a deixou escapar.
– Certo, certo, desculpe – disse, com um aceitável servilismo canino.
– Agora, se não se importa, este banheiro é das *damas*, e eu gostaria de um pouco de privacidade, Horácio – ela disse acariciando o nome no crachá de Zeb. Olhou profundamente nos olhos dele. Era um apelo... *Não me dedure...* e também uma promessa: *Um dia eu serei sua*. Não que ela pretendesse honrar a promessa.
Bela jogada, ele pensou enquanto saía.

Assim, quando Zeb e Lucerne se encontraram pela segunda vez, no primeiro fluxo da madrugada, ela com os pés descalços e inadvertidamente escondida no rosa diáfano de uma lingerie, ele com uma pá fálica e um ramo ardente de lumirosas na mão, no gramado recém-colocado do recém-construído AnooYoo Spa no meio do parque Heritage, ela o reconheceu. E lembrou-se de que se antes ele era Horácio, misteriosamente ele agora era Atash – o novo nome adotado para a função de jardineiro no AnooYoo Spa.
– Você trabalhava na HelthWyzer – ela disse. – Mas não era...
Então, naturalmente ele a beijou, com fervor e paixão irrefreável. Isso porque ela não poderia falar e beijar ao mesmo tempo.
– Naturalmente – diz Toby. – E quem você estava sendo? Quais eram os dados de *Atash*?

– Iraniano – diz Zeb. – Avós imigrantes. Por que não? Havia muitos assim, chegados no final do século XX. Era bem seguro, desde que não esbarrasse em outros iranianos que me perguntassem sobre minha genealogia e minha família. Se bem que memorizei tudo sobre essa identidade, só por precaução. Eu tinha uma boa história... apenas desaparecimentos e atrocidades, sem discrepâncias de tempo e lugar.

– Então, Lucerne encontra Atash e sabe que na verdade ele é Horácio – diz Toby. – Ou vice-versa. – Ela quer atravessar as partes dolorosas o mais rápido possível; com sorte, o sexo ardente e irresistível e o derrame de pétalas que Lucerne não se cansava de descrever não seriam mencionados novamente.

– Exato. Isso não era nada bom porque eu tinha sumido da HelthWyzer com muita rapidez. Um dos computadores soltou o alarme de uma presença indesejada e quando consegui detectá-lo era tarde demais. Eu poderia dizer que tinha desencadeado o alarme depois que detectei um infiltrado, mas eles iniciariam um rastreamento de quem estava no prédio no momento e chegariam a mim. Fiz um pedido de ajuda urgente na sala de chat de MaddAddão, e os crípticos acessaram Adão. Embora ele tivesse um contato que poderia me colocar no trabalho de jardinagem do AnooYoo Spa, ambos sabíamos que isso era um paliativo e que logo eu teria que partir para outra.

– Então, ela sabe e você sabe que ela sabe, e ela sabe que você sabe que ela sabe – diz Toby. – Naquele encontro no gramado.

– Correto. Eu tinha duas opções: assassinato ou sedução. Optei pela mais atraente.

– Entendi – diz Toby. – Eu teria feito o mesmo. – Ele soara como uma sedução de conveniência, mas ambos sabiam que era mais que isso. *Négligé* cor-de-rosa diáfano é sempre uma desculpa.

Em alguns aspectos Lucerne era um azar, disse Zeb. Mas em outros era uma sorte porque não se podia negar que ela...

– Pode pular essa parte – diz Toby.

– Tudo bem, versão resumida: embora de alguma maneira ela tivesse me enlouquecido, eu não a tinha delatado no episódio do banheiro, de modo que ela estaria inclinada a devolver o favor enquanto recebesse a minha atenção. Ela acabou viciada em mim e o resto você conhece: nada melhor que fugir com um homem misterioso que no primeiro encontro apareceu com um nariz de porco.

"Mudamos para os subterrâneos da plebelândia, o que no começo ela achou romântico. Felizmente, ninguém – ninguém da CorpSeCorps – se interessou pelo desaparecimento daquela mulher que não tinha roubado qualquer IP. Esposas que debandavam dos complexos por puro tédio não eram novidade. Essas deserções eram tidas como privadas pela CorpSeCorps, na medida em que consideravam alguma coisa como privada. O fato é que não se preocupavam com isso, e muito menos quando o marido não era um agitador. E pelo que parecia o marido de Lucerne não era.

"O problema é que Lucerne levou Ren junto com ela. Menina bonita, eu gostei dela. Mas seria perigoso ela viver nos subterrâneos da plebelândia. Meninas como ela eram sequestradas para o comércio de sexo infantil, até quando andavam pela rua na companhia de adultos. Logo pipocava uma briga de rua entre os ratos da plebe, alguns esguichos de molho vermelho da SecretBurgers, um estande ou um carro solar derrubado, buzinas tocando por todos os lados e, quando se olhava de novo, a menina já tinha sumido. Eu não podia correr esse risco."

Zeb fez mais algumas alterações nas orelhas, nas impressões digitais e na íris – a essa altura já sabiam o que ele tinha feito nos computadores da HelthWyzer e o estariam procurando – e então...

– E então vocês três se transformaram em Jardineiros de Deus – diz Toby. – Lembro-me disso, desde o início me perguntei o que você estava fazendo lá. Você não se enquadrava com os outros.

– Está querendo dizer que não fiz os votos necessários nem bebi o elixir da vida? Deus ama você e também adora os pulgões?

– Mais ou menos.

– Pois é, não fiz nada. Mas Adão tinha que me aturar de um jeito ou de outro, não é? Eu era irmão dele.

Edencliff

— Àquela altura o ecoshow de aberrações de Adão estava a pleno vapor – continua Zeb. – No terraço-jardim do Edencliff. Você estava lá. E também Katuro e Rebecca. Nuala... o que aconteceu com ela? A parteira Marushka e os outros. E Philo. Terrível o que aconteceu com ele.

— Show de aberrações? – diz Toby. – Isso não é muito gentil. Certamente os Jardineiros de Deus eram mais do que isso.

— Claro que eram – diz Zeb. – É verdade. Mas no folclore da plebelândia eram rotulados como show de aberrações. Ainda bem, naquelas zonas era melhor ser chamado de inofensivo, roto e pobre. Adão não fez nada para desencorajar esse ponto de vista; na verdade, até o encorajou. Zanzava pela plebelândia com o traje simples e atraente de um reciclador lunático, seguido por um coro que cantava hinos estranhos, isso quando não pregava amor aos animais, com cascos na frente dos estandes da SecretBurgers... só os tipos lobotomizados faziam isso, era o veredicto que rolava nas ruas.

— Eu não estaria aqui se ele não tivesse feito essas coisas – diz Toby. – Ele e as crianças jardineiras me resgataram durante uma briga de rua. Eu estava trabalhando naquela época... eu estava presa na SecretBurgers e o gerente vivia atrás de mim.

— Seu amigo Blanco – diz Zeb. – Triplamente veterano da Painball, se bem me lembro.

— Sim. As garotas que tinham caso com ele acabavam mortas, e eu era a próxima da lista. Ele já estava na fase violenta, já estava querendo me matar; eu senti isso. Enfim, devo muito a Adão... Adão Um, como sempre o conheci. Com show de aberrações ou não – diz Toby na defensiva.

– Não me entenda mal – diz Zeb. – Ele é meu irmão. Nós tínhamos nossas divergências, ele tinha um jeito de fazer as coisas e eu tinha o meu, mas isso não tem a ver.

– Você não mencionou Pilar – diz Toby para desviar do assunto Adão Um. Ela não se sente à vontade ao ouvir críticas a ele. – Ela também estava lá. No Edencliff.

– Sim, a HelthWyzer acabou sendo demais para ela. Pilar já tinha colhido muitas informações para Adão, o que era útil para ele... assim ele sabia quem era capaz de pular do barco de uma Corp e passar para o lado da virtude, o lado dele, naturalmente. Ela própria disse que não aguentava mais aquele lugar. Com o implemento das conhecidas funções da lei e da ordem, a CorpSeCorps passou a ter o poder de intimidar, esmagar e apagar o que quisesse. Esse vício de fazer dinheiro estava se tornando tóxico, envenenando, acentuo, a alma de Pilar.

"Com a ajuda dos crípticos, ela montou uma história de cobertura que lhe permitiu desaparecer sem nenhum rastreador atrás: após um infeliz acidente vascular cerebral e um embarque imediato dentro de urna da CryoJeenyus, de repente lá estava ela no alto de um edifício destruído da plebelândia, vestindo um saco de pano e misturando poções."

– E cultivando cogumelos e me ensinando sobre larvas e sobre apicultura. Era muito boa no que fazia – diz Toby, com certa tristeza. – Convincente. Ensinou-me a conversar com as abelhas. Eu era a única que conversava com as abelhas depois que ela morreu.

– Sim. Lembro-me de tudo. Mas ela não estava mentindo – diz Zeb. – Acreditava em tudo aquilo, de certa forma. E por isso se dispôs a correr os riscos que correu na HelthWyzer. Lembra do que aconteceu com o pai de Glenn? Ela também poderia ter despencado de um viaduto. Se a tivessem pegado, sobretudo se a tivessem pegado com aquele bispo branco e as três pílulas.

– Ela conservou as três pílulas? – pergunta Toby. – Pensei que as tinha analisado. Depois que Adão entregou-as para ela.

– Ela achou que seria muito perigoso. Se alguém as abrisse, o conteúdo poderia sair de dentro. E como eles não sabiam como se livrar das pílulas, o bispo permaneceu dentro da HelthWyzer

Central enquanto ela esteve lá. Ela carregou-as quando saiu e colocou-as dentro de outro bispo branco, junto às peças que ela própria tinha esculpido. Foi com essas peças que nós dois jogamos durante minha convalescença. Depois que me esfaquearam numa das missões que cumpri para Adão na plebelândia.

Toby tem uma imagem daquele tempo: Zeb à sombra, tarde nublada. O braço dele. A mão dele move o bispo branco, o portador da morte. Até então desconhecido para ela, como tantas outras coisas.

– Você sempre jogava com as peças pretas – ela diz. – O que houve com aquele bispo quando Pilar morreu?

– Ela recomendou que levassem o tabuleiro e as peças para Glenn, junto com uma carta selada. Na época da HelthWyzer West, ele ainda era pequeno quando aprendeu a jogar xadrez com ela. Mas, na época em que ela acabou morrendo, ele e a mãe, a essa altura casada com o famoso tio Pete, tinham sido transferidos para a HelthWyzer Central. Pilar manteve contato com Glenn através dos crípticos, e foi Glenn que organizou os testes de câncer para ela e descobriu que era terminal.

– O que estava escrito na carta?

– Estava selada. Talvez instruções de como abrir o bispo. Eu teria roubado, mas Adão foi inflexível.

– Então, Adão limitou-se a entregar o material, o jogo de xadrez com as pílulas dentro? Para Glenn... Crake? Ele só era um adolescente.

– Segundo Pilar era maduro para a idade que tinha, e Adão achou que os desejos de Pilar no leito de morte deviam ser respeitados.

– E quanto a você? Eu ainda não era uma Eva quando isso aconteceu, mas você fazia parte do conselho que discutia decisões importantes como essa. Talvez você tivesse uma opinião. Você era um Adão... o Adão Sete.

– Os outros concordaram com Adão Um. Achei que era uma ideia ruim. E se o garoto tentasse experimentar aquelas coisas em alguém, sem saber exatamente o que provocariam, do mesmo jeito que eu tinha experimentado?

– Ele deve ter experimentado mais tarde – diz Toby. – Com algumas adições de sua autoria. Provavelmente o núcleo das pílulas BlyssPluss, o que se seguia à experiência da felicidade.
– Claro – diz Zeb. – Talvez você esteja certa.
– Será que Pilar sabia que ele poderia um dia fazer uso desses micróbios ou vírus ou seja lá o que fossem? – pergunta Toby. Pelo que ela se lembra, o rosto enrugado de Pilar era bondoso, sereno e forte, mas por baixo era de certa forma duro. Se bem que não se podia chamar isso de mal. Fatal, talvez.
– Coloquemos da seguinte maneira – responde Zeb. – Os verdadeiros jardineiros acreditavam que a raça humana estava prestes a sofrer um colapso. Isso aconteceria mais cedo ou mais tarde, e mais cedo talvez fosse melhor.
– Mas você não era um jardineiro de verdade.
– Pilar achava que sim, pela minha vigília. Parte do acordo com Adão Um era que eu assumisse um título, aquela coisa de Adão Sete; segundo as palavras dele, o título conferia uma autoridade necessária. Potencializava o status. Para se tornar um deles, você tinha que passar por uma vigília. Era para ver o que estava acontecendo com o seu espírito animal.
– Fiz isso também – diz Toby. – Falar com os tomateiros em plena noite.
– Sim, tudo isso. Não sei o que a velha Pilar colocou naquela mistura, mas era potente.
– O que você viu?
Uma pausa.
– Um urso. Aquele que matei e comi quando estava vagando pelas montanhas.
– Ele passou uma mensagem para você? – indaga Toby. O espírito animal dela tinha sido enigmático.
– Não exatamente. Mas me deu a entender que estava vivendo dentro de mim. Ele não estava zangado comigo. Até que me pareceu bastante amigável. É incrível o que acontece quando você fode com seus próprios neurônios.

...

Já que tinha sido nomeado Adão Sete, Zeb instalou-se com Lucerne e a pequena Ren como membros autênticos dos Jardineiros de Deus. Elas não se sentiam à vontade. Ren estava com saudades de casa, do condomínio e do pai, e Lucerne estava mais interessada em cuidar das unhas do que se tornar uma jardineira. Seu investimento na preparação de vegetais era zero, e ela odiava as roupas necessárias – os vestidos escuros e folgados e os aventais. Zeb nem sequer desconfiou que ela não se adequaria a esse arranjo ao longo do tempo.

Ele próprio não tinha afinidade alguma com lesmas e realocação de caracóis ou fabricação de sabão ou limpeza de cozinha, de modo que chegou a um entendimento com Adão sobre quais seriam os seus deveres. Ensinaria para as crianças técnicas de sobrevivência e "limitação da carnificina urbana", uma luta de rua sob uma perspectiva mais elevada. Os jardineiros se expandiam e atraíam novos membros, estabelecendo filiais em diferentes cidades, e ele então transitava entre os diferentes grupos. Os jardineiros se recusavam a usar celulares e outras tecnologias de qualquer natureza; afora, vale dizer, o computador secreto de Zeb equipado com spyware para poder bisbilhotar a CorpSeCorps e bloquear o yin-yang.

Servir de correio para Adão tinha suas vantagens – ele ficava longe de casa e não tinha que ouvir as queixas de Lucerne. Mas também tinha suas desvantagens – ele ficava longe de casa e isso era outro motivo para Lucerne reclamar. Ela o atormentava com questões sobre compromisso: por exemplo, por que ele nunca tinha pedido que eles passassem pela Cerimônia de Parceria dos Jardineiros de Deus?

– O casal pulava uma fogueira e trocava ramos verdes, com todos fazendo um círculo ao redor, e depois era servido um banquete generoso – diz Zeb. – Ela realmente queria que fizéssemos isso. Eu argumentava que era um símbolo vazio e sem sentido, e ela dizia que estava sendo humilhada por mim.

– Se era sem sentido, por que não fez? – diz Toby. – Seria uma forma de satisfazê-la. Fazê-la mais feliz.

– Sem chance – diz Zeb. – Eu não queria fazer. Odiava ser pressionado.

– Ela estava certa, você tinha problemas com compromisso – diz Toby.
– Acho que sim. Enfim, ela me descartou. Voltou para o complexo junto com Ren. Foi quando eu quis que os jardineiros se tornassem mais ativistas e que tudo fosse desvendado.
– Eu não estava mais lá nessa época – diz Toby. – Blanco tinha saído da Painball atrás de mim. Eu era uma responsabilidade para os jardineiros. Você me ajudou a mudar a minha identidade.
– Anos de prática. – Ele suspira. – Depois que você saiu, as coisas ficaram feias. Aos olhos da CorpSeCorps, os Jardineiros de Deus tornavam-se cada vez maiores e bem-sucedidos. O grupo parecia um movimento de resistência a caminho.

"Adão usava o Jardim como uma casa segura para fugitivos da BioCorps, e eles começavam a descobrir isso, e depois a CorpSêmen começou a pagar as gangues da plebelândia para nos atacar. Adão era um pacifista e não conseguia armar os jardineiros. Cheguei a sugerir que transformássemos as armas de batata de brinquedo em eficazes atiradoras de estilhaços de curto alcance, mas ele não quis ouvir. Isso lhe parecia profano demais."

– Já está fazendo gracinha – diz Toby.
– Só estou descrevendo. Independentemente do que estava em jogo, ele não podia continuar a ofensiva, não diretamente. Lembre-se, ele era o primogênito; Rev o pegou no início, antes de se ter descoberto que aquele velho crápula assassino era uma fraude. O que pegava Adão é que ele tinha que ser bom. Muito mais do que bom, porque assim Deus o amaria. Acho que o que ele queria era fazer a coisa de Rev, mas fazê-la direito... tudo que Rev fingia ser, ele seria de verdade. Era uma tarefa difícil.
– Mas nada disso pegou você.
– Eu nem notava. Eu era uma criança endiabrada, lembra? Ficava fora do anzol da bondade. Adão dependia disso; ele nunca despejaria um refrigerante de framboesa em Rev com as próprias mãos. Ele me encarregava de fazer por ele. Mesmo assim, ele tinha alguns problemas de culpa; Rev era pai dele, gostasse disso ou não, e honrar os pais etc., mesmo que um deles tivesse enterrado o outro

debaixo de uma pedra no jardim. Adão achava que devia perdoar. Ele se punia demais. E isso piorou depois que ele perdeu Katrina WooWoo.

— Ela ficou com outra pessoa?

— Nada tão agradável. A Corps decidiu assumir o comércio do sexo, era muito lucrativo. Compraram alguns políticos, legalizaram o comércio e abriram a SeksMart, todos foram obrigados a aderir. No início Katrina aceitou, mas depois eles quiseram instituir políticas que ela não podia aceitar. "Políticas institucionais", foi assim que eles colocaram. Katrina tinha escrúpulos e tornou-se inconveniente. Eles também se livraram da jiboia.

— Oh — exclama Toby. — Sinto muito.

— Eu também senti muito — diz Zeb. — Adão ficou mais que abalado, ficou arrasado. Parecia que faltava alguma coisa nele. Acho que no fundo ele sonhava em instalar Katrina no Jardim. Claro que não daria certo. Incompatibilidade de guarda-roupa.

— Isso é muito triste — diz Toby.

— Pois é. Foi mesmo. Eu devia ter sido mais compreensivo. Em vez disso, comecei uma briga.

— Oh — diz Toby. — Só você?

— Talvez nós dois. Soltamos os cachorros. Falei que ele era igual a Rev, realmente, de dentro para fora, como uma meia, nenhum dos dois dava a mínima para ninguém. Sempre tinha sido assim, ou era como eles queriam ou nada feito. Ele falou que eu tinha tendências criminosas e que por isso era incapaz de compreender o pacifismo e a paz interior. Falei que ao não fazer nada ele era conivente com os poderes que fodiam o planeta, especialmente as OilCorps e a Igreja PetrOleum. Ele falou que eu não tinha fé e que o Criador poderia acabar com o planeta a qualquer hora, provavelmente muito em breve, e que aqueles que estavam sintonizados e tinham um verdadeiro amor pela Criação não pereceriam. Falei que isso era uma visão egoísta. E ele falou que eu ouvia os sussurros do poder terreno e que só queria atenção, do jeito que eu sempre fazia quando era criança e extrapolava os limites.

Zeb suspira de novo.

– E depois o quê? – diz Toby.
– Depois, fiquei com muita raiva. E falei algo que nunca deveria ter falado. – Uma pausa. Toby espera. – Falei que ele não era meu irmão no sentido genético. Ele não tinha parentesco comigo. – Outra pausa. – Ele a princípio não acreditou em mim. Continuei e falei do teste que Pilar tinha feito. Ele ficou arrasado.
– Oh – diz Toby. – Eu sinto muito.
– Eu me senti terrível, mas não podia me desdizer. Depois disso, tentamos consertar as coisas e virar a página. Mas a relação apodreceu. E tivemos que seguir nossos próprios caminhos.
– Katuro o acompanhou – diz Toby por conhecer o fato. – Rebecca. Black Rhino. Shackleton, Crozier e Oates.
– No início, Amanda também – diz Zeb. – Mas ela saiu em seguida. E depois outros se juntaram. Ivory Bill. Lotis Blue. White Sedge. Todos eles.
– E Swift Fox – diz Toby.
– Sim. Ela também. Achávamos que Glenn... que Crake era nosso cara lá dentro, alimentando-nos com informações da Corps pela sala de chat do MaddAddão. Mas esse tempo todo ele nos preparava para depois nos arrastar para a cúpula Paradice, onde o ajudaríamos a produzir o povo geneticamente modificado que ele planejava.
– E a mistura do vírus da peste? – diz Toby.
– Não que eu saiba – diz Zeb. – Ele fez isso por conta própria.
– Para criar um mundo perfeito – diz Toby.
– Não tão perfeito – diz Zeb. – Ele não diria assim. Reiniciar o mundo, talvez. E de algum jeito, ele conseguiu. Até agora.
– Ele não previu os painballers – diz Toby.
– Ele devia ter previsto. Pelo menos algo parecido com eles – diz Zeb.

Está tranquilo na floresta. Uma criança craker cantarola enquanto dorme. Os porcões sonham ao redor do lago, emitindo grunhidos como pequenas baforadas de fumaça. Algo grita ao longe: um felino peludo?

Sopra uma brisa fraca e fria; as folhas cumprem a missão de farfalhar; a lua viaja pelo céu em direção à próxima fase, marcação do tempo.
– Você precisa dormir um pouco – diz Zeb.
– Nós dois precisamos – diz Toby. – Vamos precisar de energia.
– Vou soletrar você... dois, ligado, dois, desligado. Eu gostaria de ter vinte anos menos – ele diz. – Não que esses babacas da Painball estejam em grande forma, talvez você pense. Deus sabe o que eles estão comendo.
– Os porcões estão em grande forma – ela diz.
– Mas não conseguem apertar o gatilho – ele retruca. Faz uma pausa. – Se sobrevivermos ao dia de amanhã, talvez a gente possa fazer aquela coisa da fogueira. Com os ramos verdes.
Toby sorri.
– Se bem me lembro você disse que era um símbolo vazio e sem sentido.
– Às vezes até um símbolo vazio e sem sentido significa alguma coisa – diz Zeb. – Você está me rejeitando?
– Não – ela diz. – Como pode pensar isso?
– Temo pelo pior – ele diz.
– Seria o pior? Rejeitá-lo?
– Não pressione um cara que está se sentindo sem pele.
– Só tenho dificuldade em acreditar que você está falando sério – diz Toby.
Zeb suspira.
– Durma um pouco, querida. Falamos disso mais tarde. O amanhã está a caminho.

CASCA DE OVO

Comandante

Neblina cor de pêssego ao leste. O dia está rompendo, a princípio fresco e delicado, o sol ainda não se tornou um holofote quente. Os corvos se dispersam, sinalizando uns para os outros. *Kra! Krakra! Kra!* O que dizem? *Olhe lá! Olhe!* Ou talvez: *Hora da festa está chegando!* Onde há guerras, haverá corvos, os devoradores de carniça. E gralhas também, os pássaros da guerra, glutões de globos oculares. E abutres, os pássaros sagrados de outrora, antigos especialistas em putrefação.

Chega de mórbidos solilóquios, diz Toby para si mesma. É necessária uma perspectiva positiva. Para isso serviam os trompetes das fanfarras, e os tambores, e a música de marcha. Nós somos invencíveis, diziam as canções para os soldados. Eles precisavam acreditar naquelas melodias mentirosas porque ninguém caminha intrepidamente para a morte sem isso? Antes das batalhas, os *berserkers* se dopavam com um fungo alucinógeno do norte, *Amanita muscaria*, pelo menos era o que dizia Pilar nas aulas para os jardineiros: *Práticas históricas com cogumelos, curso avançado*.

Talvez eu devesse furar as garrafas de água, ela pensa. Envenenar o cérebro, e depois seguir em frente e matar gente. Ou ser morta.

Toby se levanta, se desenrola do lençol cor-de-rosa, estremece. Orvalhou: miçangas de umidade nos cabelos e nas sobrancelhas. Os pés estão dormentes. O rifle está no mesmo lugar onde o deixou, ao alcance, o binóculo, também.

Zeb já está de pé, apoiado no corrimão.

– Cochilei essa noite – ela diz. – Não é o que se espera de um vigia. Desculpe.

– Eu também – ele diz. – Está tudo bem, os porcões teriam soado o alarme.

– Soado? – Ela esboça um sorriso.

– Você é insistente. Está bem, grunhido o alarme. Nossos amigos porcos têm estado ocupados.

Ela olha para onde ele está olhando: todo o entorno. Os porcões tinham nivelado o gramado, todo o entorno do prédio do spa, onde quer que houvesse mato alto ou moitas. Os cinco maiores ainda estão trabalhando, pisoteando e rolando em tudo que passe da altura do tornozelo.

– Ninguém vai se aproximar furtivamente daqui, isso é certo – diz Zeb. – Os filhos da puta são inteligentes, sabem tudo sobre como fazer cobertura.

Toby se dá conta de que eles deixaram um tufo de folhagem a certa distância. Observa o tufo com o binóculo. Talvez para marcar os restos do javali que ela própria matara durante uma guerra de disputa de território pela horta do AnooYoo. Curiosamente, eles optaram por não devorar a carcaça, embora tivessem se mostrado dispostos a ingerir o leitão morto. Eles estabelecem uma hierarquia para esse tipo de assunto? Porcas comem filhotes, mas ninguém come javalis? Qual será a próxima estátua comemorativa?

– Ruim demais para as lumirosas – ela diz.

– Sim, eu mesmo as plantei. Mas voltarão a brotar. Quando voltam a brotar, essas pragas são tão difíceis de matar quanto a *kudzu*.

– Mas o que os crakers terão para o café da manhã? – indaga Toby. – Por aqui não há mais folhagem. Eles não podem vagar perto da floresta.

– Os porcões também pensaram nisso – diz Zeb. – Olhe para o lado da piscina.

Sim, há uma pilha de forragem fresca. Obra dos porcões, uma vez que ninguém está nos arredores.

– Foi um gesto atencioso – diz Toby.

– Eles são muito inteligentes – diz Zeb. – Por falar nisso... – Ele aponta.

Toby ergue o binóculo. Três porcões de porte médio, dois manchados e o terceiro quase todo negro, aproximam-se em trote ligei-

ro do lado norte. O intimidante esquadrão dos porcões maiores que nivelava o gramado apruma-se e sai rebolando ao encontro dos três. Alguns grunhidos, algumas fuçadas. Todas as orelhas voltadas para a frente, todas as caudas rodopiando enroladas; enfim, eles não estão nem com medo nem com raiva.
— O que será que estão dizendo? — pergunta Toby.
— Só vamos descobrir quando essas porras estiverem prontas para nos dizer — responde Zeb. — Para eles somos apenas a infantaria. Mudos como tocos, deve ser o que pensam, embora de pistolas empunhadas. Mas eles são os generais. Aposto que já têm uma estratégia certeira.

Rebecca deve ter esquadrinhado os arredores e descoberto algumas coisinhas. No café da manhã, petiscos de soja embebidos em leite de Mo'Hair e adoçados com açúcar. Acompanhamento, o deleite de uma colher de chá de manteiga corporal de abacate. O AnooYoo Spa desenvolvera produtos cosméticos que soavam como alimentos: musse de chocolate facial, máscara esfoliante de merengue de limão. E inúmeras manteigas para o corpo, riquíssimas em lipídios essenciais.
— E ainda sobrou um pouco dessas coisas? — diz Toby. — Eu estava certa de que tinha comido tudo.
— Estavam escondidas dentro de uma terrina de sopa grande na cozinha — diz Rebecca. — Talvez você mesma tenha escondido e se esqueceu. Talvez tenha construído um depósito Ararat neste prédio durante o tempo em que trabalhava aqui.
— Sim, mas na sala do almoxarifado — diz Toby. — Em diversos pontos. Eu sempre disfarçava os suprimentos dentro de sacos de limpeza de cólon. Nunca os escondia na cozinha; poderiam ser encontrados. É mais provável que alguém da equipe do spa tenha escondido essas coisas. Eles sempre faziam isso... roubavam produtos da linha do AnooYoo para vendê-los no mercado cinza da plebelândia. E eu muitas vezes os flagrava porque fazia um inventário a cada duas semanas. — Mas não os delatava, o trabalho não era bem pago. Por que destruiria outras vidas?

...

Após o café da manhã, o grupo reúne-se no saguão principal, no passado um lugar de confraternização em meio a bebidas cor-de-rosa à base de fruta – com álcool e sem álcool – que eram servidas para os clientes que apareciam. E agora estão presentes os maddadamitas e os antigos Jardineiros de Deus. Um javali também está presente, tendo ao lado o menino Barba Negra. Os outros crakers ainda estão à beira da piscina, ruminando a pilha de forragem do café da manhã. Os outros porcões também ruminam assim.

– Então – diz Zeb. – Aqui estamos nós. Já sabemos a direção que o inimigo tomou. São três, não dois. Os porcos... os porcões garantem isso. Os batedores suínos não viram os três claramente... mantiveram-se longe de vista para que não fossem baleados. Mas os rastrearam.

– A que distância? – pergunta Rhino.

– Longe o bastante. Eles têm uma vantagem sobre nós. Mas nossa vantagem, segundo os porcões, é que eles não podem caminhar com rapidez porque um dos três está mancando. Arrastando um pé, não é? – Zeb se volta para Barba Negra que meneia cabeça em afirmativa.

– Um pé fedorento – diz o menino.

– Essa é a boa notícia. A má notícia é que estão caminhando em direção ao complexo da RejoovenEsense. Ou seja, provavelmente até a cúpula Paradice.

– Oh, merda – diz Jimmy. – A munição para as pistolas de spray! Eles vão encontrar!

– Será que estão atrás de munição? – diz Zeb. – Desculpe. Pergunta estúpida. Impossível saber o que eles pretendem.

– Se não estão apenas caminhando a esmo, podemos supor que têm um objetivo – diz Katuro. – O terceiro... pode estar direcionando o grupo.

– Temos que rechaçá-los – diz Rhino. – Temos que mantê-los afastados de lá. Caso contrário, estarão bem armados por um longo tempo.

– E pouco tempo depois estaremos desarmados – diz Shackleton.
– Já estamos com pouca munição.
– Então, apenas uma pergunta – diz Zeb. – Quem mais nos acompanha? Já temos alguns. Rhino, Katuro, Shackleton, Crozier, Manatee, Zunzuncito. E Toby, claro. As grávidas ficam aqui. Ren, Amanda e Swift Fox. Algo a declarar?
– Esse negócio de papéis de gênero é um saco – diz Swift Fox.
É melhor então deixar de representá-los, pensa Toby.
– Sim, mas essa é a realidade do momento – diz Zeb. – Não podemos ter ao lado alguém segurando um sangramento inesperado no meio... No meio. Nada mais que o necessário. White Sedge?
– Ela é pacifista – diz Amanda inesperadamente. – E Lotis Blue, você sabe, está com cólica.
– Ficam, então. Alguém mais com deficiência ou com outros escrúpulos?
– Eu quero ir – diz Rebecca. – E, definitivamente, não estou grávida.
– Você vai aguentar? – indaga Zeb. – Essa é a questão. Seja honesta. Você pode representar um perigo para si mesma e para os outros. Os veteranos da Painball não são de brincadeira. São apenas três, mas nem por isso, menos letais. Esse piquenique não é para os mais sensíveis.
– Tudo bem, esquece – diz Rebecca. – Conheça a si mesma, fora de forma, vulnerável. Sem mencionar os escrúpulos. Ficarei aqui.
– Eu também – diz Beluga.
– E eu – diz Tamaraw.
– E eu – diz Ivory Bill. – Chega um momento na vida do homem que a carapaça terrena desenvolve limitações, mesmo que o espírito seja ágil. Sem mencionar os joelhos. E quanto ao...
– Certo. E Barba Negra vai com a gente. Ele é necessário, parece entender tudo que os porcões comunicam.
– Não. Ele deve ficar aqui. Ele é apenas uma criança – retruca Toby ao pensar que não conseguiria viver consigo mesma se matassem o menino Barba Negra, e ainda mais pela forma com que os painballers o matariam. – E ele não teme nada... pelo menos nada

que se refira ao realismo humano. Ele poderia sair correndo em campo aberto e em pleno fogo cruzado. Ou ser apanhado como refém. O que aconteceria, então?

– Sim, mas não vejo como poderemos nos virar sem ele – diz Zeb. – Ele é nossa única ligação com os porcos que são essenciais nessa empreitada. Nós teremos que assumir o risco.

Barba Negra acompanha o diálogo.

– Não se preocupe, ó Toby – diz – Preciso ir, os porcos é que disseram isso. Oryx estará me ajudando, e Foda também. Chamei Foda e ele já está voando até aqui. Você vai ver.

Não há maneira de Toby contradizê-lo porque além de não poder ver Oryx e o prestativo Foda, ela não pode entender os porcões. No mundo de Barba Negra, ela é surda e cega.

– Se aqueles homens apontarem um pau, você deve deitar logo no chão – ela diz. – Ou ficar atrás de uma árvore. Se houver uma árvore. Ou atrás de uma parede.

– Sim, obrigado, ó Toby – ele diz educadamente. Claro, isso não é novidade para ele.

– Tudo certo, então – diz Zeb. – Está claro?

– Eu também vou – diz Jimmy. Todos olham para ele, os que achavam que ele ficaria para trás. Ele ainda está magro como um galho ressequido e pálido como um cogumelo.

– Tem certeza? – diz Toby. – E seu pé?

– Está bom. Já posso andar. Eu preciso ir.

– Não acho que isso seja sábio – retruca Zeb.

– Sábio – repete Jimmy, esboçando um sorriso. – Nunca me acusaram disso. Mas se vamos para a cúpula Paradice, eu também preciso ir.

– Por quê? – pergunta Zeb.

– Porque Oryx está lá. – Um silêncio envergonhado, demente. Jimmy olha em volta, sorrindo nervosamente. – Tudo bem, eu não estou louco, eu sei que ela está morta. Mas vocês precisam de mim – ele responde.

– Por quê? – pergunta Katuro. – Sem querer ser rude, mas...

– Porque estive lá. Desde o Dilúvio – diz Jimmy.

– Nostalgia? – diz Zeb, com a voz nivelada. Toby sabe o que significa esse nivelamento: livre-me desse imbecil de cérebro lesado. Jimmy está decidido.

– Sei onde está cada coisa. Munição. Pistolas, um estoque de pistolas.

Zeb suspira.

– Tudo bem – diz. – Mas, se ficar para trás, teremos que mandá-lo de volta. E não será com escolta humana.

– Você quer dizer que serão esses lobisomens suínos – diz Jimmy.

– Já estou careca de saber; eles acham que sou uma tripa. Esqueça a escolta. Eu dou conta de mim.

Incursão

Toby veste o uniforme do spa e põe uma fronha rasgada à cabeça para se proteger do sol. Estampa na camiseta: lábios em biquinho e um olho piscando – lamentável, nem um pouco militar; cor-de--rosa, péssimo, isso a tornaria um alvo. Mas não há roupa cáqui no AnooYoo.

Ela verifica o rifle e põe a reserva de balas na mochila cor-de--rosa do spa. Algumas meias soquetes de algodão do spa, com pompons fofos às costas: calça um par e deixa outro de reserva. Ela vai dar um soco em Zeb se ele disser alguma gracinha sobre o traje.

No saguão principal, ela distribui as garrafas de água fervida por Rebecca mais cedo, com a ajuda de Ren e Amanda. O AnooYoo Spa enfatizava a necessidade de uma hidratação adequada durante a ginástica, e por isso as muitas garrafas de plástico. Os maddadamitas trouxeram Joltbars e panquecas frias de *kudzu* da cabana.

– Energia para correr, não comam demais porque pode pesar – diz Zeb. – Guardem um pouco para mais tarde. – Olha para a roupa rosa de Toby, para os lábios em biquinho. – Vai fazer alguma apresentação?

– É berrante – diz Jimmy.
– Parece uma estrela de rock – comenta Rhino.
– Ótima camuflagem – diz Shackleton.
– Eles vão pensar que você é um hibisco – diz Crozier.
– Isto é um rifle – diz Toby. – Sou a única aqui que sabe usá-lo. Então, fim de papo. – Gargalhada geral.

Eles partem em seguida.

Os três porcões batedores fuçam o solo à frente, ladeados por dois outros batedores que farejam o ar com os discos molhados dos focinhos. Radar de odores, pensa Toby. Será que captam muitas vibrações que ultrapassam os nossos sentidos embotados? Eles estão para o olfato assim como os falcões estão para a visão.

Seis porcões mais jovens – pouco mais que filhotes – transmitem mensagens entre os olheiros e os batedores, e também entre os porcões mais velhos e mais pesados, um batalhão de tanques, se fossem veículos blindados. Apesar da massa corporal, se movem com surpreendente rapidez. No momento mantêm um ritmo constante, conservando a energia: marcha de maratona e não de corrida curta. Soam pouquíssimos grunhidos e gritos: como soldados de longas marchas, economizam o fôlego, com os rabos enrolados ainda inativos e as orelhas rosadas viradas para a frente. Sob o sol da manhã, quase parecem uma versão de cartões do Dia dos Namorados, onde lindos porquinhos fofinhos e sorridentes seguram caixas vermelhas de doces em forma de coração, e com asas de cupido: se esse porquinho pudesse voar me traria você, meu amor!

Mas não se parecem tanto assim. Esses porcos não estão sorrindo.

Se estivéssemos carregando uma bandeira, pensa Toby, o que ela estamparia?

No início, percurso fácil. Enquanto atravessam a parte plana do prado despontam algumas bolsas e botas e ossos para fora da terra, nos trechos onde tombaram as vítimas da peste. Se isso tudo estivesse coberto de erva daninha poderia fazer o grupo tropeçar, mas quando visível é fácil de evitar.

As Mo'Hairs pastam soltas na extremidade do prado reservada ao pasto. Cinco jovens porcões encarregam-se de vigiá-las. Aparentemente, sem levar a função muito a sério, o que significa que não estão farejando cheiro de perigo. Três fuçam a vegetação, outro rola em uma poça de lama e o quinto cochila. Se houvesse um ataque de leocarneiro, os cinco seriam páreo para enfrentá-lo? Sem a menor dúvida. E dois leocarneiros? Possivelmente também. Mas antes mesmo que se aproximassem, os jovens porcões já teriam reunido todo o rebanho de Mo›Hair e trotado de volta ao spa.

...

Depois de deixar o prado para trás e de atravessar a floresta fronteiriça ao terreno do AnooYoo e de ocultar a cerca, a procissão pega a estrada rumo norte. A guarita norte está deserta, nenhum sinal de vida por perto além de um guaxinim que se aquece ao sol no meio do caminho. Ele se levanta quando o grupo se aproxima, mas não se preocupa em fugir. São animais excessivamente amistosos: um mundo cruel como o nosso pode transformar todos eles em chapéus. Chegam às ruas da cidade, estas mais difíceis de transitar. Carros amassados e abandonados obstruem calçadas repletas de estilhaços de vidro e de metal retorcido. Trepadeiras de *kudzu* cobrem as formas quebradas com uma suave tonalidade verde. Os porcões caminham com cuidado, evitando machucar as patas; os seres humanos possuem calçados resistentes. Mesmo assim, também avançam com cuidado e muitas vezes olham para o chão.

Antecipando os problemas que Barba Negra poderia ter quando cruzasse essas ruas com muitos fragmentos e arestas cortantes, Toby calçou os pés dele com uma camada a mais de pele grossa, o que seria bom para caminhar tanto na terra como na areia e nos seixos, e por precaução o equipou com um par de tênis Hermes Trismegisto do estoque de calçados dos maddadamitas. A princípio, ele relutou em calçá-los – será que machucariam? Grudariam nos pés e ele nunca mais poderia tirá-los? Mas Toby ensinou como calçá-los e como descalçá-los, explicando que se ele cortasse os pés em coisas afiadas não conseguiria seguir adiante, e que o grupo ficaria sem alguém para transmitir aquilo que os porcões estavam pensando. Só depois de muitas sessões práticas é que ele concordou em usá-los. São tênis com asas verdes pintadas e luzinhas que se acendem a cada passo – as baterias ainda não estão gastas – e talvez agora ele esteja satisfeito.

À frente do batalhão principal, Barba Negra escuta os relatos da inteligência composta de porcões olheiros, se é que isso pode ser chamado de escutar; de todo modo, ele recebe alguma coisa, ele faz isso. Evidentemente, ainda não ouviu nada que seja importante o bastante para passar adiante. E agora ele dá uma rápida olhada para trás em busca de Zeb e Toby. Sua mãozinha esboça outro aceno que deve significar *Está tudo bem*. Ou talvez apenas *Estou vendo vocês*, ou *Estou aqui*, ou possivelmente *Olhem os meus sapatos novos!* Seu canto alto e claro chega a Toby em breves rajadas de ar: o código Morse do Crakerdom.

Ao largo, de vez em quando os porcões inclinam a cabeça e olham para os seus aliados humanos, mas os seus pensamentos só podem ser imaginados. Comparados a eles, os humanos em marcha talvez pareçam uns moleirões. Será que estão irritados? Solícitos? Impacientes? Felizes pelo apoio da artilharia? Tudo isso, sem dúvida, uma vez que possuem tecido cerebral humano e nutrem diversas contradições ao mesmo tempo.

Pelo que parece eles designaram três guardas para cada humano armado. Os guardas não se acotovelam, não se impõem, mas se mantêm dentro de um perímetro de dois metros, suas orelhas giram vigilantes. Cada maddadamita sem pistola é acompanhado por um porcão. Mas Jimmy é acompanhado por cinco. Conscientes da fragilidade dele? Até agora ele aguenta firme, mas já começa a suar.

Toby recua para observá-lo. Entrega uma garrafa de água para ele, a dele parece estar vazia. Oito porcões – elas, três; eles, cinco – mudam de posição para guarnecer os dois humanos.

– "A Grande Muralha de Porco" – diz Jimmy. – "A Brigada Bacon." "Os Hoplitas de Presunto."

– Hoplitas? – pergunta Toby.

– Coisa da Grécia antiga – diz Jimmy. – Uma infantaria de cidadãos. Avançavam sobre os inimigos com uma parede de escudos. Li isso num livro. – Ele está meio sem fôlego.

– Talvez uma guarda de honra – diz Toby. – Você está bem?

– Essas coisas me deixam nervoso – diz Jimmy. – Quem garante que eles não estejam nos desviando do caminho para nos emboscar e devorar nossas entranhas?

– Ninguém garante – diz Toby. – Mas eu diria que isso não é provável. Eles já tiveram oportunidade de fazer isso.

– Navalha de Occam – diz Jimmy tossindo.

– Como é?

— Era uma coisa de Crake — diz Jimmy em tom melancólico.
— Entre duas possibilidades, escolhe-se a mais simples. Crake diria "a mais elegante". Idiota.
— Quem foi Occam? — pergunta Toby. Ele coxeou?
— Um monge — responde Jimmy. — Ou bispo. Ou talvez um porco inteligente. Porccam. — Ele dá uma risada. — Desculpe, essa foi péssima.
Eles caminham um ou dois quarteirões em silêncio.
— Deslizando pela lâmina da vida — diz Jimmy por fim.
— Como? — Toby gostaria de verificar a testa dele. Estaria com febre?
— É um velho ditado — continua Jimmy. — Significa que você está no limite. E que pode ter os seus testículos cortados. — Ele agora está mancando visivelmente.
— Seu pé está bem? — pergunta Toby. Sem resposta; ele obstinadamente segue em marcha. — Talvez seja melhor você voltar — ela acrescenta.
— De jeito nenhum — diz Jimmy.

O entulho de um condomínio parcialmente destruído bloqueia a rua à frente. Foi um incêndio — provavelmente provocado por curto-circuito, diz Zeb interrompendo a marcha enquanto os batedores procuram um desvio. O cheiro de queimado ainda está no ar. Os porcões não gostam, alguns começam a bufar.
Jimmy senta no chão.
— O que foi? — diz Zeb para Toby.
— O pé dele de novo, acho eu — diz Toby.
— Então, precisamos mandá-lo de volta ao spa.
— Ele não quer — diz Toby.
Os cinco porcões fungam para Jimmy, mas a uma distância respeitosa. Um porcão se move para a frente e cheira o pé dele. Em seguida dois o cutucam, um em cada braço.
— Afastem-se! — diz Jimmy. — O que eles querem?
— Barba Negra, por favor. — Toby o chama outra vez. Ele se junta aos porcões. Faz-se um intercâmbio silencioso, seguido de algumas notas musicais.

– O Homem das Neves-Jimmy deve montar – diz Barba Negra.
– Eles dizem que... – A última palavra Toby não identifica, soa como um grunhido e um estrondo. – Eles dizem que parte dele está forte. No meio ele está forte, mas os pés estão fracos. Eles vão carregá-lo. Um dos porcões, uma fêmea não muito gorda, se adianta e se abaixa ao lado de Jimmy.
– Eles querem que eu faça o quê? – pergunta Jimmy.
– Por favor, ó Homem das Neves-Jimmy – diz Barba Negra. – Eles querem que você deite no lombo e segure as orelhas dela. Dois porcões ao lado dela não deixarão você cair.
– Isso é ridículo – diz Jimmy. – Vou escorregar!
– É sua única opção – diz Zeb. – Pegar uma carona ou ficar aqui.
Jimmy se posiciona em cima do animal.
– Alguém tem uma corda? Pode ajudar – diz Zeb.
Eles amarram Jimmy na porca como um pacote e retomam a marcha.
– Como você se chama, Dançarina ou Saltadora ou o quê? – diz Jimmy. – Será que ela precisa de tapinhas no lombo?
– Por favor, ó Homem das Neves-Jimmy, obrigado – diz Barba Negra. – Os porcos estão dizendo que é bom coçar atrás das orelhas dela.

Ao contar a história nos anos seguintes, Toby acentuaria que a porca que transportou o Homem das Neves-Jimmy voava como o vento. Isso é o que deveria se dizer de um companheiro de lutas caído, especialmente de quem prestou um serviço tão importante – um serviço que não por acaso resultou na salvação da própria vida de Toby. Pois se o Homem das Neves-Jimmy não tivesse sido transportado pela porca, Toby estaria sentada aqui esta noite, usando o boné vermelho e contando a história para eles? Não, ela não estaria aqui. A essa altura seria compostagem debaixo de um pé de sabugueiro, assumindo uma forma diferente. Uma forma realmente muito diferente, ela pensaria a respeito de si mesma privadamente.
Então, na história de Toby, a porca em questão voava como o vento.

Uma narração complicada pelo fato de que Toby não conseguiria pronunciar o nome da porca voadora com um ronco suíno original. Mas ninguém na plateia de crakers se importaria, se bem que eles soltariam algumas risadas. As crianças fariam brincadeiras, uma delas no papel da heroica porca que voava como o vento, usando determinadas expressões, e a menor no papel de Homem das Neves-Jimmy agarrado às costas daquela coisa.

Costas *dela*. Os porcões não eram objeto. Era um direito dela. Mais respeito.

No momento as coisas são um pouco diferentes. O transporte de Jimmy é irregular, o lombo da porca é arredondado e escorregadio. Ele se vê aos solavancos para cima e para baixo, e a certa altura quase escorrega por um lado, e depois, por outro. E quando isso acontece, os porcões que estão nos flancos o empurram para cima, enfiando os focinhos nas axilas dele, isso o faz sentir cócegas e ele começa a gritar histericamente.

– Puta que pariu, você não pode fazer esse cara calar a boca? – diz Zeb. – Assim acabaremos tocando gaitas de fole.

– Ele não pode evitar – diz Toby. – É um reflexo.

– Se eu bater na cabeça dele também será um reflexo – retruca Zeb.

– Eles provavelmente sabem que estamos a caminho – diz Toby. – Talvez tenham visto os batedores.

Eles seguem a liderança dos porcões, mas Jimmy é quem orienta verbalmente.

– Ainda estamos nos limites da plebelândia – diz – Lembro-me deste lugar. – Algum tempo depois. – Estamos chegando à Terra de Ninguém, uma zona descampada e limítrofe antes dos complexos.

Passado um tempo, anuncia.

– Principal perímetro de segurança próximo. Mais adiante, a CryoJeenyus. Em seguida, a Genie-Gnomos. Olhem aquela porra de sinal com luz fantasmagórica! A energia solar ainda deve estar funcionando.

Depois.

– Lá vem o maior. O complexo da RejoovenEsense. – Corvos no muro: quatro, não, cinco. Corvos, sinal de tristeza, dizia Pilar, acrescentando, também são protetores ou malandros, vocês escolhem. Dois corvos decolam e sobrevoam, avaliando-os. Os portões da Rejoov estão abertos. Lá dentro, casas desertas, shoppings desertos, laboratórios desertos, tudo deserto. Trapos de panos, carros solares abandonados.

– Graças a Deus estamos com os porcos – diz Jimmy. – Sem eles seria agulha no palheiro. O lugar é um labirinto.

Mas os porcões conhecem a trilha. Eles trotam para a frente em ritmo constante e sem hesitar. Cruzam uma esquina, cruzam outra esquina.

– Lá está – diz Jimmy. – Lá na frente. Os portões do Paradice.

Casca de ovo

Crake planejara sozinho o Projeto Paradice, circundado por um estreito perímetro de segurança que reforçava o muro de barreira da Rejoov. Lá dentro, um parque, um plantio microaclimatado de um misto de *splices* tropicais, tolerantes à seca e à chuva. No centro de tudo, a cúpula Paradice, uma casca de ovo impenetrável com clima controlado e inacessível ao ar que abrigava o tesouro de Crake, os bravos e novos humanos. E bem ao centro da cúpula, um ecossistema artificial, onde os crakers tinham sido trazidos à vida em toda a sua estranha perfeição.

Eles chegam ao perímetro do portão e se detêm para fazer um reconhecimento. Ninguém nas guaritas laterais, segundo os porcões, as caudas e orelhas inativas sinalizam isso.

Zeb acena e eles fazem uma parada de descanso: precisam recuperar as forças. Eles recorrem às garrafas de água e cada um ingere meia Joltbar. Os porcões encontram um pé de abacatomanga e engolem as frutas ovais e alaranjadas repletas de polpa, triturando os caroços com as mandíbulas. Uma doçura fermentada inunda o ar.

Espero que não fiquem bêbados, pensa Toby. Isso não seria bom, porcões bêbados.

– Como está se sentindo? – pergunta para Jimmy.

– Lembro-me deste lugar – ele diz. – De cada detalhe. Merda. Gostaria de não lembrar.

À frente está a estrada que segue até a floresta. Galhos sem podas atingem o corredor de luz acima, ervas daninhas oportunistas espalham-se até as margens rasteiras. Fora da espuma inchada de vegetação, a cúpula curvilínea emerge como a parte branca do olho de um paciente sedado. No passado, uma cúpula talvez brilhante e resplandecente, como a lua cheia ou como o sol nascente de esperança, mas sem os raios ardentes. Agora, a cúpula parece estéril. Mais que isso, parece uma armadilha: quem pode dizer o que está escondido lá dentro?

Mas isso se deve apenas ao pouco que sabemos, pensa Toby. Na imagem por si própria não há sinal algum de morte a um observador inocente.

– Ó Toby! – diz Barba Negra. – Olhe! É o ovo! O ovo onde Crake nos criou!

– Lembra-se disso? – ela diz.

– Não sei – ele diz. – Não muito. Cresciam árvores nele. Chovia, mas sem trovão. Oryx nos visitava todo dia. Ela nos ensinava muitas coisas. Nós éramos felizes.

– Talvez não seja mais o mesmo – ela diz.

– Oryx não está lá – diz Barba Negra. – Ela voou para longe porque queria ajudar o Homem das Neves-Jimmy quando ele ficou doente, não é?

– É, sim, tenho certeza que ela fez isso – diz Toby.

Os jovens porcões batedores seguem à frente para farejar possíveis emboscadas na estrada. Em seguida voltam correndo pelo asfalto coberto de folhas. Suas orelhas e seus rabos estão esticados para trás: motivo de alarme.

Os mais velhos abandonam as posições entre os abacatomangas ao solo; Barba Negra corre em direção a eles, uma reunião ligeira. Os maddadamitas aglomeram-se ao redor.

– O que foi? – pergunta Zeb.

– Eles disseram que os homens maus estão perto do ovo – responde Barba Negra. – Três. Um está amarrado com cordas. Ele tem penas brancas no rosto.

– O que ele está vestindo? – pergunta Toby. Será um caftan, como aqueles que Adão Um sempre usava? Mas como perguntar isso? Ela muda a frase. – Ele tem uma segunda pele?

– Merda – diz Jimmy. – Mantenha-os fora do depósito de emergência! Eles vão pegar todas as pistolas e estaremos ferrados!

– Sim, ele tem uma segunda pele, como você – diz Barba Negra.
– Só que não é cor-de-rosa. É uma cor diferente. É suja. Ele só tem um desses no pé. Um sapato.
– Uau! Faremos isso? – diz Rhino. – Não podemos nos mover com muita rapidez.
– Mandamos alguns porcos – diz Zeb. – Os mais rápidos. Eles podem cortar caminho pela floresta.
– E depois o quê? – pergunta Rhino. – Eles não podem segurar a porta principal. Aqueles sujeitos têm uma pistola. E não sabemos se estão com muita munição.
– Não podemos simplesmente deixar que os porcões sejam abatidos como ratos dentro de um barril – diz Toby. – Jimmy, depois de entrarmos no Paradice, onde encontramos o depósito?
– Há duas portas, uma a vácuo e outra interna. Eu deixei as duas abertas. Você desce o corredor à esquerda e depois vira à direita, e depois vira à esquerda. Os malditos porcos precisam entrar naquela sala e manter a porta fechada por dentro.
– Certo, como é que nós vamos dizer isso, Toby? – pergunta Zeb.
– Direita e esquerda podem ser um problema – ela responde.
– Não acho que os crakers saibam fazer essa distinção.
– Pense bem – diz Zeb. – O relógio está correndo.
– Barba Negra? – Toby o chama. – Isto aqui é a imagem do ovo, se você olhar para ele do alto. – Ela desenha um círculo no chão com uma vara. – Está vendo?
Barba Negra olha para o desenho e meneia a cabeça, sem muita convicção. Já estamos por um fio, pensa Toby.
– Muito bem. – Ela aparenta falsa cordialidade. – Você pode dizer isso para os porcos? Dizer que eles precisam agir com muita rapidez. Cinco deles, pelas árvores. Eles precisam passar pelos homens maus em direção ao ovo. E depois precisam seguir até aqui. – Ela faz o traçado com a vara. – E aqui. – Ela se volta para Jimmy. – Está certo?
– Certo o suficiente – responde Jimmy.
– Eles precisam entrar e fechar a porta. Precisam se encostar na porta para que os homens maus não possam entrar naquela sala – continua Toby. – Você pode dizer tudo isso para eles?

Barba Negra parece intrigado.
— Por que os homens querem ir para o ovo? — pergunta. — O ovo é para fazer. Eles já estão feitos.
— Eles querem encontrar algumas coisas que matam — diz Toby.
— Os paus que fazem furos.
— Mas o ovo é bom. Ele não tem coisas que matam.
— Agora tem — ela diz. — Temos que nos apressar. Você pode dizer para eles?
— Vou tentar — diz Barba Negra. Ele se ajoelha no chão. Dois porcões maiores abaixam a cabeça, ladeando-o de ambos os lados, de forma que um dentão canino branco encosta no pescoço do menino. Toby estremece. Ele começa a cantar enquanto rastreia o desenho de Toby na areia com a vara. Os porcões farejam o diagrama. Oh, não, pensa Toby. Isso não vai funcionar. Eles estão achando que é algo para comer.

Mas logo erguem os focinhos e se movem para se juntar aos outros. Grunhidos baixinhos, movimentos inquietos de rabos. Indecisão?

Cinco porcões de porte médio separam-se do grupo e seguem a meio galope, dois para a esquerda da estrada, três para a direita. São engolidos pela vegetação rasteira.

— Parece que eles conseguiram — diz Rhino.
Zeb sorri.
— Ótimo — diz para Toby. — Eu sempre soube que você tinha potencial.
— Eles estão indo para o ovo — diz Barba Negra. — Eles disseram que não vão chegar muito perto daqueles homens. Eles vão ter cuidado com o pau que faz sair sangue.
— Tomara que façam isso — diz Zeb. — Vamos caminhar.
— Não é muito longe — diz Jimmy. — De qualquer forma, eles não podem atirar em nós pelas janelas porque não há janelas. — Ele sorri sem graça.
— Zeb? — Toby o chama quando eles saem da estrada. — E o terceiro cara? Não tenho certeza. Mas acho que é Adão Um.
— Pois é — diz Zeb. — Imaginei isso.
— O que faremos para trazê-lo de volta?

– Eles vão querer fazer uma troca – responde Zeb.
– Pelo quê?
– Pistolas, caso os porcos os detenham. E outras coisas.
– Como, por exemplo?
– Como, por exemplo, você – ele diz. – É o que eu faria no lugar deles.
Sim, ela pensa. Eles vão querer se vingar.

A cúpula Paradice encontra-se à frente. Silêncio absoluto. A porta a vácuo está aberta. Três leitões atravessam-na e retornam.
– Eles estão lá dentro, os homens – diz Barba Negra. – Mas lá no fundo. Não estão perto da porta.
– Eu entro primeiro – diz Jimmy. – Só por um minuto. – Toby se coloca atrás dele.
Há dois esqueletos arrebentados no piso da câmara. Os ossos estão roídos e remexidos, sem dúvida por animais. Trapos de pano, uma pequena sandália rosa e vermelha.
Jimmy cai de joelhos, cobre o rosto com as mãos.
Toby toca no ombro dele.
– Vamos agora – diz.
– Me deixe em paz! – ele diz.
Uma fita cor-de-rosa suja está amarrada nos longos cabelos negros de um dos crânios; o cabelo custa a cair, diziam os jardineiros. Jimmy desata o laço e torce a fita nos dedos.
– Oryx. Ó Deus – diz. – Crake, seu filho da puta! Você não precisava matá-la!
Zeb coloca-se ao lado de Toby e diz para Jimmy.
– Talvez ela já estivesse doente. Talvez ele não pudesse viver sem ela. Vamos nessa, nós temos que chegar lá.
– Oh, merda, poupe-me da porra dos clichês! – diz Jimmy.
– Podemos deixá-lo aqui por enquanto, ele estará seguro; vamos entrar – diz Toby. – Precisamos nos assegurar de que não entrem na sala de armazenamento.
O resto do grupo está do outro lado da porta – os maddadamitas, a principal infantaria dos porcões.
– O que foi? – pergunta Rhino.

Barba Negra puxa Toby pela mão.

– Por favor, ó Toby, o que são *clichês*?

Ela não sabe o que responder, já que a verdade veio à tona para ele: os esqueletos são de Oryx e Crake. Ele ouviu e registrou o que Jimmy disse. Ele gira o rostinho assustado para ela, e ela testemunha a súbita queda, a quebra, o dano.

– Ó Toby, esta é Oryx e este é Crake? – ele pergunta. – O Homem das Neves-Jimmy disse isso! Mas eles são ossos fedorentos, eles são ossos muito fedorentos! Oryx e Crake devem ser bonitos! Como nas histórias! Eles não podem ser ossos fedorentos! – O menino cai em prantos, como se o seu coração estivesse prestes a quebrar.

Toby se ajoelha, estende os braços e o abraça apertado. O que dizer? Como confortá-lo diante de uma tristeza terminal?

A HISTÓRIA DA BATALHA

Esta noite Toby não pode contar história. Ela está muito triste por causa dos mortos queridos. Os que morreram na batalha. Então, eu mesmo vou tentar contar esta história para vocês. Vou contar da maneira certa, se conseguir.

Primeiro coloco o boné vermelho na minha cabeça, o boné do Homem das Neves-Jimmy. Estas marcas aqui – vejam, é uma voz, e ela está dizendo: RED. Está dizendo: SOX.

SOX é uma palavra especial de Crake. Não sabemos o que significa. Toby também não sabe. Talvez a gente fique sabendo mais tarde.

Mas vejam – o boné vermelho está na minha cabeça e não me machuca. E não vai crescer uma pele extra em mim, tenho minha própria pele, a mesma. Posso tirar o boné, posso pô-lo de novo. Ele não vai ficar preso na minha cabeça.

Agora, vou comer o peixe. Nós não comemos peixe, nem osso fedorento, nós não comemos isso. É uma coisa difícil de fazer, comer peixe. Mas tenho que fazer. Crake fez muitas coisas difíceis para nós, quando ele estava na Terra como pessoa. Ele varreu o caos para nós e...

Vocês não precisam cantar.

... e ele fez muitas outras coisas difíceis, e por isso vou tentar fazer essa coisa difícil que é comer peixe de osso fedorento. Ele está cozido. Ele é muito pequeno. Acho que Crake não vai ligar se eu colocá-lo na boca e depois tirar.

Pronto.

Desculpem por fazer esse barulho de pessoa doente.

Por favor, tirem o peixe daqui e joguem na floresta. As formigas vão ficar felizes. As larvas vão ficar felizes. Os abutres vão ficar felizes.

Sim, tem um gosto muito ruim. Um gosto que cheira a osso fedorento, ou cheira a morto. Vou mastigar muitas folhas para me livrar do gosto. Mas se eu não fizesse essa coisa difícil com gosto ruim, eu não poderia ouvir a história que Crake está me contando e que depois vou contar a vocês. Foi assim que foi com o Homem das Neves-Jimmy, e foi assim que foi com Toby. O difícil quando se come o peixe, quando se prova o osso fedorento, é que isso precisa ser feito. Primeiro as coisas ruins, depois a história.

Obrigado pelo ronronar. Já não estou me sentindo tão doente agora.

Esta é a história da batalha. Ela conta como Zeb, Toby, o Homem das Neves-Jimmy, e os outros de duas peles e os porcos removeram os homens maus, e também conta como Crake varreu o povo do caos para fazer um lugar bom e seguro para nós vivermos.

E Toby, Zeb, o Homem das Neves-Jimmy e os dois de pele e os porcos precisaram varrer os homens maus, porque, se não fizessem isso, o nosso lugar nunca seria seguro. Os homens maus nos matariam como mataram o bebê porco, com uma faca. Ou com um pau que faz furos que vertem sangue. Foi por isso, então.

Toby disse isso para mim. É uma boa razão.

E os porcos ajudaram, porque não queriam que os homens maus matassem outros bebês com uma faca. Ou com um pau. Ou com outras coisas, como uma corda.

Os porcos podem farejar melhor que qualquer outro. Nós farejamos melhor que pessoas de duas peles, mas os porcos farejam melhor que nós. E por isso os porcos ajudaram, farejando as pegadas dos homens maus e mostrando para onde eles estavam indo. E ajudaram a persegui-los.

E eu também estava lá, para dizer aos outros tudo que os porcos diziam. Eu tinha sapatos nos pés. Vocês sabem, sapatos, estes aqui, estão vendo? Eles têm luzes e asas. Eles são uma coisa especial de Crake, e agradeço por ter os sapatos, e digo muito obrigado. Mas não preciso colocá-los, só se houver perigo e outros homens maus para serem eliminados. Então, não estou com eles nos pés agora. Eles estão aqui ao meu lado, porque fazem parte da história.

Mas naquele tempo coloquei os sapatos nos pés e caminhamos um longo caminho, onde estão os edifícios e onde não podemos ir porque eles podem cair. Naquele tempo me levaram lá e vi muitas coisas. Vi coisas que sobraram do caos, muitas. Vi prédios vazios, muitos. Vi peles vazias, muitas. Vi coisas de metal e coisas de vidro, muitas. E os porcos carregaram o Homem das Neves-Jimmy.

Depois, os porcos seguiram os homens maus com o nariz, e descobriram onde eles estavam. E os homens maus entraram no ovo, mas o ovo só deve ser para fazer e não para matar. E alguns porcos também entraram no ovo, na sala onde estavam as coisas que matam, para que os homens maus não pegassem essas coisas. Depois, os homens maus saíram correndo e se esconderam dentro do ovo, nos corredores do ovo. A princípio, não podíamos vê-los.

O ovo estava escuro, sem luz, como era antes. Nós podíamos ver quando estávamos dentro do ovo, mas não era esse mesmo tipo de escuro. O ovo tinha um sentimento escuro. Tinha um cheiro escuro.

E o Homem das Neves-Jimmy atravessou a primeira porta do ovo, e encontrou uma pilha de ossos fedorentos e outra pilha de ossos fedorentos, era tudo misturado, e ele ficou muito triste, e caiu de joelhos, e chorou. E Toby queria ronronar em cima dele, mas ele disse: "Me deixe em paz!"

E depois ele tirou uma coisa cor-de-rosa que se dobrava no cabelo que estava dentro de uma pilha de ossos fedorentos, e ele segurou a coisa e disse: "Oryx. Ó Deus." E depois ele disse: "Crake, seu filho da puta! Você não precisava matá-la!"

E Toby e Zeb estavam lá. E Zeb disse: "Talvez ela já estivesse doente. Talvez ele não pudesse viver sem ela." E o Homem das Neves-Jimmy disse: "Oh, merda, poupe-me da porra dos clichês!"

E eu perguntei para Toby: "O que são *clichês*?" E Toby disse que era uma palavra para ajudar as pessoas a passar por um problema quando elas não conseguiam pensar em mais nada. E eu esperei que Foda viesse voando rapidamente para ajudar o Homem das Neves-Jimmy, que estava muito perturbado.

E eu também estava muito perturbado, porque o Homem das Neves-Jimmy disse que aquelas pilhas de ossos eram Oryx e Crake.

E eu tive uma sensação muito ruim, e fiquei com medo. E eu disse: "Ó Toby, esta é Oryx e este é Crake? Mas eles são ossos fedorentos, eles são ossos muito fedorentos! Oryx e Crake devem ser bonitos! Como nas histórias! Eles não podem ser ossos fedorentos!" E eu chorei, porque eles estavam mortos, muito mortos, e tudo desmoronou.

Mas Toby disse que as pilhas de ossos não eram mais Oryx e Crake de verdade, elas só eram cascas, como cascas de ovo.

E que o ovo não era ovo de verdade, do jeito que ele é nas histórias. Era só uma casca de ovo, como a casca quebrada e deixada para trás quando os pássaros saem do ovo. E até nós somos como pássaros que não precisamos mais de casca de ovo quebrada, não é?

E ela disse que agora Oryx e Crake tinham formas diferentes, não as mortas, e que eles são bons e gentis. E bonitos. Do jeito que os conhecemos nas histórias.

Então, eu me senti melhor.

Por favor, não cantem ainda.

Depois, nós todos entramos no ovo. Lá dentro não estava brilhante, mas também não estava escuro, porque o brilho do sol atravessava a casca do ovo. Mas a sensação de escuridão estava no ar. E depois estávamos no meio de uma batalha. Uma *batalha* é quando você quer varrer os outros, e os outros querem varrer você.

Nós não temos batalhas. Nós não comemos peixe. Nós não comemos osso fedorento. Crake nos fez assim. Sim, o bom, o gentil Crake.

Mas Crake fez os de duas peles para que eles pudessem fazer batalhas. Ele também fez os porcos assim. Os porcos fazem uma batalha com as suas presas, e os outros fazem uma batalha com os paus que fazem furos por onde sai o sangue. É assim que eles são feitos.

Eu não sei por que Crake fez todos assim.

Os porcos caçaram os homens maus. Caçaram nos corredores e caçaram no centro do ovo, onde havia muitas árvores mortas. Não como quando fomos feitos no ovo; naquele tempo as árvores tinham muitas folhas, e água bonita, e chovia, e as estrelas brilhavam no céu. Mas agora não havia estrelas, só um teto.

E depois os porcos me falaram de todos os lugares por onde tinham caçado os homens maus. Toby não me deixou ir com eles, porque ela disse que eu poderia ter furos com sangue, ou porque os maus poderiam me agarrar, e que isso seria pior. Então, não pude ver tudo que aconteceu, mas ouvi os gritos, os porcos gritavam e os meus ouvidos doíam. A voz do porco quando grita é muito, muito alta.

E ouvi som de galope, e de passos com sapatos. E depois silêncio, e depois era hora de pensar no que estava acontecendo: no pensamento dos maus, e no pensamento dos porcos e no pensamento de Zeb, e Toby, e Rhino. Eles queriam que os porcos caçassem os homens maus para que os homens maus corressem até onde eles estavam e eles pudessem fazer buracos com os paus, mas isso não aconteceu. Lá dentro do ovo tem muitos, muitos corredores.

E um porco chegou e me disse que só tinham dois homens maus sendo caçados nos corredores. Mas três tinham entrado no ovo. E o terceiro estava acima de nós: os porcos sentiam o cheiro dele. Ele estava acima de nós, mas os porcos não sabiam onde.

E eu contei isso para Zeb e Toby, e Zeb disse: "Eles esconderam Adão em algum lugar no segundo andar. Cadê as escadas?" E o Homem das Neves-Jimmy disse que havia escadas de incêndio em quatro lugares. E Toby disse: "Você pode nos levar até lá?" E o Homem das Neves-Jimmy disse: "Vocês vão subir por uma escada e eles vão descer por outra escada e fugir, e depois?" E Zeb disse: "Merda."

Três porcos foram feridos enquanto estavam caçando os homens maus nos corredores, e um deles caiu e não conseguiu se levantar novamente. Era o que tinha carregado o Homem das Neves-Jimmy. E eu vi uma parte da batalha e fiz os barulhos de uma pessoa doente. E chorei.

Depois, dois homens maus subiram alguns degraus. *Degraus* são... mais tarde conto a vocês o que são degraus. Mas os porcos não podem subir degraus. E quando os maus chegaram lá em cima, nós não conseguimos vê-los.

E Zeb e Toby e os outros de duas peles me disseram para dizer aos porcos que encontrassem outros lugares de escada, e que gritassem se os homens maus tentassem descer. Depois, eles trouxeram madeira lá de fora e fizeram uma fogueira com fumaça. E a fumaça subiu pelas escadas. E eles taparam o rosto com panos e esperaram perto do pé da escada, para onde os homens fugiriam lá do alto, e depois havia muita fumaça – muita fumaça, eu vi, eu tossi! – e dois homens maus apareceram no alto da escada, e eles empurraram o terceiro homem na frente e o seguraram pelos braços, um de cada lado. E o homem tinha cordas nas mãos. E só tinha um sapato. No pé. Mas era um sapato sem asas e sem luzes. Não era como estes sapatos aqui, os que estavam nos meus pés.

E Toby disse: "Adão!"

E o homem começou a dizer alguma coisa e o mau bateu nele, bateu com penas curtas no rosto dele. E depois o homem mau com penas longas disse: "Deixem a gente passar ou ele vai ter." E eu não sabia o que ele ia ter.

E Zeb disse: "Tudo bem, podem passar, mas o devolvam." O outro homem mau então disse: "Segure essa vagabunda, e também queremos as pistolas. E façam esses malditos porcos pararem!"

Mas o homem Adão que tinha cordas nas mãos balançou a cabeça, e isso significava não. E depois ele se afastou dos outros que o seguravam pelos braços e pulou para a frente, e ele caiu e rolou escada abaixo. E um dos homens maus fez um buraco nele com um pau.

E Zeb correu na direção de Adão, e Toby levantou a arma e apontou, e a arma fez um som, e o homem mau que fez um buraco em Adão soltou o pau; e ele caiu, segurando a perna e gritando.

E Toby quis correr para ajudar Zeb com o homem Adão, no pé da escada, e o Homem das Neves-Jimmy tentou segurá-la pelas costas com uma das mãos, na segunda pele cor-de-rosa dela. E o Homem das Neves-Jimmy me empurrou para trás, mesmo assim eu pude ver.

O outro homem mau se escondeu atrás de uma parede, mas a cabeça e o braço apareciam, e agora ele tinha um pau, e ele apontou para Toby. Mas o Homem das Neves-Jimmy viu e foi muito rápido e se pôs na frente dela, e ele é que ficou com os buracos. E ele também caiu, com sangue saindo, e não se levantou.

E depois Zeb usou aquela sua coisa pau, e o segundo homem mau deixou cair sua coisa pau e segurou o próprio braço. E ele também gritou. E eu tapei os ouvidos com as mãos, porque havia muita dor. Tudo aquilo doeu muito em mim.

E Rhino e Shackleton e os outros com duas peles subiram a escada, pegaram os dois homens, amarraram com cordas e os puxaram para baixo da escada. Mas Zeb e Toby estavam com Adão, e também com o Homem das Neves-Jimmy. E eles estavam tristes.

E todos nós saímos de dentro do ovo, de onde estava saindo fumaça e depois chamas. E nos afastamos rapidamente de lá. E houve barulhos lá dentro.

E Zeb carregou Adão, que estava muito magro e muito branco, e Adão ainda respirava. E Zeb disse: "Eu estou com você, meu melhor amigo. Você vai ficar bem." Mas o rosto dele estava todo molhado.

E Adão disse: "Eu vou ficar bem. Reze por mim." E ele sorriu para Zeb e disse: "Não se preocupe. Eu não teria durado muito tempo. Plante uma árvore boa."

E eu disse para Toby: "Ó Toby, o que é *melhor amigo*? Este é o Adão, é o nome dele, você disse."

E Toby disse que melhor amigo era outro nome para *irmão*, porque Adão era irmão de Zeb.

Mas depois disso, o homem Adão parou de respirar.

E era noite, e nós caminhamos de volta bem devagar, com os homens maus sendo carregados pelos porcos porque eles estavam com buracos e com as cordas. Os porcos estavam com raiva por causa dos mortos, queriam cravar as presas naqueles homens e rolar sobre eles e pisoteá-los, mas Zeb disse que não era o momento.

E o Homem das Neves-Jimmy e Adão também foram carregados, e também os porcos mortos. E de noite chegamos ao prédio, onde estavam as crianças, e as mães, e as Mo'Hairs, e as mães porcas com seus bebês, e os outros de duas peles – Ren e Amanda e Swift

Fox e Ivory Bill e Rebecca, e os outros. E eles se aproximaram de nós e todos disseram muitas coisas, como "eu estava tão preocupado" e "o que aconteceu?" e "ó Deus!".

E nós, os Filhos de Crake, cantamos juntos.

Naquela noite, dormimos lá e comemos. E todos os que tinham participado da batalha estavam muito cansados. Eles falavam baixinho, olhavam com muito cuidado para o morto Adão e diziam que ele não tinha sido morto por causa da semente varredora do caos que Crake tinha feito, mas por causa dos buracos de onde tinha saído sangue. E eles diziam que de certa forma era uma misericórdia que Adão não tivesse sido morto pela coisa semente de Crake.

Eu vou perguntar mais tarde para Toby o que é *misericórdia*. Agora ela está cansada, ela está dormindo.

E eles embrulharam o homem Adão com um lençol cor-de-rosa, colocaram um travesseiro rosa debaixo da cabeça dele e ficaram quietos e tristes. E alguns porcos foram nadar na piscina, porque gostavam muito disso.

E no dia seguinte andamos até esta cabana aqui. E os porcos carregaram Adão, com ramos, flores, e com a porca morta, isso foi mais difícil para eles, porque ela era grande e pesada.

E eles carregaram o Homem das Neves-Jimmy da mesma maneira, embora ele não estivesse morto, não quando começamos a andar. E Ren andou ao lado dele, chorando e segurando a mão dele, porque ela era amiga dele; e Crozier andou do outro lado dela, ajudando-a.

Mas o Homem das Neves-Jimmy estava viajando na cabeça, para longe, muito longe, como tinha viajado antes, quando ele estava na rede e nós ronronamos. Mas dessa vez ele foi tão longe que não pôde voltar.

E Oryx estava lá com ele, e ela o ajudou. Eu o ouvi falar com ela, e depois ele foi para muito longe, fora de vista, e depois ele parou de respirar. E agora ele está com Oryx. E com Crake também.

Essa é a história da batalha.

Já podemos cantar.

HORA DA LUA

Julgamento

Na manhã seguinte eles realizam um julgamento. Sentam-se em volta da mesa de jantar – ou melhor, sentam-se os maddadamitas e os Jardineiros de Deus. Os porcões espalham-se pela grama e os seixos; os crakers pastam nas proximidades, ruminando eternos bocados de folhas e engolindo.

Os prisioneiros não estão presentes. Nem precisam estar: o que fizeram não está em questão. O julgamento é apenas sobre o veredicto.

– Então, estamos aqui para decidir o destino deles – diz Zeb.
– Que azar não termos podido acabar com eles no calor da jornada, mas já que é assim precisamos tomar algumas decisões a sangue-frio. Votar agora, alguma discussão?

– Eles são prisioneiros comuns? – diz Toby. – Ou prisioneiros de guerra? Isso é diferente, não é? – Ela de alguma forma sente-se impelida a defendê-los, mas por quê? Simplesmente porque eles não têm um advogado?

– Que tal acabar de vez com esses neurolixos? – sugere Rebecca.

– Eles são seres humanos como nós – retruca White Sedge. – Embora isso por si só não seja uma defesa.

– Eles mataram nosso irmão – diz Shackleton.

– Escória de merda – diz Crozier.

– Estupradores e assassinos – diz Amanda.

– Atiraram em Jimmy – diz Ren chorando.

Amanda abraça a amiga, mas sem chorar; parece impassível, uma escultura em madeira de si mesma. Ela daria um bom verdugo, pensa Toby.

– Pouco importa como sejam chamados – diz Rhino. – Contanto que não seja de *gente*.

Difícil escolher um rótulo, pensa Toby: três sessões na antiga e notória Arena da Painball tinham raspado todos os rótulos que eles poderiam ter, apagados da linguagem. Há muito os sobreviventes triplos da Painball eram conhecidos por não serem completamente humanos.

– Eu voto em todos os itens acima – diz Zeb. – E agora vamos dar andamento nisso.

White Sedge faz um apelo quase sentimental de clemência.

– Não devemos julgar – diz. – Pois a maldade deles é um resultado daquilo que outros fizeram a eles mais cedo. E considerando a plasticidade do cérebro e a forma pela qual eles tiveram o comportamento moldado pela dura experiência, como poderemos saber se tinham algum controle sobre o que fizeram?

– Está falando sério? – pergunta Shackleton. – Eles comeram a porra dos rins do meu irmão! Eles o destrincharam como se fosse uma Mo'Hair! Eu quero arrancar todos os dentes deles! Pelo rabo – acrescenta, sem necessidade.

– Não nos deixemos levar pelo calor das emoções – diz Zeb. – Controlemos a revolta. Todos nós temos motivos. Embora alguns mais do que outros. – Ele parece mais velho, pensa Toby. Mais velho e mais sombrio. Encontrar Adão e perdê-lo novamente, isso o arrasou. Estamos todos de luto, até mesmo os porcões. Estão de rabos caídos e orelhas flácidas; acariciam-se, consolando-se uns aos outros.

– Não devemos lutar por algo que deve ser decidido de maneira puramente filosófica e prática – diz Ivory Bill. – A questão é se teremos instalações prisionais, e por outro lado a justificativa teórica para...

– Não é momento para divagações – diz Zeb.

– É repreensível tirar a vida em quaisquer circunstâncias – diz White Sedge. – Não podemos deixar que nossos próprios padrões morais vacilem, só porque...

– Só porque grande parte da raça humana está dizimada e dificilmente os sobreviventes conseguirão energia solar suficiente para acender uma lâmpada? – diz Shackleton. – Quer mesmo deixar que essas duas fossas esmaguem os seus miolos?

– Não sei por que está sendo tão hostil – retruca White Sedge.

– Adão Um optaria por clemência.

– Talvez um erro – diz Amanda. – Você não estava lá, você não sabe o que eles fizeram conosco. Comigo e com Ren. Você não sabe como eles são.

– Ainda assim, com tão poucos seres humanos remanescentes, talvez seja melhor não perdermos o DNA humano cada vez mais raro – diz Ivory Bill. – Mesmo que os indivíduos em questão sejam eliminados, talvez os seus... os seus fluidos reprodutores possam ser colhidos, se possível, para ampliar a variedade genética. Um pool genético estagnado deve ser evitado.

– Você que evite – diz Swift Fox. – Pessoalmente, a mera ideia de ter relações sexuais com esses dois canalhas purulentos só para colher um DNA rançoso me dá náuseas.

– Você não precisa ter relações sexuais com eles para isso – diz Ivory Bill. – Poderíamos usar uma seringa de inseminação artificial.

– Use-a em você – diz Swift Fox em tom rude. – Os homens sempre dizem às mulheres o que fazer com seus *uterus*. Desculpe-me, seus *uteri*.

– Prefiro cortar os pulsos a deixar a merda dos fluidos reprodutores deles perto de mim outra vez – diz Amanda. – Já está ruim o bastante como está. Como posso saber se o meu próprio filho não vai ser um deles?

– De qualquer forma, uma criança com esses genes deturpados seria um monstro – diz Ren. – A mãe não poderia amá-la. Oh, desculpe – ela diz para Amanda.

– Tudo bem – diz Amanda. – Se for deles, entrego para White Sedge e ela poderá amá-lo. Ou os porcões poderiam comê-lo, eles adorariam.

– Poderíamos tentar a reabilitação – diz White Sedge serenamente. – Introduzi-los na comunidade, mantê-los num lugar seguro durante a noite, deixá-los ajudar. Às vezes, quando as pessoas colaboram, isso contribui para uma verdadeira mudança...

– Olhe em volta – diz Zeb. – Está vendo algum assistente social? Está vendo alguma cadeia?

– Contribui para o quê? – pergunta Amanda. – Você quer que eles se encarreguem das tarefas diárias?

– Isso colocaria todos em risco – pondera Katuro.

– Não há lugar seguro para mantê-los, a não ser um buraco na terra – diz Shackleton.
– O voto – diz Zeb.
Eles usam seixos: pretos para morte, brancos para misericórdia. No ar uma sensação arqueológica. Os antigos sistemas de símbolos ainda nos acompanham, pensa Toby enquanto procura seixos no boné vermelho de Jimmy. Só encontra um seixo branco.
Os porcões votam coletivamente por intermédio do líder, com Barba Negra como intérprete.
– Todos dizem *morte*. – Ele se volta para Toby. – Mas eles não vão comê-los. Não querem esses homens fazendo parte deles.
Os outros crakers estão intrigados. É visível que não entendem o que significa *voto*, ou *julgamento*, ou por que os seixos devem ser colocados no boné do Homem das Neves-Jimmy. Toby explica que isso é coisa de Crake.

A HISTÓRIA DO JULGAMENTO

Os dois homens maus foram colocados dentro de um quarto durante a noite e amarrados com cordas. Nós podíamos sentir que a corda os machucava e os deixava tristes e com raiva. Mas não os desamarramos como fizemos antes. Toby disse que não, porque isso só causaria mais mortes. E nós dissemos às crianças que não chegassem muito perto, porque os maus poderiam mordê-las.
E depois deram sopa para eles, com osso fedorento.
E de manhã houve um julgamento. Vocês todos viram. Aconteceu na mesa. Com muitas palavras. Os porcos também foram ao julgamento.
Talvez mais tarde a gente entenda o que é julgamento.
E depois do julgamento todos os porcos foram para a praia. E Toby foi com eles, e ela estava com aquela arma que não podemos tocar. E Zeb foi. E Amanda foi, e Ren. E Crozier e Shackleton. Mas nós, os Filhos de Crake, não fomos, porque Toby disse que isso nos prejudicaria.
E algum tempo depois todos voltaram para cá, sem os dois maus. Eles pareciam cansados. Mas estavam mais tranquilos.

Toby disse que agora estávamos a salvo dos homens maus. E os porcos disseram que agora seus bebês também estavam seguros.

E também disseram que, mesmo com a batalha terminada, eles manteriam o acordo que tinham feito com Toby e com Zeb, e que não caçariam nem comeriam os que tinham duas peles e que também nunca mais cavariam na horta deles. E não comeriam o mel das abelhas.

E Toby me disse que eu tinha que dizer estas palavras para eles: Nós concordamos em manter o acordo. Nenhum de vocês, ou de seus filhos, ou dos filhos de seus filhos jamais será um osso fedorento dentro de uma sopa. Ou um presunto, ela acrescentou. Ou um bacon.

E Rebecca disse: Que azar.

E Crozier disse: O que eles estão dizendo, que merda está acontecendo? É foda, viu?

E Toby disse: Cuidado com a língua, é confuso para ele.

E eu disse que Crozier não precisava chamar Foda naquela hora porque não estávamos em apuros e não precisávamos de ajuda. E Toby disse: É isso mesmo, ele não gosta de ser convocado para assuntos triviais. E Zeb tossiu.

Depois que os porcos foram embora, Toby nos disse que os dois homens maus tinham sido jogados no mar. Eles tinham sido varridos pela água, como Crake varreu o caos. E que agora tudo estava muito mais limpo.

Sim, o bom, o gentil Crake.

Por favor, não cantem.

Porque, quando vocês cantam, não consigo ouvir as palavras que Crake está dizendo para eu dizer, e também porque quando cantamos para ele, ele não consegue me dizer as palavras da história, porque ele tem que ouvir o canto.

Então, esta é a história do julgamento. É uma coisa de Crake. Não precisamos ter um julgamento entre nós. Somente os de duas peles e os porcos precisam ter julgamento.

E isso é uma coisa boa, porque não gostei do julgamento.

Obrigado. Boa noite.

Rituais

*F*esta do Cnidaria, escreve Toby. *Lua minguante convexa.*

No filo Cnidaria encontram-se a água-viva, os corais, as anêmonas-do-mar e a hidra. Os jardineiros comemoravam – se eles pudessem, nenhum filo ou organismo vivo seria deixado fora da lista dos banquetes e festivais. Mas algumas celebrações eram mais estranhas que outras. O Festival dos Parasitas Intestinais, por exemplo, era memorável, embora não se pudesse chamá-lo de delicioso.

A Festa do Cnidaria, no entanto, era especialmente bonita. Lanternas de papel em forma de água-viva, e diversas decorações a partir de objetos encontrados nas lixeiras. Fazia-se um uso criativo de balões e luvas de borracha inflados de ar, com filamentos de cordas e anêmonas-do-mar feitas com escovas redondas de lavar louça, e hidras feitas com sacos plásticos de sanduíche transparentes.

As crianças faziam um pequeno balé de água-viva; enfeitavam-se de serpentinas e agitavam os braços lentamente, e em determinado ano elas criaram e representaram uma peça interminável sobre o ciclo de vida da água-viva que transcorreu sem incidentes. *No início eu era um ovo, depois cresci e cresci, agora sou uma água-viva verde e rosa e azul.* Se bem que uma caravela portuguesa entrou em cena, tornando o drama possível: *Mergulhei aqui, mergulhei ali, meus tentáculos bem à vista, mas não se enrede em mim, ou darei fim em você.*

Será que Ren participou dessa peça?, Toby se pergunta. E Amanda? A música, a garra de uma menininha fazendo o papel de peixe, a fisgada fatal – eram características de Amanda, ou daquela Amanda esperta e rata de rua do passado, a mesma que pareceu renascida após o descarte daqueles dois malignos painballers.

...

"Após o descarte daqueles dois malignos painballers", ela escreve. *Descarte* os faz parecer lixo, como descarte de lixo. Ela se pergunta se esse tipo de insulto é digno de sua antiga posição como Eva Seis e responde que não, mas deixa assim mesmo.

"Após o descarte daqueles dois malignos painballers, Ren e Shackleton e Amanda e Crozier e eu voltamos caminhando pelo trajeto da floresta do AnooYoo. Fomos até a árvore onde os painballers penduraram o pobre Oates com a garganta cortada. Não restara muito do corpo – os corvos tinham se fartado, e Deus sabe o que mais –, mas Shackleton subiu na árvore e cortou a corda, e com a ajuda de Crozier reuniu os ossos do irmão mais novo e os amarrou com um lençol.

"Em seguida, era a vez da compostagem. Os porcões carregaram Adão e Jimmy até o local, como sinal de amizade e cooperação entre as espécies. Coletaram mais flores e samambaias e empilharam em cima dos corpos. Depois seguiram até o local em procissão. Os crakers cantaram durante todo o trajeto."

Ela acrescenta: "... isso foi um pouco difícil para os nervos." Mas ao refletir sobre os progressos de Barba Negra com a escrita, ela percebe que um dia ele poderia ser capaz de ler os registros e rabisca a frase.

"Após uma breve discussão, os porcões entenderam que não queríamos comer Adão e Jimmy, nem queríamos que eles os comessem. E eles concordaram. Suas regras para tais assuntos parecem complexas: leitões mortos são comidos por fêmeas grávidas porque fornecem mais proteínas para o crescimento dos bebês, mas os adultos, especialmente os adultos importantes, contribuem para o ecossistema em geral. Todas as outras espécies, no entanto, podem ser apanhadas."

Amanda acrescentara que não via uma transição para merda de porco como uma fase aceitável do ciclo da vida de Jimmy, uma observação não transcrita por causa de Barba Negra. Não restara muito de Oates para que isso se tornasse um problema nesse caso.

"Nós enterramos os três próximos a Pilar, e plantamos uma árvore em cima de cada um. Em homenagem a Jimmy, Ren, Amanda e Lotis Blue tinham feito uma viagem ao Jardim Botânico, à seção chamada Frutos do Mundo – sob orientação dos porcões que obviamente conheciam o lugar porque eram apaixonados por frutos – e tinham escolhido um pé de café Kentucky que tem folhas em forma de coração e produz bagas que podem substituir o café. Muitos do nosso grupo ficarão satisfeitos porque as raízes torradas utilizadas como café já estão começando a cansar.

"Em homenagem a Oates, Crozier e Shackleton escolheram uma árvore de carvalho porque lembrava o nome dele. Os porcões ficaram satisfeitos com isso porque mais tarde haveria bolotas de carvalho.

"Em homenagem a Adão Um, Zeb como parente mais próximo teria a opção da árvore. Optou pela nativa macieira-brava, segundo ele um tanto bíblica e também adequada. As maçãs teriam a virtude adicional de fazer uma boa geleia, o que deixaria Adão satisfeito: embora conscientes do simbolismo, os jardineiros eram práticos em tais assuntos.

"Os porcões tinham seus próprios ritos fúnebres. Eles não enterraram a porca morta, mas a colocaram na terra de uma clareira próxima a uma mesa de piquenique. Cobriram-na com flores e ramos e fizeram silêncio de rabinhos caídos. E depois os crakers cantaram."

– Ó Toby, o que está escrevendo? – pergunta Barba Negra que acabou de entrar no cubículo sem avisar, como de costume, e agora está à altura do cotovelo dela. Com seus grandes olhos verdes, luminosos e misteriosos, ele olha para o rosto dela.

Como Crake concebeu esses olhos? Como é que iluminam de dentro desse jeito? Ou pelo menos parecem iluminar. Talvez seja uma característica da luminosidade, ou então de uma bioforma do fundo do mar. Ela sempre se perguntou isso.

– Estou escrevendo uma história – diz. – A história de você, de mim e dos porcões, e de todos. Estou escrevendo sobre como colocamos o Homem das Neves-Jimmy e Adão Um debaixo da terra,

e Oates também, assim Oryx poderá dar-lhes a forma de uma árvore. E isso é uma coisa alegre, não é?
— É, sim. É uma coisa alegre. O que há de errado com seus olhos, ó Toby? Você está chorando? — pergunta Barba Negra, tocando na sobrancelha dela.
— Só estou um pouco cansada — ela diz. — E meus olhos também estão cansados. Escrever cansa os olhos.
— Vou ronronar em você — ele diz.
Entre os crakers, as crianças pequenas não ronronam. Barba Negra está crescendo rapidamente — crescem mais rápido, essas crianças. Mas ele já cresceu o bastante para ronronar? Aparentemente, sim: ele encosta as mãos na testa dela e a sonoridade minimotor do ronronar craker enche o ar. Nunca ronronaram para ela antes; é reconfortante, ela admite.
— Pronto! — exclama Barba Negra. — Contar história é difícil, e escrever história deve ser mais difícil. Ó Toby, da próxima vez, quando você estiver cansada demais para escrever, eu vou escrever a história. Eu serei o seu ajudante.
— Obrigada — ela diz. — Isso é muito gentil.
Barba Negra sorri como o amanhecer.

Hora da Lua

Festival da Briófita-musgo. Lua Velha.

Eu sou Barba Negra, e esta é a minha voz que estou escrevendo para ajudar Toby. Se olharem para o que escrevi, poderão me ouvir falando com vocês, dentro da cabeça de vocês. É isso que é a escrita. Mas os porcos podem fazer isso sem escrever. E às vezes nós, os Filhos de Crake, também podemos fazer dessa maneira. Os de duas peles não podem.

Hoje, Toby disse que as briófitas são um musgo. Eu disse que se são um musgo, então devo escrever *musgo*. Toby diz que musgo tem dois nomes, como o Homem das Neves-Jimmy. Então, estou escrevendo Briófita-musgo. Assim.

Hoje, fizemos imagens do Homem das Neves-Jimmy, e de Adão também. Nós não conhecemos Adão, mas fizemos a imagem para Zeb e Toby, e para os outros que o conheciam. Para o Homem das Neves-Jimmy usamos um esfregão, uma tampa de um pote, uns seixos e mais algumas coisas. Mas não o boné vermelho, porque é preciso guardá-lo para as histórias.

Para Adão usamos um pano-pele que encontramos, com dois braços e um saco branco de plástico para a cabeça, com penas que tiramos de uma gaivota que não precisava mais delas, e alguns vidros azuis que achamos na praia, porque ele tinha olhos azuis.

Um dia fizemos uma imagem do Homem das Neves-Jimmy, para chamá-lo de volta, e a imagem o chamou de volta. Dessa vez as imagens não chamaram o Homem das Neves-Jimmy e Adão de volta, mas vão fazer Zeb, Toby, Ren e Amanda se sentirem melhor. É por isso que fizemos as imagens. Eles gostam de imagens.

Obrigado. Boa noite.

...

Festa de Santa Maude Barlow, da Água Doce. Lua Nova.

Zeb ainda se recupera da morte de Adão. Ele e os outros estão fazendo uma extensão da cabana porque em breve será preciso um berçário. As gestações estão avançando com mais rapidez que de costume, e a maioria das mulheres acredita que os três bebês sejam híbridos crakers.

A horta está progredindo bem. O rebanho de Mo'Hair está aumentando – com três novos acréscimos, uma de cabelo azul, uma ruiva e uma loura. Se bem que perdemos um dos cordeiros para um leocarneiro. Os leocarneiros também parecem estar aumentando.

"Um dos crakers relata que está vendo algo que soa como um urso", escreve Toby. "Não seria surpreendente. Será que devemos fazer a guarda das colmeias? Sobraram duas colmeias, o outro enxame foi capturado.

"Os cervos proliferam; eles são uma fonte aceitável de proteína animal. É uma carne mais magra do que a carne de porco, mas não muito saborosa. Carne de cervo não faz bacon de boa qualidade, mas Rebecca diz que é mais saudável."

Festival das Gimnospermas. Lua Cheia.

Toby comete o erro de anunciar aos outros o Festival das Gimnospermas dos Jardineiros de Deus. Rolam piadas ruins sobre ginastas e espermatozoides e até mesmo sobre os machos crakers, uma feita por Zeb, o que é um bom sinal. Talvez o tempo de luto esteja chegando ao fim.

Foram instaladas três outras unidades funcionais solares. Uma das instaladas antes saiu de uso. Uma bioleta-violeta está com defeito. Shackleton e Crozier estão tentando fazer carvão vegetal, com resultados variados. Rhino, Katuro e Manatee têm pescado lá embaixo na costa. Ivory Bill está projetando um coracle.

Dois jovens porcões – pouco mais velhos que os leitões – cavaram sob a cerca da horta e foram flagrados enquanto comiam os vegetais de raiz, cenouras e beterrabas em particular. Os maddadamitas tinham reduzido a vigilância sobre os porcões, convictos de que o acordo seria mantido. E continua mantido com os adultos, mas os jovens de todas as espécies não respeitam as regras.

Reivindicou-se uma assembleia. Os porcões mandaram uma delegação de três adultos que se mostraram envergonhados, como geralmente os adultos se mostram em relação aos seus jovens. Barba Negra serviu de intérprete.

Isso não acontecerá de novo, disseram os porcões. Os jovens infratores foram ameaçados de passarem por uma repentina transição ao estado de bacon e sopa de ossos, o que aparentemente causou a impressão desejada.

Festival de São Geyikli
Pai dos Cervos. Lua Nova.

As abelhas estão produtivas: ocorreu a primeira colheita de mel. White Sedge começou um grupo de meditação musical, da qual muitos crakers desfrutam. Beluga a assessora. Tamaraw tem se aventurado na produção de queijo de ovelha duro e macio, e também de iogurte. Concluíram o berçário a tempo. Muito em breve os três bebês terão nascido, embora Swift Fox afirme que terá gêmeos. Os berços estão sendo debatidos.

"Barba Negra já tem seu próprio diário", escreve Toby. "Ganhou de mim uma caneta e um lápis. Gostaria de saber o que ele está escrevendo, mas não quero me intrometer. Ele já está tão alto quanto Crozier. Já está mostrando sinais de cor azul e logo será um adulto. Por que isso me deixa tão triste?"

...

Festa de São Fiacre dos Jardins.

Esta é a minha voz, a voz de Barba Negra que você está ouvindo na sua cabeça. Isto se chama *leitura*. E este é o meu próprio livro, um livro novo escrito por mim e não por Toby.

Hoje, Toby e Zeb fizeram uma coisa estranha. Eles pularam por cima de uma pequena fogueira, e depois Toby deu um ramo verde para Zeb e Zeb deu um ramo verde para Toby. E depois eles se beijaram. E todos os de duas peles observaram, e depois aplaudiram.

E eu (Barba Negra) disse: "Ó Toby, por que você está fazendo isso?"

E Toby disse: "É um costume nosso. Isso mostra que nos amamos um ao outro."

E eu (Barba Negra) disse: "Mas vocês se amam de qualquer maneira."

E Toby disse: "É difícil de explicar." E Amanda disse: "Porque isso os deixa felizes." Barba Negra (eu sou Barba Negra) não vê por quê. Mas o que os deixa felizes ou não felizes é estranho.

Logo Barba Negra estará pronto para o seu primeiro acasalamento. Quando uma próxima mulher se tornar azul, ele também se tornará muito azul e colherá flores, e talvez ele seja escolhido. Ele (eu, Barba Negra) perguntou para Toby se os ramos verdes também são assim, como as flores que damos, para sermos escolhidos e depois cantarmos; e ela disse que sim, que era algo assim. Então, agora eu entendo isso melhor.

Obrigado. Boa noite.

Festival do Quercus. Banquete dos Porcões. Lua Cheia.

"Tomei a liberdade de introduzir os porcões no calendário regular de festas dos jardineiros", escreve Toby. "Merecem um dia em homenagem a eles. Anexei-os ao Festival do Quercus, o dia do carvalho. Achei isso justo, por conta de seus frutos, as bolotas."

Festa de Ártemis, Senhora dos Animais. Lua Cheia.

Os três nascimentos ocorreram nas últimas duas semanas. Ou melhor, os quatro, uma vez que Swift Fox deu gêmeos à luz, um menino e uma menina. Ambos com os olhos verdes dos crakers, um grande alívio para Toby porque assim não terá que enfrentar nenhum Zeb pequenininho. De um lençol florido, ela fez quatro chapeuzinhos de bebê para eles. As mulheres crakers os acharam hilariantes: para que serviriam aqueles chapéus? Os bebês delas não sofrem queimaduras solares.

Felizmente, o bebê de Amanda é de ascendência craker e não de um painballer: os grandes olhos verdes são inconfundíveis. Foi um parto difícil, e Toby e Rebecca tiveram que realizar uma episiotomia. Toby não quis ministrar muita papoula, com medo de prejudicar o recém-nascido; portanto, houve dor. Toby estava preocupada com a possibilidade de Amanda rejeitar o bebê, mas não o rejeitou. Ela parece estar completamente apaixonada por ele.

O bebê de Ren também é um híbrido craker de olhos verdes. Que outras características essas crianças podem ter herdado? Será que carregam o repelente de insetos ou as estruturas vocais originais que propiciam o ronronar e o cantar craker? Será que compartilharão os ciclos sexuais dos crakers? São questões muito discutidas em torno da mesa de jantar dos maddadamitas.

As três mães e os quatro filhos estão bem, e as mulheres crakers estão sempre presentes, ronronando, ajudando e trazendo presentes. São presentes significativos, embora sejam folhas de *kudzu* e peças brilhantes de vidros de praia.

Lotis Blue engravidou, ela afirma que o pai não é um craker; opta por Manatee. Ele está cheio de cuidados com ela, quando não está pescando na praia ou caçando cervos.

Crozier e Ren parecem unidos no desejo de criarem o filho de Ren. Shackleton está apoiando Amanda, e Ivory Bill ofereceu seus serviços como pai postiço dos gêmeos de Swift Fox. "Todos temos que arregaçar as mangas", ele disse, "pois este é o futuro da raça humana."

"Boa sorte nisso", disse Swift Fox, mas ela tolera a ajuda.

"Zeb e Rhino e eu arriscamos uma viagem até a drogaria", escreve Toby, "e conseguimos pegar vários pacotes de fraldas descartáveis. Mas serão mesmo necessárias? Os bebês crakers não usam fraldas."

FESTA DE KANNON-ORYX,
E DOS RIZOMAS-RAÍZES. LUA CHEIA.

Toby diz que Kannon é como Oryx. Ela diz que rizomas são como raízes. Então, eu (Barba Negra) escrevi essas coisas.

Aqui estão os nomes dos bebês que nasceram:
O bebê de Ren se chama Jimadão. Como o Homem das Neves-Jimmy, e também como Adão. Ren diz que ela queria que o nome de Jimmy continuasse sendo falado no mundo, e vivo; e ela queria o mesmo para o nome de Adão.

O bebê de Amanda se chama Pilaren. Um nome como Pilar, que vive no sabugueiro, com as abelhas; e também como Ren, que é muito amiga e ajudante de Amanda, nos bons e maus momentos, ela disse. Eu (Barba Negra) vou perguntar para Toby o que significam *bons e maus momentos*.

Os bebês de Swift Fox se chamam Medulla e Oblongata. Medulla é uma menina e Oblongata é um menino. Swift Fox diz que esses nomes têm uma razão que é difícil de entender. É algo dentro da cabeça.

Todos os bebês nos deixam muito felizes.

Eu (Barba Negra) tive o meu primeiro acasalamento, com SarahLacy, que escolheu a flor dele, por isso ele é mais feliz que todos. Em breve haverá outro bebê, SarahLacy nos disse, porque ele (Barba Negra) e os outro três dos quatro pais fizeram a dança de acasalamento muito bem.

E cantaram bem.

Obrigado. Boa noite.

LIVRO

Livro

Este é o livro que Toby fez quando viveu entre nós. Vejam, estou mostrando para vocês. Ela fez estas palavras numa *página*, e uma página é feita de *papel*. Ela fez as palavras com a escrita, que ela marcou com um pedacinho de pau que se chama *caneta*, cheia de um líquido negro chamado *tinta*, e ela fez as *páginas* se unirem lado a lado, e isso se chama livro. Vejam, estou mostrando para vocês. Este é o Livro, estas são as Páginas e aqui está a Escrita.

E ela mostrou para mim, Barba Negra, como se fazem essas palavras, dentro de uma página, com uma caneta, quando eu ainda era pequeno. E ela me mostrou como se transformam as marcas em voz; então, quando olho para a página e leio as palavras, escuto a voz de Toby. E quando falo essas palavras em voz alta, vocês também escutam a voz de Toby.

Por favor, não cantem.

E no Livro ela colocou as Palavras de Crake, e também as Palavras de Oryx, e de como eles nos fizeram juntos, e também fizeram este Mundo seguro e maravilhoso onde vivemos.

E as Palavras de Zeb também estão no Livro, e as do seu irmão, Adão; e as Palavras de Zeb que Comeu um Urso; e como ele se tornou o nosso Defensor contra os homens maus que fizeram coisas cruéis e dolorosas; e as Palavras dos Ajudantes de Zeb, Pilar e Rhino e Katrina WooWoo e March, a cobra, e de todos os maddadamitas; e as Palavras do Homem das Neves-Jimmy, que estava lá no início, quando Crake nos fez, e que liderou nosso povo para fora do Ovo e para este lugar melhor.

E as Palavras de Foda, embora essas palavras não sejam muito longas. Vejam, só uma página sobre Foda.

Sim, eu sei que ele nos ajuda quando estamos em apuros e chega voando. Ele foi enviado por Crake, e nós falamos o nome dele em homenagem a Crake. Mas não há muito nesta escrita sobre ele.

Por favor, não cantem ainda.

E Toby também escreveu Palavras sobre Amanda e Ren e Swift Fox, nossas Três Amadas Mães Oryx, que mostraram que nós e os de duas peles somos todos pessoas e ajudantes, embora com dons diferentes, alguns ficam azuis e outros não ficam.

Então, Toby disse que devemos ser respeitosos e que sempre devemos perguntar primeiro para ver se uma mulher está realmente azul ou se só está cheirando a azul, quando as coisas azuis estão em questão.

E Toby me mostrou o que fazer quando não houver mais canetas de plástico, e mais lápis; ela podia olhar para o futuro e via que chegaria um tempo em que canetas ou lápis ou papel não seriam mais encontrados, nos edifícios da cidade do caos, onde eles costumavam crescer.

E ela me mostrou como usar penas de asas de pássaros para fazer canetas, se bem que já fizemos canetas das costelas de um guarda-chuva quebrado.

Guarda-chuva é uma coisa do caos. Eles usavam isso para manter a chuva fora do corpo.

Eu não sei por que faziam isso.

E Toby me mostrou como fazer marcas pretas com tinta feita de cascas de nozes, misturadas com vinagre e sal; esta tinta é marrom. E tintas de cores diferentes podem ser feitas de bagas, e fizemos um pouco de tinta púrpura de bagas do sabugueiro com o espírito de Pilar nela, e escrevemos as palavras de Pilar com essa tinta. E Toby me mostrou como fazer mais papel a partir de plantas.

E Toby deixou avisos sobre este Livro que escrevemos. Ela disse que o papel não pode estar molhado, porque assim as Palavras derretem e não podem mais ser ouvidas, e o bolor cresce no papel, que fica preto e se desintegra. E que outro Livro deveria ser feito, com a mesma escrita, como o primeiro. E cada vez que uma pessoa aprender sobre a escrita, e o papel, e a caneta, e a tinta, e a leitura, ela também deve fazer o mesmo Livro, com a mesma escrita. Assim, ele sempre estará aqui para todo mundo ler.

E que no final do Livro deveríamos colocar outras páginas, e anexá-las ao Livro, e escrever coisas que poderiam acontecer depois que Toby fosse embora, para que pudéssemos conhecer todas as Palavras sobre Crake, e Oryx, e nosso Defensor Zeb, e seu irmão, Adão, e Toby, e Pilar, e as três Amadas Mães Oryx. E também sobre nós mesmos, e sobre o Ovo, de onde viemos no início.

E ensinei todas essas coisas sobre o Livro e o papel e a escrita para Jimadão, e Pilaren, e Medulla e Oblongata, que nasceram de Ren e Amanda e Swift Fox, nossas Três Amadas Mães Oryx.

E eles quiseram aprender, se bem que é difícil. Mas eles aprenderam essas coisas para ajudar a todos nós. E quando eu não estiver mais aqui entre nós, e estiver onde Toby e Zeb estão, como disse Toby que eu estaria um dia, Jimadão e Pilaren e Medulla e Oblongata é que vão ensinar essas coisas para os mais jovens.

E agora acrescentei as Palavras, e coloquei as coisas que aconteceram depois que Toby deixou de fazer qualquer Escrita e as coloquei no Livro. E fiz isso para que todos saibam dela, e de como começamos a existir.

E essas novas Palavras que fiz se chamam a História de Toby.

A história de Toby

Estou colocando o boné vermelho do Homem das Neves-Jimmy. Estão vendo? Está na minha cabeça. E coloquei o peixe na minha boca e o tirei novamente. Agora, é hora de ouvir, enquanto leio para vocês a História de Toby que escrevi no final deste Livro.

Um dia Zeb partiu em viagem para o sul. Foi para lá porque quando estava caçando cervos, ele viu uma fumaça no céu ao longe. E não era uma fumaça de uma floresta em chamas, e sim uma fumaça fina. E ele a observou durante alguns dias, e ela nem ficou maior nem menor, continuou a mesma. Então, um dia ele se aproximou. E no dia seguinte ele se aproximou ainda mais.

Então, Zeb nos disse que poderia haver outros – pessoas de antes do caos, antes de Crake varrer o caos. Mas seriam pessoas boas ou seriam homens maus e cruéis que nos machucariam? Não havia como saber. Mas ele não queria que essas pessoas se aproximassem muito de nós, a menos que pudesse descobrir a resposta para aquela pergunta. Se a resposta indicasse que elas eram boas, então nós seríamos ajudantes delas, e elas também seriam nossas ajudantes. Mas, se não fossem boas, então ele não deixaria que elas chegassem perto de nós para nos machucar, e acabaria com elas.

E Abraham Lincoln e Albert Einstein e Sojourner Truth e Napoleão quiseram ir com ele, para ajudar; e eu, Barba Negra, também quis ir, já que eu não era mais uma criança, e tinha me tornado um homem, de cor azul e forte. Mas Zeb disse que poderia ser muito cruel o que aconteceria. E não sabíamos o que significava *cruel*. E Zeb disse que esperava que nunca tivéssemos que descobrir. E Toby disse que precisávamos ficar para trás, porque podia haver uma batalha; e se fôssemos, os outros ficariam muito tristes se não voltássemos. E Toby disse que tinha perguntado para Oryx e também para o espírito de Pilar, e que os dois tinham dito que deveríamos ficar, e não ir com Zeb. E por isso não fomos.

E Zeb levou junto Black Rhino e Katuro. E Manatee e Zunzuncito e Shackleton e Crozier também quiseram ir, mas Zeb disse que eles precisavam ficar para proteger as crianças. E Toby também teria que ficar, com a coisa arma que não devemos tocar. Então, eles não foram. E Zeb disse que era só uma viagem de reconhecimento, só para ver; e se fosse má notícia ele faria um incêndio, e outro incêndio, até que víssemos a fumaça, e depois poderiam ser enviados reforços para ajudá-lo, e os porcos deveriam ser avisados, se bem que primeiro tínhamos que encontrá-los, porque eles se deslocam de um lugar para outro.

E esperamos por um longo tempo, mas Zeb não retornou. E Shackleton levou três dos nossos homens azuis para ver se a fumaça alta e fina ainda estava lá. E eles voltaram e disseram que não havia mais fumaça. Isso significava que aqueles que tinham feito a fogueira não eram bons, e que Zeb, nosso Defensor, talvez tivesse travado uma súbita batalha, para garantir que eles não se aproximassem de nós. Mas como ele não voltou, talvez ele também tivesse morrido na batalha, e Rhino e Katuro também.

E Toby chorou quando soube disso.

E depois todos ficaram tristes. Mas Toby ficou mais triste que todos os outros, porque Zeb tinha partido. E nós ronronamos muito para ela, mas ela nunca mais foi feliz.

E depois ela se tornou cada vez mais magra, e encolhida; e depois de muitos meses, ela disse que tinha uma doença debilitante dentro do corpo que a estava comendo e a levando embora. E que a doença não podia ser curada com ronronados, ou com larvas, ou com tudo o mais que ela conhecia; e que a doença debilitante estava aumentando, e que logo ela não estaria mais andando. E nós dissemos que poderíamos levá-la aonde ela quisesse ir, e ela sorriu e disse, muito obrigada.

Depois, ela chamou cada um de nós e disse boa noite, uma coisa que ela mesma tinha nos ensinado muito tempo antes. Isso é uma forma de esperar que a outra pessoa durma bem, e não seja perturbada por pesadelos. E nós também dissemos boa noite para ela. E cantamos para ela.

Depois, Toby pegou sua velha mochila cor-de-rosa, colocou a jarra de papoula dentro e também um frasco de cogumelos que éramos proibidos de tocar. E ela se afastou lentamente para dentro da floresta, com uma vara para ajudá-la, e nos pediu para que não a seguíssemos.
Não posso escrever neste livro para onde ela foi, porque não sei. Alguns dizem que ela morreu pelas próprias mãos, e que foi comida pelos abutres. Os porcos dizem isso. Outros dizem que Oryx a levou e que agora ela voa na floresta, à noite, na forma de uma coruja. Outros disseram que ela se juntou a Pilar, e que o espírito dela está no sabugueiro.
Mas outros dizem que ela se encontrou com Zeb, e que ele está na forma de um Urso, e que ela também está na forma de um Urso, e que agora ela está com ele. Esta é a melhor resposta, porque é a mais feliz; eu escrevi esta resposta. E também escrevi as outras respostas. Mas fiz uma escrita menor para elas.
As Três Amadas Mães Oryx choraram muito quando Toby se foi. Nós também choramos, e ronronamos para elas, e passado um tempo elas se sentiram melhor. E Ren disse, amanhã é outro dia, e nós dissemos que não sabíamos o que isso significava, e Amanda disse, não se preocupem porque isso não é importante. E Lotis Blue disse que era uma coisa de esperança.
Depois, Swift Fox nos disse que estava grávida novamente e que logo haveria outro bebê. E os quatro pais foram Abraham Lincoln e Napoleão e Picasso e eu, Barba Negra; eu estou muito feliz por ter sido escolhido para o acasalamento. E Swift Fox disse que se fosse uma bebê menina seria chamada Toby. E isso é uma coisa de esperança.

...

Este é o fim da história de Toby. Eu escrevi neste Livro. E coloquei o meu nome aqui – Barba Negra – do jeito que Toby me mostrou quando eu ainda era pequeno. O nome é para dizer que eu é que escrevi estas palavras.
    Obrigado.
    Agora, vamos cantar.

Agradeço ainda à minha equipe, Sarah Webster e Laura Stenberg; e Penny Kavanaugh; e ao VJ Bauer, vjbauer.com, VFX artist; e Joel Rubinovich e Sheldon Shoib. E também agradeço a Michael Bradley e Sarah Cooper, e Coleen Quinn e Xiaolan Zhao. Além desses, agradeço a Louise Dennys, LuAnn Walther e Lennie Goodings, e aos meus muitos agentes e editores em todo o mundo. Eu também quero agradecer ao dr. Dave Mossop, e a Grace Mossop, e a Barbara e Norman Barricello, todos de Whitehorse, Yukon; e aos muitos leitores que incentivaram a criação deste livro, incluindo o pessoal do Twitter e do Facebook.

Finalmente, os meus agradecimentos especiais a Graeme Gibson, que passeia comigo pelos bosques da tarde da vida, forrageando bioformas nutritivas e combatendo as hostis onde quer que apareçam, e comendo-as quando possível.

Agradecimentos

Embora *MaddAddão* seja uma obra de ficção, a narrativa não inclui tecnologias ou bioseres que já não existam ou que não estejam em construção ou não sejam teoricamente possíveis.

A maioria dos personagens centrais em *MaddAddão* aparece nos primeiros dois livros desta série, *Oryx e Crake* e *O ano do dilúvio*. Diversos nomes se originaram por doações de ajuda a diferentes causas, incluindo a Medical Foundation for the Care of Victims of Torture ("Amanda Payne") e a revista *The Walrus* ("Rebecca Eckler"). Juntos em *MaddAddão* estão "Allan Slaight", cortesia de sua filha, Maria (o título de sua biografia é *Sleight of Hand*); "Katrina Wu", cortesia de Yung Wu; e "March", cortesia de um jogo no Wattpad. com, vencido por Lucas Fernandes. São Nikolai Vavilov veio de Sona Grovenstein, e dicas de apicultura, de Carmen Brown, da Honey Delight, em Canberra, Austrália.

Minha gratidão, como sempre, aos meus editores, Ellen Seligman, da McClelland & Stewart (Canadá), Nan Talese, da Doubleday (EUA), e Alexandra Pringle, da Bloomsbury (Reino Unido).

Agradeço ainda aos meus primeiros leitores: Jess Atwood Gibson; minhas agentes no Reino Unido, Vivienne Schuster, Karolina Sutton e Betsy Robbins, da Curtis Brown; e Phoebe Larmore, minha agente norte-americana; e Timothy O'Connell. Também agradeço a Ron Bernstein. E um agradecimento especial a Heather Sangster, da Strongfinish.ca, pela sessão maratona na edição de texto, após a qual ela topou com uma tempestade de neve e um carro que não pegava.